Coto vedado

Biblioteca Juan Goytisolo

Juan
Goytisolo
Coto vedado

El libro de bolsillo
Biblioteca de autor
Alianza Editorial

Diseño de cubierta: Alianza Editorial
Ilustración: Eduardo Arroyo, *Sama de Langreo (Asturias). Septiembre 1967.*
El minero (detalle). Colección Arte Contemporáneo, Madrid. VEGAP, 1999
Proyecto de colección: Odile Atthalin y Rafael Celda

© Juan Goytisolo, 1985
© Alianza Editorial, S. A., Madrid, 1999
    Calle Juan Ignacio Luca de Tena, 15; 28027 Madrid; teléf. 91 393 88 88
    ISBN: 84-206-3827-7
    Depósito legal: M. 6.905-1999
    Compuesto en Infortex, S. L.
    Impreso en Closas-Orcoyen, S. L. Polígono Igarsa
    Paracuellos de Jarama (Madrid)
    Printed in Spain

La lucidité est la blessure la plus rapprochée du soleil.

RENÉ CHAR

Uno

Espulgar genealogías se reduce a descubrir, dice el narrador socarrón del *Petersburgo* de Biely, la existencia final de linajes ilustres en las personas de Eva y Adán. Fuera de este hallazgo capital e incontrovertible, las arborescencias y frondosidades de los troncos materno y paterno no suelen prolongarse –con excepción quizá de unas cuantas familias de aristócratas– a ese limbo original pomposamente conocido por la noche de los tiempos. En mi caso –vástago, por ambos lados, de una común, ejemplar estirpe burguesa–, los informes tocantes a mis antecesores obtenidos durante mi infancia no se remontan más allá del siglo XIX. Pese a ello, mi padre, en uno de los arrebatos de grandeza que antecedían o preludiaban sus empresas y descalabros, se había forjado un escudo familiar en cuya composición figuraban, conforme a mis recuerdos, flores de lis y campos de gules: lo había trazado él mismo en un pergamino que lucía enmarcado en la galería de la casa de Torrentbó y era, según él, la demostración irrebatible de nuestros orígenes nobiliarios. En las largas veladas veraniegas propicias a la evocación de temas íntimos y anécdotas remotas, mi tío Leopoldo acogía la exposición de los presuntos blasones con una expresión risueña y escéptica: apenas su hermano mayor había vuelto la espalda, nos confiaba sus sospechas de que el viaje sin retorno del bisabuelo de Lequeitio a Cuba, adonde fue muy joven e hizo rápidamente fortuna, obedeció tal vez a la necesidad de romper con un medio hostil a causa del estigma inicial de una procedencia bastarda. ¿Por qué si no, al enriquecerse y triunfar, se había establecido con gran fausto en Cataluña y no en el País Vasco? Aquel extrañamiento y ruptura con el resto de la familia es y será siempre un enigma. En cualquier caso, dirimía, lo del escudo y nobleza eran producto de la desbocada fantasía paterna: nuestros antepasados vizcaínos no habían pasado de hidalgos.

Sea cual fuere la verdad, el bisabuelo Agustín, cuya imponente y señorial estampa presidía en mi infancia el cónclave fantasmal de retratos de Torrentbó, se había convertido en uno de los magnates de la industria azucarera cubana gracias a su despiadada explotación de una mano de obra abundante y barata: la suministrada por los esclavos. La forma en que amasó en pocos años un capital inmenso revela un carácter duro y autoritario, poseído de la ambición y orgullo inherentes al mando y absolutamente seguro de sus derechos. Dueño del ingenio San Agustín, en el término municipal de Cruces, junto a Cienfuegos, adquirió también numerosas propiedades tanto en la isla como en la metrópoli. A los hábitos ordenados de su hijo Antonio debemos la conservación de un verdadero archivo de documentos –cartas personales, facturas, letras de cambio, correspondencia comercial, resguardos, fotografías– que permitiría exhumar a un historiador interesado en los negocios, costumbres y tren de vida de una próspera familia de indianos, la ideología, creencias, aspiraciones de la antigua sacarocracia y el impacto en ellas de las vicisitudes políticas de la colonia desde las primeras luchas independentistas y abolición de la esclavitud a los acontecimientos que culminaron en la voladura del *Maine* e intervención directa de los norteamericanos. A través del correo dirigido a o desde Cuba, se puede reconstruir la movilidad atareada del bisabuelo entre Barcelona, La Habana y Cienfuegos; su decisión de confiar el cuidado del ingenio e intereses isleños a su hijo Agustín, mientras mi futuro abuelo Antonio y la «niña Trina» se acomodaban lujosamente en sus propiedades y fincas del principado; la larga lista de achaques de la bisabuela doña Estanisláa Digat y Lizarzaburu, paliados tan sólo por sus consoladoras prácticas religiosas y sentimientos devotos. Del efecto que en mí produjo el hallazgo tardío de estos materiales el lector podrá forjarse una idea recorriendo las páginas de *Señas de identidad* y, sobre todo, el primer capítulo de *Juan sin tierra*. El mito familiar, escrupulosamente alimentado por mi padre, se esfumó para siempre tras la cruda verdad de un universo de desmán y pillaje, desafueros revestidos de piedad, abusos y tropelías inconfesables. Una tenaz, soterrada impresión de culpa, residuo sin duda de la difunta moral católica, se sumó a mi ya aguda conciencia de la iniquidad social española e índole irremediablemente parasitaria, decadente e inane del mundo al que pertenecía. Acababa de descubrir la doctrina marxista y su descripción minuciosa de los privilegios y atropellos de la burguesía se aplicaba como anillo al dedo a la realidad evocada en aquellos fajos marchitos de cartas.

Fue así como, a los veintitrés o veinticuatro años –coincidiendo, es verdad, con uno de los desastres finan-

cieros de mi padre que anduvo a pique de llevarnos a la
ruina–, pasé a ser compañero de viaje del Partido
Comunista clandestino. Mi decisión se debía tanto a la
lectura apresurada de los folletos y libros que empezaban
a circular bajo mano en España como a la ilustración
contundente de los mismos por las efemérides, historial
y altibajos de mi propia familia. El proceso revolucionario cubano, iniciado unos años más tarde, sería vivido
así, íntimamente, como una estricta sanción histórica a
los pasados crímenes de mi linaje, una experiencia libe-
radora que me ayudaría a desprenderme, con la entusiasta inserción en él, del pesado fardo que llevaba encima.
La misiva incluida en el último capítulo de la novela que
cierra mi trilogía es auténtica si bien, por razones de
adaptación novelesca, introduje algunos cambios al
transcribirla. Otras, igualmente acusadoras e hirientes,
permanecen todavía en mis manos. Sin ánimo exhausti-
vo, a fin de restituir las emociones que suscitaron, me
limitaré a reproducir aquellas cuya elocuencia me exime
de cualquier comentario.

Cienfuegos, sbre 25 1873

Sr. D. Agustín Goytisolo
Querido amo, la presente es para poner en su
conosimiento como hayer 24 le é entregado a el
niño Agustín 300 p. oro para que me entregara la
carta y dise que no me la puede dar yo hoy no le
puedo ser útil a consecuencia de mi enfermedar
como sumersé sabe y espero de sumersé la diga
algo sobre esto yo estoy en casa de Vizente y el es
quien me mantiene y me paga los gastos de la boti-

ca y espero que sumersé le diga al niño Agustín que me la dé para ver si trasladandome a otro puerto puedo aliviar mi enfermedad pues estoy bastante fatal y si sumersé se quiere desengañar puede preguntar á personas de su confianza sin otra cosa les piden la bendisión tanto a sumersé como a la niña Trinidad y demás familia esta su criada Factora Goytisolo.

Recuerde sumersé que U. me ofresió lá carta y yo viendo que sumersé se demoraba me é tenido que empeñarme y bio que ni de ese modo no me la querendar no se que acerme pues si desea que yo baya a trabajar al campo y que tenga que dormir en el suelo me lo dirán eso será en recompensa de mis trabajos yo espero en sumersé y en la Virgen de la Carida mande a darme la carta la criandera F.G.

Cienfuegos 30 de julio 1882

Muy sr. mio penetrada del más profundo dolor participo a U. la funesta noticia de la pérdida de su negro biejo Cándido, mi amado esposo que pasó a gozar de mejor vida el día 23 del presente y así como por sus amables prendas ha causado un común sentimiento a toda la familia y amigos me persuado que también sentira en el ánimo una igual pena suplico a U. le tenga presente en sus oraciones ofreciéndome con este motivo a la disposición de U. en los precepto que fueran de su agrado. Dios guarde a U. muchos años

CEFERINA GOYTIZOLO

Cienfuegos, Abril 22 1884

Sr. D. Agustín Guaitisolo
     Estimado amo mio, deseo que al recibo de esta
se halle Vd. y toda la familia gozando de una perfecta salud como yo para mí deseo y que todo sea
felicidades y a la Sra la bendición a la niña Fermina
Trina Luisita Josefita Dios que la acompañe mil
años y que le doy gracias a su hijo Agustín por los
favores que me está haciendo aquí de una desgracia que me calló que después de Dios el me salvó y
que mande a su criado que tiene muchos deseos de
verlo más que escribirle y me hará favor de contes-
tarme esta carta para vesarla en lugar de Vd. que
no es mi amo sino mi padre.

VICENTE GOITISOLO

Pero estoy anticipando una lectura realizada muchos
años más tarde. En las vacaciones veraniegas de mis
primeros años de bachillerato, el pasado glorioso de la familia paterna se cifraba ante todo en las fotografías ata-
bacadas, un tanto desvaídas, que daban testimonio de su
magnificente esplendor. Las vistas del ingenio –el tren
cañero con el rótulo Goytisolo y Montalvo, sus vagones
listos para la zafra, el batey con los almacenes y viviendas
de la negrada, la sala de máquinas donde se llevaba a
cabo la purga– y de las cuantiosas posesiones del bisabuelo –el palacete de Cienfuegos, el suntuoso chalé
morisco edificado por él en el Ensanche de Barcelona, su

inmueble de la plaza de Cataluña actual propiedad del Banco de Vizcaya– eran la prueba gráfica de una grandeza que aun desvanecida podía conferir –y confería a mi padre– una conciencia inmanente de superioridad. La colección encuadernada de la vieja *Ilustración Española y Americana,* pródiga en estampas de la época, grabados y daguerrotipos, concurría a elaborar mis fantasías ingenuas con las coordenadas espaciales e históricas en las que la epopeya familiar se inscribía. Las imágenes coloniales cubanas, fisionomía y vestimenta de los mambises, despedida popular de los voluntarios embarcados para La Habana son parte integrante de unos recuerdos caleidoscópicos estrechamente ligados a mi niñez. El mito y aventura cubanos cobrarían así en mis adentros, hasta la irrupción de la pubertad, la forma de un paraíso perdido, de un edén expuesto con nitidez ante mis ojos y esfumado después como por efecto de un espejismo.

El abuelo Antonio había contraído matrimonio en Cuba con la hija de una rica familia de indianos de origen anglomenorquín: esta dulce, clara, lejana Catalina Taltavull y Victory, cuyo retrato adolescente presagia su melancólica resignación al destino. Tras liquidar el patrimonio antillano, los Taltavull se habían afincado también en Barcelona, en donde el hermano de mi abuela llevó una vida despreocupada y alegre, severamente criticada por la rama colateral de la familia. En *La Habana para un Infante difunto,* Guillermo Cabrera Infante, al establecer la lista de moradores de la antigua casa de vecindad en que se criara con sus padres y hermano, menciona de oídas a un negro Tartavul que debió de ser en realidad un Taltavull descendiente de algún esclavo de mi otro bisabuelo paterno, inscrito en el registro, conforme a los usos de aquel tiempo, con el apellido del amo.

Esos Goytisolo y Taltavull existen aún en Cuba y mi hermano José Agustín se fotografió con uno de ellos, casualmente mi homónimo. En 1962, durante una breve escapada a la villa de Trinidad, cercana a Cienfuegos, oí hablar de otro Juan Goytisolo, famoso por sus artes de brujería, que acababa de refugiarse en el monte huyendo al parecer de la furia de algún marido ultrajado.

La reconstitución de la vida barcelonesa de mi familia vascocubana no resulta difícil: a los fajos bien ordenados de documentos y cartas del abuelo Antonio se añade, en la memoria, el poso de las apacibles evocaciones veraniegas de mi padre con sus hermanos Catalina y Leopoldo en la casa de Torrentbó. Por sus interminables charlas en el jardín o la galería, sé que mi tía abuela Trina, una imponente solterona bigotuda y católica que, según Leopoldo, tenía la pinta de un granadero, vivió rodeada de una pequeña corte de vicarios y canónigos, compadres de su vida regalada y beneficiarios de sus generosas limosnas. En su decorativo papel de perritos falderos, asistían a sus reuniones mundanas, le daban el brazo al cruzar la calle, sostenían con obsequiosidad su sombrilla: así, al fallecer ella, heredaron todos sus bienes, unas piadosísimas sanguijuelas, concluía el tío con expresión burlona. Tía Catalina fingía no oír el comentario y, tumbada en su eterna chaise-longue, desgranaba, entre murmullos, las cuentas de su rosario. El tema del tío abuelo Juan Taltavull, de su vida dispendiosa e inútil, era objeto también de comentarios y apostillas: en una ocasión, a fin de agasajar a sus invitados en su lujosa mansión de Caldetes, había reservado para ellos un tren especial en un arranque de megalomanía. Él y la tía Ángeles habían vivido ociosamente de sus rentas y, al mermar éstas, procedieron a vender poco a poco sus bienes hasta llegar a la situación inconfortable si no apurada en que les conocí: recluidos en un piso vasto y elegante de la Rambla de Cataluña, incapaces de mantener el rumbo y boato al que, para su desdicha, se habían acostumbrado. Ambos murieron después de la guerra y de sus cuatro hijos únicamente vi o traté a dos: la tía Mercedes y un varón, Juanito, que seguía los malos pasos del padre para vergüenza y escándalo de la familia. En el comedor de Torrentbó colgaba un retrato infantil del tío abuelo Juan, ridículamente vestido con chaquetín y calzones oscuros, acomodado en una especie de banquillo o taburete rojo: su expresión ceñuda y huraña, el empaque y esfuerzo del rostro, la sospechosa crispación de su postura incitarían a creer a un malpensado que fue sorprendido por el artista en el quehacer humilde de la defecación.

La figura de la abuela –paralela y simétrica en la inalterable disposición de los cuadros que adornaban la pieza– no guarda con él ningún parecido. Catalina Taltavull ofrece en ella la imagen de una adolescente delicada y suave, condenada por el código patriarcal de la sociedad en que vivía a un borroso papel de consorte fiel y sacrificada, víctima de una implacable sucesión de maternidades que segó prematuramente su vida. Embarazada con regularidad por el abuelo Antonio, le dejó diez herederos, hembras y varones, al fallecer de sobreparto a los treinta y siete años. Su marido, al enviudar, se había consagrado con cristiana resignación a la prudente gestión de sus bienes y estricta educación de los hijos. Mientras su hermano Agustín se hacía cargo del patrimonio cubano y liquidaba el central azucarero de Cruces, improductivo y costoso después de los grandes cambios económicos y políticos originados por la lucha independentista e invasión norteamericana, él se ocupa-

ba en mantener, falto del ímpetu arrollador del padre y
de su infalible sentido de los negocios, su elevada posición social frente a la erosión paulatina del tiempo y
mudanzas de la fortuna. Las relaciones con Cuba llenan
una buena parte de la correspondencia de principios de
siglo. Una misiva de su abogado, recién concluida la guerra con Estados Unidos, nos informa de modo sumamente significativo acerca del estado de ánimo de un sec-
tor de las clases acomodadas de la isla tras el choque de la
derrota de España y amenazas de una revolución radical
protagonizada por los mambises: «aun cuando la reconstrucción del país se va haciendo lentamente, porque hay
todavía mucho majadero que habla de machete y de tiros,
con lo cual sólo consigue amedrantar a los niños, lo posi-
tivo es que va adelante. Grandes empresas cambian de
mano todos los días y el dinero del extranjero hará rena-
cer la vida y el bienestar en estos campos de Cuba rega-
dos con tantas lágrimas y sangre. Sea cual fuere el porvenir de este país en el terreno político, si los americanos
intervienen de una u otra manera en sus destinos, la isla
prosperará».

   Aunque el intercambio epistolar con Cuba se espacia
al consumarse la división patrimonial entre los dos hermanos, los documentos que conciernen a la vida española presentan asimismo considerable interés. Por medio
de ellos, podemos rehacer la existencia diaria de un
indiano acaudalado, conservador, rígido y piadoso, cuya
conducta, sentimientos e ideas me inspiran e inspiraron
siempre profunda antipatía. Su proverbial mezquindad
–establecida por cuantos le conocieron– admitía tan sólo
una excepción en materias religiosas. Cuando tío Leopoldo comentaba que prefería patearse los cuartos en
fiestas y fulanas como el tío Juan Taltavull a arruinarse

como «otros» por mor de la Iglesia, el dardo apuntaba claramente a sus larguezas baldías. Tan excepcional generosidad no era con todo enteramente desinteresada: como un buen hijo de negociantes, obedecía a un cálculo de rentabilidad, si no inmediata y tangible, al menos metafísica. En pago a sus fieles y asiduos servicios a la causa eclesiástica, el Pontífice León XIII se había dignado conceder una indulgencia plenaria *in articulo mortis* para él, sus colaterales y descendientes hasta la tercera generación en un diploma que, con su fotografía, sello y firma lucía pomposamente enmarcado en la casa de Torrentbó. Si bien cabe pensar como mi tío, de forma un tanto pedestre, que aquella absolución de los pecados cuyo manto benigno me resguardaba de las penas infernales cualesquiera que fuesen mis crímenes debió costarle los ojos de la cara, la mirífica compensación ultraterrena resultaba para un creyente del temple del abuelo infinitamente más atractiva. Asegurar la eterna felicidad para sí y la familia revestía las apariencias de una inversión sumamente rentable: la prolongación en el más allá de un sistema social inamovible y propicio, como ese paraíso imaginado por los nobles egipcios enterrados en el Valle de los Muertos y en cuyos hipogeos figuran dibujadas hermosísimas estampas de la vida regalada, colmada de manjares, bebidas, servidores y ofrendas, que les aguarda al abandonar este mundo. Reprocharle tal previsión –un verdadero seguro de muerte contraído para él y los suyos– sería no sólo superfluo e inoportuno sino una muestra chocante de ingratitud.

El carácter severo y altivo del abuelo, su viudez triste, la porfía con que somete a sus hijas e hijos a los rigores de una adusta educación religiosa se traslucen en la correspondencia con éstos en sus años de internado con los jesuitas o monjas del Sagrado Corazón. Los manuales de piedad de la época, lectura obligada de mis tíos durante sus vacaciones de verano, reflejan una curiosa concepción maniquea de un mundo partido entre Dios y el pecado, bastante más próxima al Génesis que a los Evangelios, cuyo conocimiento nos informa, mejor que cualquier análisis, del pensamiento ultramontano de nuestras clases pudientes en el período de la Restauración. Un manoseado ejemplar de la *Devoción a san José,* procedente de la biblioteca de Torrentbó y que casualmente tengo a mano en el momento de escribir estas líneas, recoge puntualmente una serie de milagros en los que la Justicia divina fulmina indiscriminadamente a librepensadores, blasfemos, sindicalistas, republicanos, masturbadores y enemigos del Papa: «En cierto pueblo ha ocurrido un ejemplo de la venganza del cielo. A eso del mediodía, el señor Cura llevaba el santo Viático a un enfermo. Al salir de la iglesia pasó delante de un mesón donde había tres hombres sentados a la mesa. Dos se levantaron y descubrieron al ver al santísimo Sacramento; pero el otro, lejos de imitarles, empezó a burlarse de ellos, y creyendo dar muestras de valor y talento, pronunció una infame blasfemia contra Jesucristo y la santísima Virgen. Apenas el infeliz había acabado de proferir su blasfemia, cayó sin conocimiento en presencia de sus compañeros aterrados. Fuese por un médico, llamóse al vicario de la parroquia, y fueron inútiles todos los cuidados: por tres veces distintas acude el sacerdote a confesar al moribundo, pero siempre en vano. Su blasfemia fue su última palabra. Después de diez horas de agitarse en horribles convulsiones, expiró, habiéndose él mismo cortado la lengua con los dientes en su delirio». «Otro sujeto, muy aficionado a leer periódicos impíos, al

ver a su hija, vestida de blanco, que iba a salir para tras-
ladarse a una población vecina en que el señor Obispo
administraba el sacramento de la Confirmación, se enfureció de tal manera, que arranca a su hija el velo y la guir-
nalda que llevaba, y la encierra en un cuarto. Al cabo de
algunos días, un caballo desbocado, después de haber
atravesado toda la población sin hacer daño a nadie,
entra en la casa de este inconsiderado padre, lo derriba y
lo pisotea, dejándolo muerto.»

Hombre de orden e inquieto por las convulsiones que
sacudían a Barcelona en vísperas de la Semana Trágica, el
abuelo había sostenido con entusiasmo la política repre-
siva de Antonio Maura contra los agitadores y revoltosos
que osaban perturbar la paz social. Recientemente,
encontré entre sus papeles una carta con membrete del
Presidente del Consejo de Ministros fechada el uno de
febrero de 1904 en la que, en respuesta a otra suya de la
que desdichadamente no hay copia, Maura agradece sinceramente la felicitación que le había mandado: «Por el
número de aquellas, cada día creciente, que recibo, de
personas de todas las clases sociales, veo con gusto que la
opinión sana del país se va exteriorizando y esto me
alienta a proseguir la obra comenzada». Este poco santo
intercambio de opiniones entre mi abuelo y el de mi
amigo Jorge Semprún –como dije a éste al hacerle partí-
cipe de tan divertido hallazgo– habría sido interpretado
quizá por Carrillo, de haber tenido ocasión de conocerlo
en el momento de la ruptura de Semprún con el Partido
y mi involuntaria implicación en la misma por un artículo que publiqué en *L'Express,* como antecedente remoto
de un contubernio nuestro destinado a minar la unidad
de la organización y moral de sus miembros. La relación
insospechable de los dos abuelos –vista a una distancia

de casi ochenta años, desde la atalaya privilegiada de
nuestra distinta experiencia política– me parece uno de
esos azares sorprendentes de la historia que a menudo
incitan a creer en la presencia entre bastidores de un
genio burlón y matrero, diestro en el arte de la paradoja
y sutil ejercicio de la ironía.

En la segunda década del siglo, la correspondencia
disminuye de volumen hasta extinguirse del todo. Los
últimos años del abuelo Antonio en su mansión de la
calle Mallorca se pierden así en los dominios de la conje-
tura e información dudosa: estudios universitarios de los
hijos mayores, esponsales, veraneos en Torrentbó, lenta e
inexorable metamorfosis de su viejo status de prócer
acomodado en el de rentista avaricioso y parco, reducido
por la inercia natural de las cosas a una existencia vacua
y decorativa. La fecha de su muerte coincide con el
noviazgo de mi padre y retrasó al parecer algunos meses
la celebración de la boda. El clásico ciclo de ascensión,
esplendor y caída de las familias, manifiesto ya en su
vejez, debió de colmarle de ansiedad y amargura. El
reparto de la aún cuantiosa fortuna entre sus diez hijas e
hijos, la falta de ambición y espíritu combativo de éstos
presagiaban un futuro difícil e incierto en un período
caracterizado precisamente por su movilidad social y
sobresaltos políticos. Desaparecido el vínculo que los
mantenía unidos, sus herederos no tardarían en disper-
sarse: su cohabitación en el palacete anacrónico, empequeñecido y rodeado ya por los flamantes inmuebles de
habitaciones del Ensanche, resultó pronto dispendiosa e
inútil. Mientras algunos contraían matrimonio y funda-
ban un hogar, otros –como Leopoldo, Luis y Montserrat–
buscaron un piso agradable y moderno, mejor adaptado
a sus gustos y necesidades. El chalé morisco fue vendido

y desapareció poco después bajo los golpes de la piqueta demoledora, barrido por la fiebre especulativa que alteraría para siempre aquellos años la fisonomía apacible y romántica de la ciudad.

Si alguno de mis tíos desempeñó en mi niñez un papel importante, la mayoría de ellos se eclipsaron en fecha temprana o asomaron al horizonte de aquélla como simples comparsas, de forma fugaz y anodina. El recuerdo de tía Rosario, su marido y los hijos enlaza casi exclusivamente con mi primer aprendizaje de la vida, cuando su familia y la nuestra vivían refugiadas durante la guerra en el pueblo de Viladrau. De la tía María, viuda y con siete hijos, conservo una imagen insegura y borrosa: una visita con mi madre a su casa un tanto gaudiana de la calle Dominicos, en la parte alta de la Bonanova. A tía Magdalena no la llegué a conocer: enferma, neurótica, se había habituado, a causa de una larga dolencia, al consumo de drogas y falleció siendo yo niño en un sanatorio. Sus hermanos evitaban hablar de ella y cuanto sé de su vida llegó a mis oídos de manera indirecta o a media voz. En Torrentbó descubrí una vez un librillo suyo subrayado a lápiz cuyo título, *Los engaños de la morfina,* sugiere la idea de que le fue aconsejado por algún médico en una de sus curas de desintoxicación. El opúsculo, destinado a poner en guardia contra el abuso de estupefacientes, incluía curiosamente en la lista de adictos célebres al «divino» marqués de Sade: la primera noticia del creador de Justine y Juliette me llegó en consecuencia a través de una prosa seudomédica plagada de fabulaciones y errores con el previsible resultado de inspirarme un deseo vivísimo de conocer su persona y obra, retratadas por el horrorizado publicista con el atractivo malsano de la fascinación. El tío Joaquín, que había obtenido como Leo-

poldo un diploma de médico, emigró a Argentina antes
de mi nacimiento tras haber contraído un matrimonio
severamente condenado por la familia a causa del origen
humilde de la desposada: allá, con una energía brusca e
insospechada, se consagró a una vasta explotación ganadera hasta forjarse una posición económica desahogada
que le situaría en lo futuro muy por encima de sus hermanos. Las vicisitudes de la guerra civil y carestía reinante en la zona republicana le procuraron la dulce ocasión de lavar la presunta mancha socorriendo regularmente a mi padre y los tíos de vituallas acogidas por éstos
como el agua de mayo. Cuando, a fines de los cuarenta,
llegó a la estación marítima de Barcelona con tía María y
las primas, su recepción fue la de un triunfador. Toda la
familia acudió a abrazar a la ex oveja negra y, olvidando
su desdichado protagonismo en la partida del tío a
Patagonia, papá lo erigía en paradigma de virtudes y nos
incitaba a seguir su ejemplo. Mientras él y sus hermanos
soportaban como podían las estrecheces generales de la
posguerra española y las ocasionadas por el declive de su
fortuna, Joaquín, el apestado, salía engrandecido de la
prueba y era objeto de muestras de respeto y admiración.
Mi padre, cuya obsesión con el peligro comunista rayaba
a veces en lo patológico, nos incitaba a abrirnos paso
lejos de Europa aprovechando la experiencia y consejos
de aquel digno émulo del bisabuelo en sus afanes de
aventura y de gloria. Tío Joaquín y su esposa paladeaban
modestamente su desquite, deslumbrándonos a todos
con su sencillez y afabilidad.

Los hijos menores del abuelo Antonio, Ignacio y
Montserrat, incidieron también en mi niñez de manera
esporádica: él, ingeniero industrial e inventor de mejoras
patentadas en el dominio de los ferrocarriles, se había

convertido durante la guerra en un apasionado franquista y sostenía acaloradas discusiones con Leopoldo, cuando éste pronosticaba, desde Stalingrado, la derrota inevitable de los alemanes. Montserrat pertenecía a un mundo
enteramente distinto del de sus hermanos: huérfana de
padre y madre, había adoptado un estilo de vida independiente y desenfadado, en los antípodas de la pudi-
bundez y piedad en las que se criara de niña. Fumaba,
bebía, había sido pionera del charlestón, falda-pantalón
y baños solares antes de contraer matrimonio a los treinta y tantos años con un tal Federico Esteve, con quien se
estableció en Mallorca poco antes de la guerra civil.
Recuerdo la visita de ambos a la casa de Pablo Alcover
para pedir la mano de ella a mi padre en su condición de
hermano mayor: un matrimonio que se revelaría sumamente desgraciado y, tras años de humillaciones y desai-
res, la conduciría por fin a la ruina.

Sobre mis tíos Leopoldo, Catalina y Luis me extende-
ré luego: los tres intervinieron de un modo u otro en mi
formación y experiencia. El resto de la estirpe paterna
–una veintena y pico de primos entre los que se contaban
o cuentan un salesiano, un dignatario del Opus Dei, un
misionero en el Chad y un cura obrero marxista– aparecerá también, si la exposición de los hechos lo aconseja,
en las páginas de este relato. Mientras la noción de familia ha dejado de significar algo para mí desde hace años,
la rareza de nuestro apellido y un reflejo puramente atá-
vico explican la manía de que en mis viajes consulte
siempre la guía telefónica de las ciudades en que paro con
la vaga esperanza de dar con un miembro remoto del
clan; pero, fuera de México y Nueva York, no he descubierto nunca por este medio las huellas de una parentela
lejana. Mi relación con los Goytisolo, más allá del círcu-

lo de mis hermanos, ha sido en las últimas décadas producto de la casualidad: hubo, en primer lugar, un extraño desencuentro con una Madame de mi apellido en un
hotel de Marraquech a causa de un telegrama fechado en
Burdeos en el que la misteriosísima dama anulaba su
reserva y la de su compañera el mismo día de mi llegada,
lo que ocasionaría una explicable confusión y el comentario incrédulo del director del hotel, convencido de que
el mensaje era mío y le estaba tomando el pelo, *vous ne
me ferez pas croire tout de même, Monsieur, qu'un nom
pareil court les rues!;* igualmente inverosímil el real y tangible cartel anunciador de un coñac Goitisolo exhibido,
ante mi estupor, en una vitrina del Gran Bazar de
Estambul por un comerciante turco hincha del Athlétic y
admirador de lo vasco: como no sufro alucinaciones ni
había fumado kif, tuve que plantarme unos segundos
con la nariz pegada al escaparate ornado de ikurriñas
hasta persuadirme de que era verdad.

mperceptiblemente, *los signos se acumulan. De forma insidiosa y aleve, irregulares, dispersos, como espaciados adrede para dificultar su lectura. No el simple deterioro físico, verificado apenas en lo cotidiano, el esfuerzo mayor exigido por cada uno de los actos y pequeños rituales del día, ni siquiera la contrariada sorpresa, instintiva rebelión derrotada del brusco enfrentamiento a la marchita juventud de tu fotografía : la irrupción más bien, en un momento de vaga felicidad irresponsable, de ese corte inopinado, brutal, que desbarata previsiones y cálculos y te abandona inerme a la conciencia de una irremediable caducidad.*

Conducir, por ejemplo, a la amanecida, a través de un sereno y luminoso paisaje, por una apacible, casi desierta carretera comarcal olvidando, es verdad, según descubrirás más tarde, que se trata de un viernes, día trece y estás por contera en el departamento francés número trece, algo que cualquier supersticioso podría interpretar erróneamente como una deliberada provocación, detenerte en la señal de alto plantada en el cruce con la nacional de Saint-Rémy a Tarascon, atender a la llamada de un sujeto de

edad mediana que, al otro lado de la encrucijada, con una
pobre y deslucida maleta en la mano, te pregunta si puedes
llevarle contigo a un pueblo vecino y, después de compro-
bar que te pilla de paso, atravesar la calzada, olvidándote,
en el intervalo del breve diálogo, de mirar aún a la izquier-
da y oír de repente el zurrido estridente de unos frenos,
segundos antes del encontronazo que reducirá tu automó-
vil a triste chatarra. Salir titubeante del vehículo y afron-
tar el rostro céreo, descompuesto de miedo, del chófer del
camión, involuntario mensajero de un aviso del destino,
precisamente un árabe; dirigirle, en su lengua, unas pala-
bras para tranquilizarle y escuchar sus balbuceos –no sor-
prendido en absoluto por lo insólito del hecho de que el
europeo presuntamente herido converse con él en su idio-
ma–, la salmodia a media voz de los Kulchi fi yid Allah *y*
otras fórmulas de acatamiento a lo Escrito entretejidas con
exclamaciones de acción de gracias. Inverosímil diálogo en
la carretera nevada de vidrio, sin experimentar todavía
dolor alguno por la uña del pulgar arrancada de cuajo
mientras adviertes que el causante indirecto del lance huye
a toda prisa con la maleta a cuestas y la dueña de la tien-
da situada en el cruce, tras permitirte telefonear al amigo
en cuya casa te has hospedado, encaja sin pestañear el pre-
cio de la llamada. Sólo perplejidad por tu presencia en un
mundo algodonoso y fantasmal, objeto de piedad o indis-
creción de los inevitables mirones, junto a la figura magra
y envejecida del desamparado magrebí transportista de
fruta que, pasado el apuro, se esfuerza en establecer tam-
bién una simple composición de lugar –daños, responsabi-
lidades, necesidad de prevenir al amo–, aguardando la lle-
gada de la policía.

O, quince meses más tarde, en el curso de un viaje sen-
timental al espacio de tu propia escritura, después de reco-

rrer el paisaje solitario y agreste en el que se desenvolvía la
trama de una de tus novelas, volver al lugar como el culpable retorna siempre al sitio de su crimen, inmerso en la
masa bulliciosa y enardecida de aficionados venidos de
todos los rincones de la provincia a asistir, como tú, a la
expiatoria y cruel ceremonia de los encierros, encaramado
en las talanqueras de la plazuela inferior de Elche de la
Sierra por donde iban a irrumpir los bichos con su cortejo
de cabestros y gañanes en medio de los gritos y estampida
de los petardos, varazos, huidas, envites, aupamientos
motivo de arrobo y entusiasmo de la abigarrada multitud;
descolgarte del racimo humano, para seguir calle arriba,
con tus amigos, el tropel de los rezagados hacia la iglesia
parroquial del pueblo, intentando prever por los chillidos y
fugas precipitadas el regreso de los astados desde la plaza
rectangular y vallada, en donde horas después debe celebrarse la lidia y ejecución de los animales, el sangriento,
colectivo ritual; internarte, al cabo de larga espera, en el
callejón atrancado, sordo al aviso del compañero albacete-
ño que conoce mejor que tú la disposición del lugar –lon-
gitud del trayecto hasta la iglesia, carencia de refugios y
barreras por las que trepar en caso de necesidad–, con el
propósito de llegar al palenque en el que permanecen los
toros; alcanzar la embocadura de la plaza y, desde el por-
tillo abierto en la empalizada de troncos verticales, cercio-
rarte de la dificultad de entrar sin atraer la atención de
uno de los bichos que, excitado ya por la detonación de las
tracas, golpes y bastonazos, rasca el suelo con las pezuñas
y mira tenazmente a la salida, ansioso de embestir, cor-
near, vengarse de la esquiva cuadrilla de mozos que lo
maltratan y burlan; buscar refugio a tu izquierda mientras
la res humilla el testuz y arranca de súbito en dirección al
postigo de la talanquera, dejar que pase en tromba tras los

*gañanes, oír los gritos de terror cuando arremete a uno de
ellos en plena carrera, lo echa por tierra, empitona, prosi-
gue su furia persecutoria, abandonándolo de bruces, como
muerto; percibir de nuevo las voces y chillidos anunciado-
res de la irrupción del segundo toro, verificar que tus vecinos se escabullen y trepan a las talanqueras de la derecha
de la bocacalle aupados por los de arriba, arrimarte por
segunda vez, imprudentemente, a la esquinera izquierda,
arrinconado entre una pared y los troncos verticales de la
empalizada; percatarte de pronto de que el toro, traspuesto el umbral, en vez de seguir adelante y acometer a los
fugitivos, vuelve la grupa y se encara contigo a dos metros
escasos de distancia, te observa con fijeza durante unos
instantes interminables, el tiempo de concretar sin temor,
con puro asombro, la situación impensable en la que te
encuentras: aculado al rincón, sin medio de pasar entre las
tranqueras, consciente del carácter absurdo de la escena,
suspenso y poseído tan sólo de una densa y frondosa incredulidad; intentar escurrirte con lentitud hacia la puerta,
convencido de la imposibilidad de que aquello sea cierto,
de protagonizar una especie de sueño despierto, la habitual pesadilla nocturna, opaca, laboriosa, pugnaz; y sentir
no obstante el golpe de testuz que te tumba, arrastra boca-
bajo por el suelo, perdida toda noción de lugar y de tiempo, segundos, segundos inimaginables, ni pánico ni dolor
ni zozobra, sólo, sólo, sólo abrumadora irrealidad; y escuchar un grito familiar, tu nombre aullado más que pro-
nunciado, momentos antes de que manos anónimas te
tiren de los brazos, te incorporen, rescaten y, al alzar la
vista, descubras a Abdelhadi entre los cuernos del toro,
izado cual carga ligera por el bicho furioso, a punto de ser
volcado atrás de un cabezazo hasta que el animal, vapu-
leado por los mozos durante su breve y espectacular caída,*

se levanta, olvida a tu salvador, da media vuelta y corre encolerizado tras la cuadrilla; agitación, solicitud, ofertas de ayuda tardías e inoportunas de los asistentes al lance apiñados en torno a ti y Abdelhadi, empujados, casi en volandas al cercano puesto de socorro, deseosos ambos, con ese orgullo lastimado de quien acaba de dar el tropezón en público, de impedir que la gente os compadezca, de sustraeros lo antes posible a su curiosidad y atención; aprehender de golpe, ajeno al gentío que te rodea, el destino irrisorio y grotesco que te ha rozado exactamente el mismo día en que un infeliz espontáneo muriera empitonado ante millones de televidentes en la plaza de toros de Albacete, decidido a ocultar la humillación a Monique, sobre todo a ella, antes de haberla encajado, digerido, exorcizado, días, semanas, meses o años más tarde, gracias a ese lento, paulatino proceso interior que conduce soterrado a la escritura; reconocimiento, cura, desinfección con mercromina y algodón de roces y magulladuras, y registrar como un sonámbulo el homenaje admirativo de un cabo de la guardia civil testigo del accidente que, luego de dar unas palmadas en el hombro de Abdelhadi y haber intentado en vano comunicar con él, se vuelve a ti y formula torpemente el cumplido, su amigo, aunque moro, es noble y valiente.

Como la madre frustrada que después de un aborto involuntario busca con impaciencia, a fin de superar el trauma, la forma y ocasión apropiadas a lograr un nuevo embarazo, sentir aflorar bruscamente, en el dormitorio de la habitación en donde os reponéis del percance, la violenta pulsión de la escritura tras largos meses de esterilidad sosegada, urgencia y necesidad de escribir, expresarte, no permitir que cuanto amas, tu pasado, experiencia, emociones, lo que eres y has sido desaparezcan contigo, resolu-

ción de luchar con uñas y dientes contra el olvido, esa sima
negra de fauces abiertas que acecha, lo sabes, a la vuelta de
cualquier camino, don de vida precario, milagro humano,
existencia y realidad avariciosamente concedidas, júbilo
de confirmar con los cinco sentidos que el portento diario
se prolonga, que una prórroga aleatoria te consiente aún
ser tú mismo, súbita y reiterada acumulación de recuerdos, fogonazos, instantáneas, fuegos fatuos, ebriedad de
ver, tocar, oír, oler, palpar, evocar lo sucedido, la Historia,
las historias, el encadenamiento de hechos, imponderables, circunstancias que te han convertido en este cuerpo
maltrecho tumbado bocarriba sobre la cama de la escueta
habitación en que te alojas, instante revivido ahora, a vue-
la pluma, cuando casi dos años más tarde empiezas a or-
denar tus sentimientos e impresiones, plasmarlos en la
página en blanco, vueltatrás sincopado, a bandazos, sujeto a los meandros de la memoria, imperativo de dar cuenta, a los demás y a ti mismo, de lo que fuiste y no eres, de
quien pudiste ser y no has sido, de precisar, corregir, completar la realidad elaborada en tus sucesivas ficciones, este
único libro, el Libro que desde hace veinte años no has
cesado de crear y recrear y, según adviertes invariablemente al cabo de cada uno de sus capítulos, todavía no has
escrito.

Las sombras y opacidades de la línea materna son todavía más densas. El abuelo Ricardo apenas hablaba de ella y las confidencias de la abuela Marta, escuchadas de niño, se han borrado en gran parte de mi memoria. Sé de cierto que mi tatarabuela era andaluza, se llamaba doña María Mendoza y escribió una novela titulada *Las barras de plata,* inspirándose en los relatos de Walter Scott: en la torre de la calle de Pablo Alcover guardábamos un ejemplar del libro, encuadernado en rojo, pero nunca me tentó la curiosidad de leerlo. Había también un retrato de ella, una dama de apariencia adusta y majestuosa, tocada no obstante por la gracia o insania de la escritura. Novela y retrato desaparecieron a la muerte de mi padre o quizás antes, víctimas de la confusión de aquellos años: mudanza de muebles y enseres de la casa, dispersión general de la familia. Los vestigios del pasado interferían en mi juventud de forma molesta y sólo más tarde volví a pensar en esa posible y lejana transmisora genética de la vocación literaria que marcaría mi vida y la de mis hermanos. ¿Quién fue, cómo era, por qué había escrito?

Otras tantas preguntas sin respuesta, perdidas en el limbo del olvido.

A la bisabuela, su nuera, alcancé a verla en su torre de Pedralbes a mis tres o cuatro años de edad: vestía de luto y llevaba unos rodetes amarillentos, quizá teñidos, encima de las orejas. Se apellidaba Pastor, procedía de una estirpe de militares y había enviudado de José María Vives y Mendoza, un notario con aficiones humanistas. Este bisabuelo poseyó una biblioteca histórico-castrense, alguno de cuyos volúmenes –diccionarios latinos, una crónica ilustrada de los almogávares– fueron a parar a casa. La abuela Marta solía referirnos episodios de la carrera y hoja de servicios de los miembros de la familia, evocar sus emociones infantiles al toque de corneta y formación de la guardia con que se acogía su llegada al cuartel. La tradición jurídico-militar de los suyos se compadecía sin embargo muy poco con la actitud anómala, rebelde y catalanista de su hermano, el traductor y poeta Ramón Vives Pastor. Mi tío abuelo Ramón, según averigüé de manera tardía e indirecta, había llevado en su juventud una existencia bohemia, entregada a la literatura, el dandismo y la disipación. Los testigos de la época lo pintan como un personaje escéptico y apasionado: su versión catalana de las *Estancias* de Omar Jayyam está dedicada a su amante, la irlandesa Bertha St. George, *filla tristoia i dolça d'aquella verda Erin, esclava, com ma terra, d'una llei opressora*. La traducción, hecha a partir de la del orientalista y diplomático francés M. Nicolas, fue prologada por Joan Maragall y contiene algunos versos que, mediante el recurso discreto al diccionario, leía con delectación cuando a fines del bachillerato comencé a perder la fe religiosa:

Vaig enviar mon ànima vers el llunyà Invisible
les lletres a l'altra Vida per a que em confegís,
i, poc a poc, a mi va retornar passible,
dient: «Jo soc mon proper Infern i Paradís».

Muller: no vui que preguis per mi. Déu fa son do
sens que se li demani, i els vels del seu perdó,
i sa misericordia, inmensos com el mar,
cobriran, sensa veures, els grans pecats d'Omar.

Su anticonformismo religioso y militancia nacionalista debieron causar escándalo incluso en el medio culto
y liberal en el que se había educado. La abuela Marta
hablaba a menudo de él: las bromas que solía gastar
cuando eran niños, su viaje a Ginebra adonde fue a cui-
dar la tuberculosis que años después le arrastraría con
todo a la tumba. Allí habría arrojado un papel al suelo, en
plena calle, y un viandante le había reprochado el descuido, indigno de un país civilizado, e invitado, amable-
mente, a recogerlo. Es una de las pocas anécdotas que
recuerdo, acompañada siempre del comentario: los sui-
zos son muy ordenados y limpios. En el pequeño mueble
biblioteca de la entrada de Pablo Alcover se alineaban
algunos libros suyos en catalán, castellano y francés: una
bellísima edición de *La regenta* figuraba entre ellos.
Había también un rimero de carpetas llenas de manuscritos suyos. Con esa indiferencia cruel de los niños, me
había servido de ellos para dibujar y escribir mis chapu-
cerías en la cara en blanco de sus obras de teatro, conde-
nándolas así a la destrucción y la nada. Cuando pienso
ahora en el gesto mío me asusta comprobar que, aun en
mi inconsciencia, hubiera sido capaz de tan lamentable
hazaña: asestar aquel golpe definitivo al objeto precioso

de sus esfuerzos, reducir a cenizas el testimonio y justificación de una vida. Pero, increíblemente, en casa no se
nos había inculcado la más mínima noción de respeto
tocante a sus escritos. Fuera del anecdotario familiar de
la abuela, nadie aludía a él, hecho del que deduzco una
actitud de cautela un tanto reprobadora. Quienes le
conocieron –mi madre, tía Consuelo– habían muerto o
callaban prudentemente como el abuelo. En cuanto a mi
padre, sé que le profesaba, por razones fáciles de adivinar, una franca y sañuda antipatía: a un catalanismo y
bohemia que chocaban de frente con sus convicciones de
hombre tradicionalista, apegado sentimentalmente a lo
vasco y afecto a los valores patrióticos, se añadía un elemento irracional, la sospecha, varias veces formulada en
los momentos en que buscaba un responsable universal
de sus desgracias y calamidades, de que el tío abuelo
Ramón había sido el causante de la meningitis tubercu-
losa de la que falleció a los siete años, antes de que yo
naciera, mi hermano Antonio. Este hecho, y su aversión
no disimulada al abuelo Ricardo por razones que aclara-
ré luego, explican que sus relaciones con la familia de mi
madre fueran cuando menos frías y distantes. La obra y
memoria de Ramón Vives sufrieron un daño irreparable
en aquella atmósfera familiar traumatizada por el desastre de la guerra en unos años de vertical saludo e impe-
rial lenguaje, apego a las normas religiosas y esencias
perennes, chivo expiatorio de unas circunstancias en las
que su simple mención resultaba molesta y las abandonaba inermes al capricho de un niño lego e irresponsable. La desdichada contribución mía a su segunda muerte me abruma hoy de sonrojo y tristeza. Poco, muy poco
subsiste del trabajo de este rebelde nacido a deshora en
una sociedad proverbialmente dura con los disidentes y

cuya ruda terapéutica en épocas de crisis hallaría una lamentable complicidad en el seno de la propia familia. Sus *Notes poetiques* subtituladas *Poesia és llibertat*, impresas a primeros de siglo, no han llegado nunca a mis manos y nada sé de ellas fuera de alguna referencia ocasional de su sobrino, primo carnal de mi madre, el profesor Josep Calsamiglia. A pesar de ello, los escasos elementos de que dispongo para configurar su historia y carácter lo convierten en uno de los raros antecesores que intuyo próximos y con quienes siento una afinidad moral más allá de los impuestos y aleatorios lazos de sangre, afinidad teñida, en su caso, de remordimiento y melancolía. La palabra anulada y hecha trizas por mí siendo niño me ha contaminado tal vez sin saberlo para brotar insidiosa en cuanto he escrito y escribo. Sea cierta o no, la idea de esa posible transmigración me consuela de mi acto irreparable, transmutándolo sutilmente si no en una palingenesia, en una forma discreta de sobrevida.

La misma aura de misterio envuelve la vida y personalidad de mi tía Consuelo. Hermana menor de mi madre y agraciada también con una luminosa belleza, la expresión de su rostro, captada en numerosas fotografías, revela una fragilidad e indefensión disfrazadas apenas de recato y dulzura. Aficionada al violín –del que tomó cursos de interpretación hasta manejarlo con maestría–, compuso un delicado poema sobre Maurice Ravel, publicado en la revista «Mirador», que el abuelo guardaba celosamente entre sus papeles. Sus discos de Bach, Mozart, Schubert, Brahms, Debussy, conservados en un álbum que, después de la guerra, pasó a nuestras manos, me pusieron en contacto por primera vez con el reino sereno de la música; pero, aunque murió cuando yo había cumplido los nueve años, no llegué a verla nunca.

Con anterioridad a mi nacimiento se había casado con el abogado Eusebio Borrell y enviudó sin hijos. Este matrimonio efímero y la índole de la afección que acabó con su esposo no eran evocados jamás en el círculo de mi familia. Un retrato de la pareja, sacado frente a uno de los monumentos de la primera Exposición Universal, no sé si en el paseo de San Juan o el parque de la Ciudadela, muestra a uno de esos individuos de facciones huidizas y fofas que, por una razón que ignoro, abundan tanto en las filas de la pequeña burguesía de Barcelona. A raíz de su muerte prematura, tía Consuelo había perdido gradualmente el juicio: cuando empecé a abrir los ojos y registrar lo que ocurría a mi alrededor, no aparecía por casa y se hallaba ya, muy probablemente, internada en un sanatorio. Durante la guerra civil, fue recogida por sus padres en el piso en que se refugiaron después de ser requisada por los milicianos la torre de Pablo Alcover. Allí, los bombardeos de la aviación franquista, sirenas, terror, carestía, barrieron sus últimos vestigios de lucidez. Concluido el conflicto, la encerraron de nuevo y murió poco después de una enfermedad cuya naturaleza desconozco. Recuerdo tan sólo sus funerales, a los que asistí con un brazalete negro en compañía de mis hermanos. Aunque la familia del tío Eusebio vivía en el mismo barrio de la Bonanova en que nos criamos y diariamente pasábamos ante su casa –una villa sombría y húmeda en lo alto de la calle de Anglí– camino del colegio de los jesuitas, por una razón oculta no manteníamos ningún trato con ella. Mis abuelos se referían a su consuegra con el mote de la Chapuda y el carácter despectivo del término, agregado a este extraño alejamiento, sugiere la existencia entre ambas familias de un amargo e indigesto contencioso. ¿Eran también motivos políticos, ligados a

un posible sentimiento catalanista o la posibilidad, insi-
nuada por mi padre, de que tío Eusebio hubiese transmi-
tido a su mujer una dolencia vergonzosa e incurable? De
nuevo, como en el caso de Ramón Vives, el desgaste del
tiempo y muerte de los testigos impide responder con
certeza. Cuando leo libros de historia, la seguridad
impertérrita con que sus autores establecen lo ocurrido
hace milenios me produce una invencible sensación de
incredulidad. ¿Cómo es posible reconstituir un pasado
remoto si incluso el más reciente aparece sembrado de
tantas incertidumbres y dudas? La opacidad del destino
de una buena parte de mi familia es una perfecta ilustración para mí de la impotencia en descubrir y exhumar al
cabo de pocos años la realidad tangible de lo que ha sido.

La rama del abuelo Ricardo ofrece menor variedad y
dramatismo: oriunda al parecer del Ampurdán, cuenta
entre sus miembros al abogado y publicista Gay de
Montellá, autor de numerosas obras de tema jurídico.
Quiénes fueron o qué hicieron sus padres es un recuerdo
que se llevó con él al sepulcro. El abuelo tenía dos hermanos, Víctor y Laureano, a quienes llegué a conocer
antes de la guerra: vestían con elegancia severa y se des-
tocaban ceremoniosamente al entrar en casa. No podría
precisar en cambio en qué fechas murieron: ambos dejaron familia y tía Lola, viuda de uno de ellos, solía visitarnos con su prole en los años cuarenta. Era una dama
barroca y llena de afeite, cuya estampa se asocia en mi
memoria con un mundo de jarros de porcelana y panta-
llas de flecos. Sus hijos y sobrinos sobrellevaban con dignidad una existencia dificultosa y precaria, cuyo menos-
cabo social hería su orgullo y buenas maneras. El abuelo
era a sus ojos el rico de la familia pero, según tengo
entendido, observaban rigurosamente el precepto de no

quejarse ni poner a prueba sus muy dudosos sentimientos
de generosidad. Estos parientes lejanos desertaron poco a
poco del ámbito familiar: la última vez que les vi en casa,
a fines de mi bachillerato, habían acudido a saludarnos
con motivo de la partida de uno de ellos, en busca de fortuna, al suelo más próspero y benigno de Venezuela.

El eclipse gradual y definitivo de la rama materna
tuvo una importancia especial para mí y mis hermanos a
causa de nuestra futura condición de escritores. A la pregunta tantas veces repetida de unos años acá de por qué
no escribimos en catalán me veo obligado a sacar a luz las
circunstancias en que se desenvolvió la vida de mi familia. Mientras los abuelos Marta y Ricardo hablaban entre
sí en aquel idioma, se dirigían a nosotros en castellano
por expresa indicación paterna. Aunque la abuela nos
había enseñado algunas canciones infantiles y mezclara a
menudo expresiones y frases en ambas lenguas, tanto en
casa –con mi padre y Eulalia– como en el colegio –en las
aulas y entre compañeros– se empleaba exclusivamente
el castellano –un castellano empobrecido y adulterado
según descubriría más tarde, al extender el ámbito de mis
frecuentaciones y amistades más allá de la insulsa y con-
vencional burguesía barcelonesa. Bajo la fuerte presión
de unos años en que debía cultivarse por decreto la «lengua del Imperio», el catalán subsistía a duras penas en la
intimidad de las casas. Fruto de ello sería mi escaso conocimiento del mismo fuera de las fórmulas de cortesía,
saludos y tacos aprendidos, en los veranos, con los
payeses de Torrentbó. Papá, en el nirvana de su fobia
anticatalanista, se complacía en contrastar la prosapia,
distinción y eufonía de la lengua de Castilla –sonoridad
rotunda de su toponimia: Madrigal de las Altas Torres,
Herrera del Duque, Motilla del Palancar– con la zafiedad

y plebeyez de unos Terrassa, Mollet u Hostafrancs grotescamente pronunciados para rematar su singular cursillo de etimología y fonética comparadas con la obligada referencia a la belleza misteriosa del término «luciérnaga» frente a la grosería y miseria del «cuca de llum» local. Por una razón u otra, lo cierto es que la lengua materna –desvanecida para siempre con mi madre– me resultó con su muerte profundamente extraña: una lengua en cuyo espacio me movería con incomodidad y apenas sabría leer de corrido hasta que, instalado ya en Francia, me tomé la molestia de estudiarla a ratos libres para acceder al conocimiento de sus obras sin ayuda del diccionario. Gracias a ello puedo disfrutar hoy de la lectura de escritores como Foix, Ferrater o Rodoreda, pero, después de casi treinta años de alejamiento, las palabras del trato o conversación más comunes asoman difícilmente a mis labios.

En el período actual de «normalización lingüística», mi situación –como la de mis hermanos y una buena docena de escritores amigos– es periférica y marginal por partida doble. En Madrid, se nos suele considerar erróneamente catalanes, como a Alberti andaluz, Bergamín vasco o Cela gallego. Pero nuestros colegas y paisanos no nos acogen, con razón, en su gremio en la medida en que la actividad fundamental nuestra –la escritura– engarza con una lengua y cultura distintas de las que los identifican a ellos. Catalanes en Madrid y castellanos en Barcelona, nuestra ubicación es ambigua y contradictoria, amenazada de ostracismo por ambos lados y enriquecida no obstante, por el mutuo rechazo, con los dones preciosos del desarraigo y movilidad.

Como prueba mi propio ejemplo, la inclinación a una u otra lengua por parte del escritor potencialmente bífido no es producto exclusivo de una libre elección personal sino resultado más bien de una serie de coyunturas familiares y sociales posteriormente asumidas. La desaparición temprana de mi madre y el medio conservador, religioso y franquista en que me criara fueron sin duda elementos primordiales de mi inserción en una cultura que, cincuenta años atrás, el tío Ramón Vives había motejado de «opresora». Pero, más significativo que ese determinismo histórico en favor de una de las lenguas en liza es, en mi caso, la relación apasionada con ella a partir del día en que, lejos de Cataluña y España, descubrí que era mi patria auténtica y objeto simultáneo de odio y amor. Mi pasión tardía por la lengua y cultura castellanas, sufrida antes que yo por una serie de escritores cuya obra genial se afirmó a contracorriente de ellas a costa de un desvivirse amargo, fue a la vez baño de identidad lustral y reacción de defensa contra el vacío de un largo destierro. Decir que no elegí la lengua sino que fui elegido por ella sería el modo más simple y correcto de ajustarme a la verdad. La oscilación entre dos culturas e idiomas se asemeja bastante a la indecisión afectiva y sensual del niño o adolescente: unas fuerzas oscuras, subyacentes, encauzarán un día, sin su consentimiento, su futura orientación erótica. El impulso ciego a una forma corporal masculina será así tan misterioso como el que le conducirá a enamorarse para siempre de una lengua a la escucha de Quevedo o de Góngora. Elección tanto más significativa y valiosa cuanto ventilada en un foro o palenque de culturas cuyo choque implica ideas de mestizaje, bastardeo y precariedad. Castellano en Cataluña, afrancesado en España, español en Francia, latino en Norteamérica, nesrani en Marruecos y moro en todas partes, no tardaría en volverme a consecuencia de mi nomadeo y viajes en ese raro espécimen de escritor no reivindicado por nadie, ajeno y reacio a agrupaciones y categorías. El conflicto familiar entre dos culturas fue el primer indicativo, pienso ahora, de un proceso futuro de rupturas y tensiones dinámicas que me pondría extra- muros de ideologías, sistemas o entidades abstractas caracterizados siempre por su autosuficiencia y circulari- dad. La fecundidad de cuanto permanece fuera de las mu- rallas y campos atrincherados, el vasto dominio de las as- piraciones latentes y preguntas mudas, los pensamientos nuevos e inacabados, el intercambio y ósmosis de cultu- ras crearían poco a poco el ámbito en el que se desenvol- verían mi vida y escritura, al margen de los valores e ideas, menos estériles que castradores, ligados a las nociones de credo, patria, Estado, doctrina o civiliza- ción. Hoy día, cuando la fanfarria hispana reproduce a diario las celebraciones de las patrias chicas medianas o grandes a nuestras glorias literarias y artísticas, el silen- cio, extrañeza y vacío que nos envuelven a mí y a unos cuantos, lejos de entristecerme, me convence de que el binomio fidelidad/desarraigo tocante a la lengua y país de origen es el mejor indicativo de un valor estético y moral en cuya hondura no cala por fortuna el dador de homenajes. La libertad y aislamiento serán la recompen- sa del creador inmerso hasta las cejas en una cultura múltiple y sin frontera, capaz de trashumar a su aire al pasto que le convenga y sin aquerenciarse a ninguno. La guerra civil íntima de mi sexo y lengua, preludio quizá de mi futura oralidad fálica y literaria, se dirimió de forma subterránea a través del conflicto cultural protagonizado por mi familia. Muerta mi madre, el terreno iba a quedar despejado, pero la victoria de un castellano vuelto bume- rán de sí mismo fue bastantes años posterior a mi entre-

ga juvenil a la escritura: obra, no de una supuesta parte-
nogénesis del catalán, sino de una temporal, pero necesaria defensa frente a la solapada invasión galicista. Mi
conquista tenaz de un idioma propio y orgulloso de su
diferencia se hizo pues en oposición dialéctica al estímulo generador de otras lenguas: sin esta correlación diná-
mica con el francés, el inglés o el árabe en la encrucijada
feraz de varias culturas opuestas, no habría podido tri-
butar mi modesto y respetuoso homenaje al Arcipreste
de Hita en la ágora de Xemáa el Fna.

Conciencia de la total inanidad de la empresa : amalgama de sus motivaciones e incapacidad de determinar con claridad su objetivo y presunto destinatario : sustituto laico del sacramento de la confesión? : necesidad inconsciente de autojustificarse? : de dar un testimonio que nadie te solicita? : testimonio de quién, para quién? : para ti, los demás, tus amigos, los enemigos? : deseos de hacerse comprender mejor? : despertar sentimientos de afecto o piedad? : sentirse acompañado del futuro lector? : luchar contra el olvido del tiempo? : puro y simple afán de exhibicionismo? : imposibilidad de responder a estas preguntas y acometer sin embargo la tarea, el cotidiano martirio de enfrentarse a la página, de poner toda la vida en el tablero, la innombrable realidad material de tu cuerpo, no el oculto con máscaras y disfraces en la farsa ritual cotidiana, proyección de una imagen errónea destinada a la galería, huésped importuno que usurpa tu voz y la contrae a intermitentes borborigmos de ventrílocuo, sino el otro, el que dentro de horas, días, semanas, despatarrado, combado, de hinojos, inerme como un feto, repetirá los gestos y

47

ademanes de succión, la alimentación visceral, polimorfa
del remoto claustro materno, verdad silenciosa, proscrita,
privada del poder de la palabra, ese yo-otro escamoteado
al prójimo y a sí mismos por quienes aspiran al oropel de
la fama, portavoces del poder futuro razón dogma o ideo-
logía, sin arrestos para sacar a luz en público las pequeñas
o grandes codicias, miserias, deslealtades que siembran de
guijarros el trayecto sinuoso de sus vidas, apostantes a una
Historia que excluye y anula las historias, embaucadores
de profesión o paquidermos enmedallados, falsarios, en
todo caso, de un pasado sujeto a consideraciones de alta
estrategia o intereses mezquinos, cuando no sometido, si
toman la pluma y revisten la pose oficial y hierática de sus
gloriosos retratos, a una despiadada operación de lobo-
tomía
distinguirse de ellos, sus olvidos, semiverdades, dos pesos y
dos medidas, memorias desmemoriadas, hagiografías grotescas, censuras íntimas para centrarse en lo más duro y
difícil de expresar, lo que no has dicho todavía a nadie,
recuerdo odiosamente vil o humillante, el trago más amargo de tu vida : hallar en la resistencia interior a desnudar-
lo el canon moral de tu escritura, ese cuerno de toro no
simplemente metafórico sino real, tan real como el que te
arrastrara por los suelos durante la celebración de los
encierros, metáfora, como las de don Quijote, vivida desde
dentro, no molinos-gigantes ni bacías-yelmos, fusión inte-
gral de ambos planos en la materia del texto, riesgo delibe-
radamente asumido de revolcón o cornada, sin sanción
exterior en caso de incumplimiento, sólo conciencia
hiriente de haber infringido las reglas del juego personal,
de no estar a la altura del esfuerzo exigido, haber arrojado
la toalla a mitad del camino, lamentablemente infiel a ti
mismo y a los demás.

Escenario: una torre vetusta del barrio de la Bonanova, situada en el número trece de la calle de Raset. Casa actualmente demolida, cuyo largo y estrecho jardín descendía en gradas a la Vía Augusta, en el tramo descubierto del tren de Sarrià, partido por una enorme zanja, entre las estaciones de Muntaner y Ganduxer. Recuerdas su aspecto por haber discurrido a menudo por el lugar camino del domicilio de uno de tus compañeros de colegio: un edificio feo y destartalado, reproducido igualmente en algunas fotos de familia anteriores a tu nacimiento. No conservas en cambio memoria alguna de tu estancia en él: según deduces, debió ser breve pues a tus tres o cuatro años os habíais mudado ya a las Tres Torres, al cuarenta y uno de una calle rebautizada en la posguerra con el nombre de Pablo Alcover.

Tiempo: la fecha del parto fue el cinco de enero de 1931. Aunque en la partida de bautismo figura la hora exacta en la que aquél se produjo, la has olvidado y no te importa saberla. Probablemente acaeció al atardecer o entrada ya la noche: en la niñez, tus padres solían decir que habías sido un regalo de los Magos de Oriente y tú creías ser nativo del día de Reyes hasta que algún documento público te sacó años después del error. Como no crees demasiado en los astros ni en su posible influjo en nuestro destino, esta imprecisión sobre el momento de la venida al mundo no es para ti motivo de preocupación. Tu naturaleza de capricornio está fuera de duda, y en algunos librillos de divulgación del tema has reconocido sin dificultad varios rasgos y elementos de tu carácter. Pero, en vez de investigar los influjos planetarios o remitirte a la ciencia electrónica de algún Astroflash, prefieres inventar, como el Arcipreste de Hita, un fantástico ascendiente venusino con ayuda de Al Biruni o Alí Abenragel. Curado de la obsesión de tu padre por los insignes linajes, resulta infinitamente más agradable manipular a tu antojo las elucubraciones joviales de los antiguos tratados de astrología. La Venus-Zuhara cuyo patrocinio libidinoso y alegre marcaría con su sello a los nacidos en tierras del Islam, sería el mejor antídoto contra la porfía, ensimismamiento y dureza de tu signo oficial y una plausible explicación del irreductible rigor de tu dicotomía.

PREHISTORIA: eventual reconstitución mediante fotografías contempladas en la infancia y, a veces, ulteriormente perdidas de vista. En primer lugar, la de la boda: retrato insólito de la pareja que doce años después te procrearía. Él de pie, vestido de chaqué, delgado, con bigote, increíblemente joven: ningún parecido con el viejo consumido y enfermo que luego conocerías. Ella, sentada en un sofá, con toca y traje perfectamente blancos, inmovilizada en el fervor de su belleza inmarchita. La mano del hombre apoyada con ademán protector en el hombro de ella. Expresión grave y absorta de la mujer, tal vez distante o ajena al rito ancestral que cumplía.

El armario de luna situado tras ambos les refleja asimismo de tangente: perfil aguileño del novio, investido de un cierto aire intelectual por la leve armazón metálica de los anteojos; silueta dulce y suave de la desposada, captada en una pose cuya audaz concertación espacial podríamos denominar velazqueña si no fuera por la ausencia en el cuadro del anónimo autor de la fotografía.

SORPRESA: materialidad del amor entre aquellos dos seres, visible en el esmero y afán escrutador con que el retratista, tu padre, fija la belleza y expresión serenas de la mujer perennemente misteriosa y joven, como si, presintiendo la brusca desaparición, acumulara inconscientemente las pruebas de su futura existencia barrida.

Estampas borrosas de la terraza de Torrentbó, sus eucaliptos, balaustrada, estanque con surtidores por boca de rana, banco de piedra, estrafalario cenador rústico. Ella, siempre ella, todavía ella, con botines, falda larga y holgada, corpiño y camisa veraniegos, cabellos color miel cuidadosamente recogidos.

A veces Pedralbes, en compañía de tía Consuelo, en el vasto jardín de naranjos o la cancha de tenis, radiante, confiada, espontánea, con una raqueta de jugar en la mano, feliz y despeinada por el viento.

MÁS TARDE: la efímera trinidad familiar.

Antonio, el primogénito, bautizado así en honor del abuelo, solo o con ella, a los seis o siete años de edad, en su trajecito blanquiazul de marinero, con aires de haber recibido la comunión, un tantico presumido y ufano y, a distancia, frágil, premioso, irreal, retrospectivamente patético.

Ampliaciones difuminadas por la monotonía del tiempo, enmarcadas en cartulina violeta o gris: imágenes de la década de los veinte, aros, bicicletas, juguetes, cariños mutuos, sonrisas, testimonio irrisorio del trío súbitamente incompleto.

Primera experiencia del dolor, a la que se remonta sin duda el desafecto y abandono paternos del ejercicio amoroso de la fotografía.

O pacidad del limbo infantil : negrura de túnel momentáneamente interrumpida por claros, horados, imágenes fugaces : fijadas de modo aleatorio en una mente tierna y versátil o mero producto de olvidada elaboración posterior? : espaciada, irregular sucesión de diapositivas en
gris o color, penosamente rescatadas de la niebla del sueño
y proyectadas después en una linterna mágica : dificultad
de engarzarlas en sucesión ordenada, insertas en el lugar
en que se produjeron, de atribuirles una posible significación : núcleo seminal de la memoria futura o fugitiva
impresión oscuramente captada? : evitar, sobre todo, ardi-
des y trampas, anacronismos acechantes, lectura tentadora en palimpsesto : cerner, simplemente, los chispazos de
luz, el arco voltaico creado por la interrupción del circuito
eléctrico y entresacarlos de la noche esponjosa e informe
capsulados en la burbuja de su modesto esplendor.

Paralelo entre la inopia de las primeras imágenes que conservas y tu experiencia de la noche en que, disuelta en un

vaso de té con menta, absorbiste una dosis endiablada de
maaxún : sentado en un cafetín de la alcazaba de Tánger,
arropado en tu largo viaje con la tranquilizadora vecindad
de los jugadores de naipes y aroma sedativo del kif mien-
tras un absurdo televisor difundía en sordina las disquisi-
ciones taurino-políticas de un rotundo presentador de tu
fauna. Nada al principio sino ondas, corrientes, acelera-
ciones que, de forma intermitente o sincopada, recorrían
la superficie dúctil de tu cerebro, adunándolo suavemente,
como bajo el soplo enardecedor del simún. Conciencia de
la importancia del momento, palpable materialidad del
lugar, tu presencia central en la trama. Luego, de improvi-
so, una veloz, casi atropellada sucesión de imágenes litera-
rias : símiles, tropos, versos audaces, metáforas deslum-
brantes y aéreas, levitación ligera, planeos lentos, vértigo,
furiosas caladas. Júbilo conceptual, barroquismo sinuoso,
frases implicantes, ovilladas culebras : paroxismo creador
de quien, encaramado en las cimas del arte poética,
advierte no obstante la avariciosa precariedad de sus
dones. Pues las metáforas se imbrican, encabalgan, sola-
pan con rapidez enloquecedora, escurren líquidas entre los
dedos, emulan la sabia ingravidez de Góngora, aparecen,
fulguran, estallan, burlan tus esfuerzos por retenerlas, te
arrastran con ellas asido a su cola. Los intentos de balizar,
sembrar piedrecillas en aquel flujo febril, paulatinamente
frenético, provocan tan sólo colisiones verbales, fracturas
semánticas, bruscos descarrilamientos. Impotente, com-
probarás que el fastuoso despliegue del verbo se extingue
como un fuego de artificio. Nada, absolutamente nada
permanece de él : destellos, versos, invenciones geniales se
precipitan al olvido. Tu cerebro asiste a la cabalgadura y
sustitución en su superficie borrosa de docenas de obras
maestras milagrosamente forjadas y, como en esos sueños

alambicados de los que, al despertar, subsiste apenas una urdimbre en andrajos, así tu dominio fugaz del mecanismo creador como la remota aprehensión infantil del mundo adulto se reducen a unas palabras e imágenes desprovistas de significación, puramente indicativas de un encadenamiento anterior y perdido. Los nombres flotantes de Góngora y Borges, surgiendo como islotes después de una noche inacabable, entretejida de angustia y exaltación; los retazos e instantáneas pueriles, horros asimismo de sutura y contexto, serán, en ambos casos, el triste vestigio de unas impresiones y hechos cuya extrema indigencia descarta sin remedio cualquier tentativa de interpretación.

Imágenes coladas como a través de un tragaluz: estás sentado a oscuras en el suelo de una habitación, posiblemente bajo la mesa del comedor y, desde el escondite, contemplas a los adultos que se mueven y hablan en la cocina, claramente visibles, ignorantes de la futura evocación de la escena y la presencia minúscula del escrutador. El recuerdo podría corresponder a tu primer domicilio de la calle de Raset o, de modo más probable, a alguna visita familiar a la bisabuela en su villa de Pedralbes.

Veraneos en Llançà: mientras él nada hacia el islote o farallón de enfrente, ella lee algún libro o periódico sentada en la playa. Tú juegas con tus hermanos mayores, haces flanes y castillos de arena, concurres a las tentativas frustradas de un vecino de poner en marcha una especie de flotador de su invención que hace agua por todas partes y termina volcándose. Conversaciones de los vecinos alrededor de tu madre: señor y señora Isern, los padres de Pascualín Maisterra y, según descubrirás luego, en México, la familia del escritor Ramón Xirau.

Trayectos en tartana con el Ciscu hasta la Font del Gat en Pedralbes. Visitas a los abuelos Marta y Ricardo en su casa de la cercana calle del Doctor Roux. Distribución exacta de las habitaciones en tu memoria, forma irregular del jardín. A veces duermes allí y, cuando te llevan a ver a tu madre, enferma últimamente de hidropesía, te anuncian la llegada de un hermanito. Entras en la habitación donde duerme el niño y le pellizcas, no sabes si por curiosidad o envidia, para asegurarte, dirás, de que «es de carne».

Has aprendido a tocarte y, a solas, sueles deslizar los dedos a lo largo de la ingle y acariciarte el sexo. Tu madre te sorprende una vez, retira suavemente tu mano y dice que no hay que hacerlo. El ama de cría alimenta a Luis y, a menudo, si la molestáis, se aprieta el pecho riendo y os rocía con su leche. Un día, José Agustín y Marta te visten con una gran falda y entras, disfrazado, en el comedor de Pablo Alcover; la reacción de tu padre es imprevista y enérgica: te arrebata la falda y propina unas bofetadas a los culpables. Alguien ha dicho que puedes morir por falta de aire. La idea te aterra y durante unos minutos inspiras y espiras con fuerza para no correr la misma suerte desdichada de Antonio. Al acostarte, jadeas y rezas una oración al Santo Ángel de la Guarda pidiéndole que te proteja.

Tu padre ha adquirido un DKW gris y aprende a conducir por el barrio de las Tres Torres. Su acompañante dice embrague, desembrague y Marta y José Agustín ríen en el asiento trasero: quitarse y ponerse las bragas. Vas al

convento de las monjas teresianas de la calle de Ganduxer
edificado por Gaudí: la madre Delfina te da caramelos y,
en el trayecto a casa, criadas y acompañantes de los párvulos hablan de Paquita Marín: una muchacha bellísima,
inscrita en los cursos superiores del colegio, que canta
«Rocío», flirtea con los chicos, usa colorete y pintura de
labios. Opiniones admirativas o escandalizadas. Alguien
pregunta si te gustaría ser novio de ella y respondes orgulloso que sí.

Asiduos de la casa: el Ciscu y su tartana; la costurera
Paquita; la señorita María Boi. Conversaciones familiares
sobre la semana inglesa, guerra de Abisinia, tangos de
Gardel. Como hacéis dengues con la comida, tu padre os
impone una dieta de fruta: pasado el primer momento de
euforia, reclamaréis, llorando, el régimen alimenticio
anterior. Un día vais a Torrentbó en el DKW, sentado tú
en el asiento delantero sobre las rodillas de tu madre. Al
torcer por la cuesta de Sant Vicenç de Montalt, tu padre se
distrae, pierde momentáneamente el control del volante y
se estrella contra un plátano. Al dar de cabeza en el para-
brisas, sufrirás cortes profundos en el cráneo, la frente, el
caballete de la nariz: unas cicatrices que te marcarán para
siempre. Vago recuerdo de los gritos, dolor, llanto de tu
madre, farmacia cuyo dueño se desmayó al contemplarte.
Retorno a Barcelona, vendado, rodeado de mimos y
juguetes: sentado en el suelo, entre tus regalos, tienes la
dulce impresión de ser el rey del mundo.

El chalé de madera del barrio del Golf de Puigcerdà: los
prados, riachuelos, vacas, inconfundible olor de boñiga y

de hierba que recuperarás mucho después, en la Alta Saboya, durante el rodaje de un filme escrito por Monique. Paseos por el pueblo, el lago, la plaza Cabrineti, una excursión a la localidad fronteriza de Bourg Madame. Una misa dominical cuyo sermón será objeto de misteriosos comentarios. El tío Ignacio ha venido a veros y oirás por primera vez de sus labios el nombre siniestro de los *rabassaires* y las siglas fatídicas de la FAI.

Pese al trasiego y agitación reinantes, los recuerdos, confusos hasta entonces, parecen decantarse y dejar poso a comienzos del año treinta y seis. Mi familia vivía en la torre de Pablo Alcover y, mientras mi madre se ocupaba «en sus labores», mi padre salía muy de mañana en dirección al despacho de la ABDECA –la Anónima Barcelonesa de Colas y Abonos–, de la que era el principal accionista y cuya fábrica se hallaba en Hospitalet. Pasado el trauma de la muerte de Antonio, creo que la vida de ambos discurría de forma agradable y serena. Marta, José Agustín y yo íbamos al colegio de las teresas y el ama gallega asumía el cuidado y responsabilidad de Luis. Para un observador ajeno, ofrecíamos la estampa típicamente burguesa de la época: automóvil de modelo económico, participación en una pequeña empresa industrial, villa alquilada en el barrio de las Tres Torres, flamante chalé en una urbanización distinguida de Puigcerdà. Si aquella existencia encauzada –cómoda, pero sin pretensiones– convenía a los gustos y aspiraciones de mis padres es algo a lo que no puedo responder con certeza. Él, después de obtener una licenciatura en Ciencias

Químicas, había buscado el expediente de combinar su indudable talento e inventiva en aquel terreno con una mucho más dudosa habilidad en el manejo de los negocios: a diferencia de sus hermanos Leopoldo y Luis –este último, impedido por su sordera–, aspiraba a ser un hombre de acción, digno retoño de la estirpe cubana fundada por el mozo aguerrido y tenaz de Lequeitio. Aunque carezco de datos fidedignos presumo que, por entonces, las cosas no le iban mal: nuestra manera de vivir, sin ser rumbosa como la de los ya tronados manirrotos de la familia, correspondía probablemente a su carácter y necesidades. Aquél oscilaba en verdad entre dos polos opuestos: el amor un tanto prusiano a un régimen de vida ordenado y severo; y un quisquilloso afán de vanagloria, de emular las proezas del bisabuelo, que arramblaba con todos los diques y cautelas de su ordinaria cicatería y le inducía a invertir temerariamente su dinero en empresas aventuradas o absurdas. Sus primeras iniciativas industriales se habían desenvuelto con éxito, pero la crisis económica mundial y violenta agitación de los años de la República no tardarían en plantearle problemas. De momento, en esta fecha gozne del año treinta y seis que abre las puertas a mi relato, mi padre era, dentro de un marco estrictamente social, un honesto patrón de arraigadas convicciones derechistas, presto a capear con prudencia el temporal que, para desdicha de él y de todos, terminaría por desatarse sobre el país con violencia inaudita.

El caso de mi madre me parece más problemático. Hija de una familia en la que abundaban las profesiones liberales, con una mayor preocupación por el mundo de la cultura, se había adaptado sin dificultades aparentes a vivir con un hombre cuyos intereses intelectuales y ambiciones divergían notablemente de los suyos. Ama de casa, esposa modelo, madre de cuatro hijos, estos títulos, abso-

lutamente conformes a cuanto esperaba de ella la sociedad
tradicional representada por el marido, no se compagina-
ban no obstante del todo con su sensibilidad inquieta e
insaciable avidez de lecturas. La imagen plácida de la
mujer aún joven, tocada con elegancia y adornada con un
boa de pieles que posa en algún retrato en la acera de la
torre de Pablo Alcover no expresa en su convencionalidad
huera la realidad más profunda y compleja que descubre
en cambio la lista de sus libros favoritos. Mientras mi
padre desconocía la existencia de la literatura hasta que la
publicación de *Juegos de manos* le sacudió como una
ducha fría, ella, con la ayuda tal vez de su tío el poeta, se
había forjado una cultura en la materia vasta y fuera de lo
común. Cuando a mis diecinueve o veinte años empecé a
recorrer, diccionario en mano, el lote de libros franceses
que integraban su biblioteca, el contenido de aquéllos
–obras de teatro, novelas, memorias, algún volumen de
poesía– y la nómina de autores –Proust, Gide, Ibsen,
Anouilh– me revelaron el alcance de una pasión que, a su
vez, influiría decisivamente en mi vida. Una nueva imagen
de ella, la de la lectora solitaria, secreta, en una típica casa
burguesa llena de gritos infantiles e incesante ajetreo se
superpuso a la compuesta hasta entonces de deshilvana-
dos recuerdos y evocaciones someras. La mujer joven que
me parió, dio el pecho, cuidó de mí y mis hermanos ceñi-
da exteriormente a su papel de madre de familia, ¿era la
misma que, según descubriría mucho más tarde a través
de las confidencias de una de sus primas, había escrito a
escondidas un texto titulado *El muro y la locura* cuya mor-
bidez le impresionó?* ¿Qué relación hubo entre las dos?

* Hecho mencionado en una carta a Monique escrita aproximada-
mente en 1962.

¿Cómo la segunda, la ignorada, había podido soportar la existencia mediocre y pedestre de la primera? El compromiso entre ambas debió ser real, pues nada me indica que sobrellevara la vida matrimonial y casera como una carga enojosa. Probablemente se había creado un ámbito interior, recoleto, en el que podía refugiarse a través de la escritura y los libros. Mi padre y nosotros constituíamos sin duda el pilar de su vida; pero ésta tenía también sus escondrijos, puntos de reposo y meditación, protectoras y gratas zonas de sombra.

El cúmulo de circunstancias políticas, sociales y económicas que polarizó de extremo a extremo la campaña electoral de febrero y dio un triunfo sonado a las candidaturas del Frente Popular, debió sacudir en sus cimientos la rutina apacible de mi familia. Católico, monárquico, visceralmente opuesto al catalanismo no ya de Macià y Companys sino también de Prat de la Riba y Cambó, mi padre había votado, como un mal menor, por el bloque de derechas de la CEDA. Recuerdo el día en que, a la salida de una misa en el convento de las josefinas, acompañé a mis progenitores al colegio electoral del barrio, situado en un chaflán de Ganduxer, a poca distancia de la Vía Augusta. A la entrada, alguien distribuía propaganda de los partidos de izquierda y mi madre la había rechazado con dignidad. «Vaya chasco llevó», decían después en el DKW. Desdichadamente, mi memoria no registra hecho alguno de los meses agitados y tensos que precedieron al levantamiento militar y estallido de la revolución.

Habíamos ido en junio al chalé de Puigcerdà y la inquietud reinante entre los adultos impresionaba incluso a un niño de mi edad. Según supe luego, mi padre había proyectado enviarnos a Francia a fin de poder defender sus intereses en la fábrica sabiéndonos a buen recaudo pero, por una razón que ignoro, el plan no se realizó. Más tarde, el hombre enfermo y hundido que inexorablemente se asocia en mis recuerdos a la etapa de Viladrau, no cesaría de lamentar este error de consecuencias tan desastrosas para la familia. La proximidad de la frontera, decía, podría haber preservado a su mujer del destino que le acechaba. La creencia infundada de que aquello no podía durar y las cosas acabarían por arreglarse, les decidió a volver a la boca del lobo: esa Barcelona de pólvora y sangre, entregada a los ideales y excesos de la lucha revolucionaria. En el trayecto de regreso, una barrera de milicianos detuvo el auto para controlar sus papeles y, concluido el breve interrogatorio, mis padres comentaron irónicamente que el responsable del grupo, al recibir los documentos identificatorios, los había cogido y escudriñado al revés.

Días después, estábamos en Torrentbó con mi madre y la señorita de compañía. Tío Ignacio seguía desde allí con la mujer y los hijos el curso de los acontecimientos, pero se eclipsó una mañana con su familia tras esconder precipitadamente en un seto de hiedra los objetos sagrados de la capilla. En apariencia, las cosas no habían cambiado: jugábamos en el jardín, leíamos «Mickey», rezábamos nuestras oraciones; sólo los cuchicheos de la señorita María sobre el Anticristo y conciliábulos de mis padres sugerían la anormalidad de la situación. Mossèn Joaquim, el capellán de la iglesia de Santa Cecilia de Torrentbó, acudía a veces a visitarnos. Era un hombre llano y afable, que conversaba con mi madre en la galería y, al despedirse, nos daba a besar la mano. Una vez, con gran sorpresa nuestra, apareció por casa grotescamente vestido de paisano, con una boina destinada a ocultar su tonsura: salía de viaje, contó, y venía a decirnos adiós. Mi madre le pasó algún dinero y un paquete de comida para el trayecto y, cuando le deseaba buena suerte y él, a su vez, nos bendecía, descubrí que la señorita María estaba llorando. Mossèn Joaquim se perdió en la espesura del bosque y ninguno de sus feligreses le volvió a ver. Aunque nos había pedido que rogáramos por él y sin duda lo hicimos, fue interceptado en seguida en su huida y pereció poco después víctima de unos incontrolados.

Las predicciones apocalípticas de la señorita se cumplían: el último número de «Mickey», nuestra revista favorita, había salido pintarrajeado de los colores rojo y negro de la FAI; las iglesias ardían unas tras otras como en la época del Imperio Romano. Desde el cenador del jardín, contemplábamos el camión de «los rojos» estacionado junto a Santa Cecilia, la densa columna de humo que se extendía sobre el minúsculo edificio blanco. ¿Hubo información malintencionada respecto al oratorio familiar de casa? Si bien la hipótesis, formulada después por mi padre, tiene visos de verdad, lo cierto es que la capilla, perfectamente visible desde el lugar en el que se hallaban los incendiarios, podía ser tentadora sin necesidad de ninguna denuncia. Fruto del azar u objetivo programado, la irrupción de los hombres del camión en la era minutos más tarde nos llenó en cualquier caso de terror. La señorita María sollozaba: ella, cuya lectura predilecta era un manual de piedad compuesto por biografías de niños santos, acariciaba quizás en sus adentros la exaltadora posibilidad de un martirio cercano. Mi madre, que se había asomado a una ventana cuando los intrusos se hicieron abrir por los masoveros la puerta de la capilla, fue conminada a retirarse a sus habitaciones a punta de revólver. Refugiados en la galería escuchábamos voces, golpeteos, gritos. Mi madre nos imponía silencio y la señorita rezaba el rosario en voz baja.

A pesar de que el desarrollo de este lance presenta en mi memoria opacidades y huecos, recuerdo bien el momento en que, desaparecidos los autores de la incursión, nos aventuramos a la era a ver los destrozos. La estatua de mármol de la Virgen, obra de Mariano Benlliure, había sido derribada del altar y yacía fuera con la cabeza partida a golpes de maza. En una fogata, ardían todavía, amontonados, diferentes objetos litúrgicos. Contrastando con nuestro desconsuelo, el masovero y su familia examinaban aquel estrago con silenciosa impasibilidad.

El episodio que acabo de referir había sucedido en ausencia de mi padre. Cuando reapareció al fin, tras una espera cargada de ansiedad y nerviosismo, lo hizo escoltado por dos guardaespaldas: el Clariana y el Jaume. Según supe más tarde, ambos tenían carné de la FAI y, a cambio de una retribución que supongo elevada, aseguraban su integridad física y libertad contra las amenazas de que era objeto. Le acompañaban diariamente a la fábrica y, en Torrentbó, dormían en casa y velaban por el sosiego de la familia. El Jaume era un hombre joven, agraciado, moreno, cuya simpatía natural y carácter abierto ganaron inmediatamente mi corazón. Andaba siempre armado de un revólver y en sus paseos conmigo a las fuentes de Lurdes y Santa Catalina me lo mostraba y permitía que lo tocase. A su bondad y paciencia con los niños agregaba un curioso y loable respeto a las creencias ajenas: un día descubrió la caja negra en la que el tío Ignacio, en el atolondramiento de su partida, había ocultado el cáliz y la patena a una posible razzia de los milicianos. Informó a mi madre de su hallazgo y le aconsejó que buscara un escondrijo más apto. Este gesto de confianza había realzado su figura ante todos nosotros. En lo que a mí respecta, creo que por primera vez en la vida experimenté una pasión que no sería exagerado calificar de amorosa hacia alguien ajeno del todo a mi familia. La presencia de Jaume, su sencillez cálida, nuestros vagabundeos por el bosque, el inmenso prestigio de que le investía a mis ojos su revólver embellecen mis imágenes de aquel verano jalonado de cambios y sobresaltos hasta el día en que, por razones que ignoro, nos vimos obligados a abandonar Torrentbó e instalarnos en una vivienda más modesta de la vecina población de Caldetes.

¿Fue la configuración del lugar –cuyo aislamiento y vulnerabilidad en aquellas horas de peligro resultaban patentes– el factor decisivo de la mudanza? ¿O hubo, como oí decir después, una orden de requisa a fin de acomodar en el caserón a los refugiados del País Vasco?* Sea lo que fuere, el otoño transcurrió ya en la casa de la Sentema, frente al pequeño establecimiento termal de agua caliente situado al borde de la riera. Nuestro nuevo hogar disponía, en la parte trasera, de un jardín formado por terrazas que trepaban la pendiente de la montaña hacia el ruinoso torreón dels Encantats. La señorita María Boi seguía con nosotros, pero su inoportuna exaltación religiosa en unos tiempos de furioso anticlericalismo preocupaba seriamente a mi madre. ¿Había intentado ganarnos a la idea del martirio, como posteriormente me contaron, o hubo otra razón de peso para justificar su abrupto despido? Aunque no puedo responder con certeza, el hecho es que de la noche a la mañana se desvaneció de nuestra vista. Mi madre había aireado su habitación vacía y, por todo comentario, dijo que olía mal.

---

* Según testimonio reciente del hijo de los masoveros, el presidente del Gobierno vasco José Antonio Aguirre y su familia vivieron varios meses en él.

Era nuestro primer año sin colegio y pasábamos la mayor parte del tiempo en el jardín o la calle. Los efectos de la guerra no se manifestaban aún en casa: comíamos regularmente y dos asistentas se encargaban del servicio. Una, la María, cantaba siempre «Rocío»; otra, la Conchita, prefería «María de la O». Mi madre me enseñaba a leer y yo recorría ávidamente los libros de geografía. Un día, miraba con ella el mapa de Europa y me preguntó qué país me gustaba más. Apunté con el dedo a la Unión Soviética, enorme, pintada de rosa y me dijo secamente, «no, éste no». Otra vez, mi padre había recibido la visita del comité de gestión de la fábrica: un grupo de cinco o seis hombres que besaron torpemente la mano a «la señora» y, después de un rato de charla ruidosa, se dedicaron a beber. Al salir, uno daba traspiés y el retrete apareció lleno de vomitonas. Mientras mi padre se excusaba con su mujer del incidente, ella se mostraba indignada y les oí discutir de lejos a viva voz.

Pasado el lapso de unos meses volvimos a Barcelona. Estábamos de nuevo en la torre de Pablo Alcover, en cuyo piso superior se alojaban ahora unos militares extranjeros, miembros, probablemente, de las Brigadas Internacionales. Allí, escuché entre susurros la noticia de la detención de mi padre (¿por qué? ¿por quién?) y su liberación posterior gracias a la oportuna intervención de los responsables sindicales de la fábrica. Habían venido a buscarle de noche, según me contaría luego, pero, previendo el peligro de los «paseos», solía dormir en casa de los abuelos y prefirió entregarse él mismo a las autoridades legales. Su estancia en la cárcel fue breve, pero al salir cayó enfermo. Los médicos diagnosticaron pleuresía y fue internado en la clínica del doctor Corachán.

A partir de entonces, acompañábamos diariamente a mi madre cuando iba a visitarlo, cruzando a pie el barrio de las Tres Torres. La clínica tenía un vasto y frondoso jardín en el que jugábamos por espacio de horas, esperando su regreso de la sala en donde le atendían. Mis hermanos y yo ignorábamos aún la gravedad de la dolencia y, sobre todo, el método empleado para curarla: la neumonía inicial, al infectarse, había obligado a los médicos a drenar el pus de la pleura introduciendo un tubo de goma entre ésta y un orificio abierto al costado. Durante años, mi padre permaneció en cama o semiinmovilizado, sujeto por aquella horrible cánula incrustada en su pecho al tarro de vidrio en el que se vertían sus humores. Esta nueva imagen paterna no se imprimió en mi memoria sino en Viladrau; pero, de modo imperceptible, se extendió entonces sobre la forjada en mis primeros años –la de un hombre si bien maduro, activo, y cuya diferencia de edad con mi madre no resultaba chocante– hasta anularla del todo. La admiración y respeto que probablemente sentía por él sufrieron así un daño irreparable. La figura abatida, yacente, unida hipostáticamente a la cánula y el tarro de pus, comenzó a inspirarme una injusta, pero real, repugnancia. Aquel hombre mísero, recluido entre algodones, medicinas, vendas, deyecciones, drenajes en una habitación que olía a hospital no se conformaba en absoluto a mi expectativa del papel que correspondía a un padre ni a su supuesto valor de refugio. Sin incurrir en ninguna hipérbole ni manipulación retrospectiva de los hechos, he llegado desde hace tiempo a la conclusión de que, meses antes del mutis de mi madre, la cúpula familiar protectora había empezado a derrumbarse sobre mí.

La causa de nuestro traslado a Viladrau permanece también en la sombra. El aire de montaña, aconsejado sin duda a mi padre por los médicos, podría suministrar una

clave. Las crecientes dificultades de abastecimiento en
Barcelona, las luchas callejeras entre facciones rivales, los
primeros bombardeos de la aviación de Franco y, finalmente, la presencia allí de mis tíos Ramón y Rosario,
serían otros tantos motivos plausibles que aclaran a posteriori la elección de aquel pueblo de veraneo enclavado
en la falda del Montseny. Según mis cálculos, debimos
mudarnos en otoño del treinta y siete: primero a una
villa sombría y húmeda, con un parque cubierto de hojas
amarillas; luego, a una casa de dimensiones más reduci-
das, en la que ocupábamos solamente la planta alta. El
edificio formaba parte de un grupo de cuatro viviendas
con un jardín común: su dueño, un payés octogenario
que cultivaba los huertos aledaños, sería más tarde blanco de nuestras bromas y travesuras. Nos habíamos separado de la Conchita, y María Cortizo, la sirvienta gallega, guisaba y cumplía las tareas domésticas mientras mi
madre hacía de enfermera y cuidaba como podía de
nosotros. En el piso de abajo vivía una señora llamada
Ángeles en compañía de su hija: aquélla tenía la costumbre de quejarse de todo ante nosotros, en especial de la
persecución de que era objeto por parte de su hermana
Encarnación, una mujer gruesa y fuerte, casada con un
taxista madrileño y cuyo hijo único, el Saturnino, ofrecía un aspecto anormal a causa de una ligera hidrocefa-
lia agravada por la bizquera. Encarnación y su marido
vivían en la casa contigua y una noche escuchamos gritos y llamadas de socorro tras los cuales vimos aparecer
a la señora Ángeles rota y desgreñada, acusando a su
hermana de aquel atropello. Las demás fincas vecinas
eran grandes villas con muros de piedra: en una de ellas,
deshabitada, no tardaríamos en penetrar a hurtadillas;
la otra, que ocupaba una manzana entera, servía provi-

sionalmente de refugio al Archivo de la Corona de Aragón.

Nuestra vida en Viladrau aquel invierno prolongaba el período de vacaciones abierto año y medio antes. La escasez empezaba a mostrar sus efectos y me acuerdo de que mi madre recorría las masías cercanas al pueblo en busca de comida. Desde la enfermedad de mi padre, el comité de gestión de la fábrica mantenía regularmente su sueldo; pero el dinero perdía paulatinamente su valor y, conforme avanzaba la guerra y se degradaba la situación en el campo republicano, reaparecía de manera espontánea la antigua economía de trueque. Con mi madre y hermanos íbamos a visitar a la familia de tía Rosario a su piso de la plaza mayor del pueblo o alargábamos el paseo por los alrededores de éste, tomando la carretera de Espinelves, el camino de la Noguera o alguno de los atajos que serpenteaban cuesta abajo hacia las recónditas fuentes vecinas. A menudo, nos reuníamos a jugar al escondite con otros niños en el espacioso jardín de la villa de los Biosca o asistíamos en su casa a una proyección de películas de Charlot con una máquina de Pathé Baby. Recuerdo una velada de cine y poesía, en la que un rapsoda declamó con acento patético poemas de Gustavo Adolfo Bécquer. En casa, leía los cuentos ilustrados que me pasaba mi madre y comencé a dibujar y escribir «poesías» en un cuaderno. Mi futura carrera de escritor se inauguró así a los seis años: los versos me salían de una tirada y, una vez ilustrados con garabatos de mi autoría, me apresuraba a enseñarlos a las visitas con un precoz cosquilleo de envanecimiento.

Intento fijar, mientras redacto estas líneas, las escasas reminiscencias fidedignas de mi madre: la vez en que discutió con papá por una razón que ignoro y se enjugó la

nariz con el pañuelo; el día en que, sintiéndome desaten-
dido por ella, absorta como estaba en los incesantes cuidados que requería su esposo, dije que yo también de-
searía caer enfermo y, sin poder contenerse, me dio una
merecida bofetada; la tarde en que, en casa de los tíos, me
enteré del accidente en el que el primo Paco, hijo de la tía
María, había perdido una pierna, cortada por un tranvía
cuando rodaba en patinete: tía Rosario me pidió que la
informara simplemente de una «mala noticia», sin especificar de qué se trataba y, mientras mi madre se vestía y
corría conmigo a su casa, yo disfrutaba egoístamente de
mi momentáneo poder sobre ella insinuando poco a
poco, a mi antojo, cuanto sabía del drama.

La guerra civil y sus desastres habían repercutido
hasta entonces en mi conciencia de forma indirecta y
lejana. La pequeña colonia de burgueses de Barcelona
acomodada en Viladrau vivía provisionalmente al margen del conflicto y mantenía de puertas afuera una actitud de prudente neutralidad. Sólo algunos comentarios
irónicos –la obligada referencia al hecho de que Bono, un
célebre peluquero de señoras refugiado también en el
pueblo, fuera recogido semanalmente por un automóvil
oficial para peinar y embellecer a las esposas de los
ministros del Gobierno y Generalitat– permitían leer al
trasluz sus verdaderos sentimientos. Pero a salvo de cualquier escucha indiscreta, las lenguas se desataban. Por la
noche, solíamos recibir la visita de Lolita Soler, una
mujer de una cuarentena de años, soltera, chupada, de
una familia de militares monárquicos, que había vivido
el cerco de Madrid antes de ser evacuada a Cataluña y
varar, como nosotros, en aquel apartado rincón de montaña. Sus relatos espeluznantes de asesinatos, paseos,
deportaciones, martirios heroicos referidos a media voz

para que los niños no la escucháramos se mezclaban con noticias alentadoras de los progresos del otro bando, captadas al parecer por ella mediante una radio de galena que sintonizaba con Burgos. Sus tribulaciones y aventuras –probablemente exageradas en opinión de mi familia– suscitaban discusiones interminables en el comedor, prolongadas aun después de su partida. La situación precaria en que vivían los abuelos, el desamparo de tía Consuelo, recluida con ellos en un piso de la Diagonal, los bombardeos cada vez más frecuentes de la ciudad, agravaban el estado de inquietud de mi madre, abrumada ya con la carga de cuatro hijos y un marido enfermo y sin esperanzas de curación cercana. En una carta, hallada años después por mi hermana, expresaba a sus padres su nerviosismo y preocupación por la falta de noticias después de un ataque aéreo. Cada dos o tres semanas, subía al autocar que la llevaba a la estación de ferrocarril de Balenyà y, luego de pasar el día con ellos y realizar algunas compras, volvía de noche a Viladrau. Estas visitas, aun breves, calmaban no obstante su desasosiego y se habían convertido al cabo de unos meses en una especie de ritual.

La mañana del diecisiete de marzo de 1938, mi madre emprendió el viaje como de costumbre. Salió de casa al romper el alba y, aunque conozco las trampas de la memoria y sus reconstrucciones ficticias, conservo el vivo recuerdo de haberme asomado a la ventana de mi cuarto mientras ella, la mujer en adelante desconocida, caminaba con su abrigo, sombrero, bolso, hacia la ausencia definitiva de nosotros y de ella misma: la abolición, el vacío, la nada. Resulta sin duda sospechoso que me hubiera despertado precisamente aquel día y prevenido de la partida de mi madre por sus pasos o el ruido de la puerta, me hubiese levantado de la cama para seguirla con la vista. Sin embargo, la imagen es real y me llenó por algún tiempo de un amargo remordimiento: no haberla llamado a gritos, exigido que renunciara al viaje. Probablemente fue fruto de un posterior mecanismo de culpa: una manera indirecta de reprocharme mi inercia, no haberle advertido del inminente peligro, no haber esbozado el gesto que, en mi imaginación, habría podido salvarla.

La evocación de la espera frustrada de su regreso, la creciente ansiedad de mi padre, nuestras idas y venidas, en busca de noticias, a casa de los tíos o la parada de autocar del pueblo es mucho más fiable. Dos días de tensión, angustia premonitoria, insoportable silencio, visitas de los tíos, sollozos de Lolita Soler, sucesivas versiones musitadas en la habitación de mi padre hasta aquella triste festividad de San José en la que, reunidos los cuatro hermanos en la escalera exterior que descargaba en el jardín, tía Rosario, interrumpida a veces, débilmente, por Lolita Soler, nos habló del bombardeo, sus víctimas, ella, sorprendida también, heridas seguramente graves, conduciéndonos poco a poco, como a ese toro recién estoqueado por el diestro al que la cuadrilla empuja hábilmente a arrodillarse para que aquél culmine su faena con un limpio y eficaz remate, al momento en que, con voz ahogada por las lágrimas, sin hacer caso de las protestas piadosas de la otra, soltó la inconcebible palabra, dejándonos aturdidos menos a causa de un dolor exteriorizado inmediatamente en llanto y pucheros que por la incapacidad de asumir brutalmente la verdad, ajenos aún al significado escueto del hecho y, sobre todo, su carácter definitivo e irrevocable.

Cómo ocurrió su muerte, en qué lugar exacto cayó, adónde fue trasladada, en qué momento y circunstancias

la reconocieron sus padres es algo que no he sabido
nunca ni sabré jamás. La desconocida que desaparecía de
golpe de mi vida, lo hizo de forma discreta, lejos de nosotros, como para amortiguar con delicadeza el efecto que
inevitablemente ocasionaría su marcha, pero adensando
al mismo tiempo la oscuridad que en lo futuro la envol-
vería y haría de ella una extraña: objeto de cábalas y con-
jeturas, explicaciones incompletas, hipótesis dudosas,
indemostrables. Había ido de compras al centro de la
ciudad y allí le pilló la llegada de los aviones, cerca del
cruce de la Gran Vía con el Paseo de Gracia. Una extraña
también para quienes, pasada la alerta, recogieron del
suelo a aquella mujer ya eternamente joven en la memoria de cuantos la conocieron, la señora que, con abrigo,
sombrero, zapatos de tacón se aferraba al bolso en el que
guardaba los regalos destinados a sus hijos y que días
después, éstos, con trajes teñidos de negro como imponía entonces la costumbre, recibirían en silencio de
manos de tía Rosario: una novela rosa para Marta; obras
de Doc Savage y la Sombra para José Agustín; un libro de
cuentos ilustrado para mí; unos muñecos de madera
para Luis, que permanecerían tirados en la buhardilla,
sin que mi hermano los tocara.

El bolso negro vacío: todo lo que quedaba de ella. Su
papel en la vida, en nuestra vida, había concluido de
forma abrupta antes del desenlace del primer acto.

*S*ólo veinte años después –durante los preparativos del montaje de la película de Rossif, Mourir à Madrid, *el día que visionabas con unos amigos franceses una serie de actualidades y documentos cinematográficos españoles y extranjeros sobre la guerra civil–, el horror que presidió sus últimos instantes se impuso a tu conciencia con abrumadora nitidez. Un noticiario semanal del Gobierno republicano, en su denuncia de los bombardeos aéreos del enemigo sobre poblaciones civiles indefensas, muestra las consecuencias del sufrido por Barcelona aquel inolvidable diecisiete de marzo: sirenas de alarma, fragor de explosiones, escenas de pánico, ruinas, destrozos, desolación, carretadas de muertos, lechos de hospital, heridos reconfortados por miembros del Gobierno, una hilera inacabable de cuerpos alineados en el depósito de cadáveres. La cámara recorre con lentitud, en primer plano, el rostro de las víctimas y, empapado de un sudor frío, adviertes de pronto la cruda posibilidad de que la figura temida aparezca de pronto. Por fortuna, la ausente veló de algún modo en evitarte, con pudor y elegancia, el reencuentro*

76

traumático, intempestivo. Pero te viste obligado a escurrir-
te del asiento, ir al bar, tomar una copa de algo, el tiempo
necesario para ocultar tu emoción a los demás y discutir
con ellos del filme como si nada hubiera ocurrido.

El vínculo existente entre aquella muerte y el significado
de la guerra civil no se te plantearía hasta el día en que,
interesado ya por la política, comenzaste a embeberte en la
lectura de testimonios y libros sobre la historia reciente de
España. La educación religiosa y doméstica de los años
cuarenta había logrado romper la conexión entre los dos
acontecimientos. Por un lado, después del rosario en
común que seguía a la cena, rezabais aprisa, de forma
rutinaria y mecánica, los tres Padrenuestros destinados al
eterno descanso del alma de la ausente; por otro, acepta-
bais sin ninguna clase de reservas la versión oficial de la
contienda expuesta por la radio, periódicos, profesores,
familia y cuantas personas os rodeaban: una Cruzada
emprendida por unos hombres patriotas y sanos contra
una República manchada con toda clase de abominacio-
nes y crímenes. La realidad innegable, concisa, de que tu
madre había sido víctima de una estrategia de terror de
vuestro bando, producto de un cálculo frío y odioso, era
escamoteada por tu padre y el resto de la familia. Los des-
calabros que aquél sufrió, cárcel, enfermedad, viudez obe-
decían, según él, a una caterva de enemigos genéricamen-
te tildados de rojos. Privada de su contexto, limpia, desin-
fectada, la muerte de tu madre se transformaba así en una
especie de abstracción que, si bien eximía de su responsa-
bilidad a los verdaderos culpables, acentuaba en cambio
para vosotros su índole irreal y confusa. Aunque la facili-
dad con la que se llevó a cabo esta operación de blanqueo

*pueda parecer sospechosa, el núcleo cerrado y conservador
en el que vivíais, el silencio cómplice de tu medio, la dificultad de procurarse una información objetiva aclaran
una vez más la aceptación acrítica de los hechos. Sólo en la
universidad, al relacionarte con un compañero de ideas
hostiles al Régimen y conocer gracias a él los libros que
exponían la guerra civil desde un punto de vista opuesto,
la venda cayó de tus ojos. Imbuido de toscos, pero vivifi-
cantes principios marxistas –hostil a los valores reacciona-
rios de tu clase–, empezaste a enfocar los sucesos que viviste
marginalmente de niño desde una perspectiva muy diferente: las bombas de Franco –no la maldad ingénita de los
republicanos– eran las responsables directas de la quiebra
de tu familia.*

*A decir verdad –fuera de esa tardía indignación histó-
rica–, la fecha temprana del mutis de tu madre privó a su
partida de una auténtica dimensión de dolor. Lo que te fue
arrebatado entonces iba a pesar con fuerza en tu destino,
pero las consecuencias de tu orfandad no se manifestarían
sino más tarde: extrañamiento de la figura paterna, tibie-
za religiosa, indiferencia patriótica, rechazo instintivo de
cualquier forma de autoridad, cuantos elementos y rasgos
plasmarían luego tu carácter guardan sin duda una estrecha relación con aquélla. No obstante, en la medida en que
la querencia a tu madre se había eclipsado con ella, puedes
decir que, en estricto rigor, más que hijo suyo, de la desconocida que es y será para ti, lo eres de la guerra civil, su
mesianismo, crueldad, su saña: del cúmulo desdichado de
circunstancias que sacaron a luz la verdadera entraña del
país y te infundieron el deseo juvenil de alejarte de él para
siempre.*

Rememorar ahora, a la luz de lo escrito en estas páginas el episodio del hacha: la furia destructora que te acometió una mañana en Barcelona, unos meses después de la guerra, mientras vagabas por casa en compañía de Luis.

Al fondo del jardín, en el espacio situado entre el garaje y una habitación utilizada de trastero, había, bajo el hueco de la escalera que llevaba al terrado del primero, dos tabucos minúsculos en los que almacenabais leña y carbón. El trastero estaba atestado de muebles pertenecientes a la familia, amontonados allí después de las vicisitudes y mudanzas de la guerra, esperando, supones, el probable traslado a Torrentbó. Recuerdas una serie de sofás, butacas, consolas, rinconeras cubiertas de polvo y telarañas en las que os ocultabais para jugar a fantasmas, felices en medio de aquel revoltillo de objetos valiosos y menguado o inútil bric-à-brac. Este desván se había transformado en tu refugio favorito cuando regresabas del colegio hasta la fecha en que, por arrebato o capricho, cogiste el hacha de la leñera y, con ayuda de tu hermano, procediste a destrozar su contenido con entusiasmo feroz.

Mueble a mueble, sin perdonar nada, empezaste a cortar patas, brazos, respaldos, descabalar mesas, destripar asientos, romper guarniciones, estirar muelles, machacar sillas, poseído de una inspiración alegre, absorbente que no volverías a conocer, piensas hoy, sino en el acto fundacional, el jubiloso vandalismo de la escritura adulta : placer de conjurar los signos de un mundo, convenciones de un código repentinamente captadas como un estorbo; deseo abismal de venganza contra un universo mal hecho; impulso liminar, efusivo ligado al binomio creación-descreación. ¿Qué sentido atribuir al gesto brusco, exaltado, gozoso de dos niños comedidos de ordinario y entregados de súbito a un plan demoledor cuya razón última se les

escapaba? ¿Protesta, rabia acumulada, afán de desquite?
¿O aburrimiento, pura inconsciencia, intento de imitar a
los mayores? La raíz originaria de la escena, la prontitud y
audacia con que fue ejecutada serán siempre un enigma
de imposible resolución. Centrarás pues el recuerdo en la
imagen de estos chiquillos que, a golpes de hacha, liberan,
de algún modo, una misteriosa energía interna, tal vez el
ansia informulada, secreta, de hacer escuchar su voz.

Marcados con el signo sagrado del luto, éramos objeto de llanto y de compasión. Las visitas diarias de consuelo se convirtieron pronto en un rito: tía Rosario, su marido y los primos, Lolita Soler, amigos o simples conocidos de la colonia se sucedían en la habitación de mi padre, preocupados por la situación de desamparo del enfermo, viudo y con cuatro hijos. ¿Quién iba a ocuparse en adelante de nosotros? La pregunta, aunque no formulada directamente, se adivinaba no obstante en la expresión, entre consternada e inquieta, de los asiduos. La dolencia de mi padre requería por otra parte incesantes cuidados y era preciso recurrir a los servicios de una enfermera. Alguien habló de una comadrona «de derechas» refugiada también en el pueblo y pocos días después la Josefina, una mujerona maciza, gruesa, de facciones bastas se acomodó con sus maletas y enseres en una espaciosa habitación de la fachada delantera de la casa.

Curiosamente, no retengo imagen de mi padre durante los días que siguieron a la catástrofe. Permaneció recluido en su cuarto mientras las visitas se turnaban a la cabecera del lecho predicando cristiana resignación o bisbiseando el rosario. Mis hermanos y yo, pasados el estupor y anonadamiento de la noticia, nos apañábamos como podíamos y comenzábamos a saborear las ventajas de nuestra absoluta libertad. Las ropas teñidas de negro interponían al principio una distancia entre nosotros y los demás compañeros de juego. Algunos chicuelos del pueblo nos señalaban con el dedo y hacían burla de nuestro disfraz. Mi posible tentativa de presentarme bajo el aspecto de víctima y despertar la conmiseración ajena fracasó así de modo lamentable. La vida –con sus crecientes dificultades–, la guerra –con su cortejo de horrores–, seguían su curso habitual, indiferentes y ajenas al drama de mi familia. Huyendo instintivamente de la atmósfera que reinaba en casa, íbamos a jugar lejos, con los niños del pueblo u organizábamos expediciones al monte en busca de castañas.

La penuria general de alimentos se había agravado: colmados y tiendas carecían de lo más indispensable y exhibían unos escaparates y mostradores vacíos con excepción de algunas chucherías, estropajos, escobas y otros objetos sobrantes e innecesarios. Sin llegar al punto de que pasáramos hambre, la dieta casera empeoraba de día en día. María, la sirvienta, volvía a menudo con la bolsa llena de nabos y acelgas: los únicos artículos vendidos en el mercado. Los paquetes que llegaban de vez en cuando de Argentina o de Francia –enviados por tío Joaquín y nuestros parientes de la familia Gil Moreno de Mora– eran una auténtica fiesta. Los abríamos en casa o el piso de tía Rosario y distribuíamos su contenido –azúcar, café, chocolate, carne en conserva, leche condensada– con la misma ansiedad contenida con que los autores de un audaz y peligroso atraco se reparten luego el botín.

Pero la irregularidad del correo y frecuente extravío de
paquetes imponían la busca de otros canales de abastecimiento: compra directa a los payeses, cría de animales
domésticos, correrías alegres, fecundas por huertos y
castañares.

Un cazador de la cercana barriada del Puigtorrat,
aparecía a menudo por casa con los despojos de sus bati-
das: liebres, perdices, ardillas. Un día trajo incluso un
extraño animal despellejado que, pese a sus negativas y
protestas de buena fe, resultó ser una zorra. En los perío-
dos de mayor escasez, Marta, José Agustín y yo hurtába-
mos berros o tallos de calabaza silvestre en la linde de los
huertos o nos desplegábamos en abanico por los castañares vecinos hasta que los gritos y amenazas del dueño
o aparcero nos ponían en fuga. En la buhardilla, criába-
mos conejos y una docena de gallinas: sus huevos, mezclados con acelgas u hojas de calabaza, componían el
plato habitual de nuestros almuerzos y cenas con excepción de los días felices en que recibíamos víveres de
Francia o Argentina. Las castañas –crudas, hervidas, asa-
das– eran la segunda fuente diaria de alimentación.
A causa de ello –y tal vez de los sustos que pasé al procu-
rármelas–, las tengo aborrecidas para siempre y no he
vuelto a probarlas desde que terminó la guerra y nos fuimos de Viladrau.

Al poco tiempo de instalarse en casa, Josefina, la
enfermera, había elaborado una estrategia de dominio
fundada en la simulación de afectos maternos, astucia e
intimidación. Su primera víctima fue Lolita Soler: sus
reiteradas visitas a la habitación del viudo la señalaban a
sus ojos como una inmediata rival y Josefina la despachó
con prontitud después de un violento altercado con ella.
Desembarazada de su presencia, empezó a adoptar con

nosotros un interesado papel de madre: en el comedor, ante mi padre, solía sentarme en su regazo y me mantenía abrazado a ella, con besuqueos y ademanes de ternura y solicitud. La indiferencia de Luis a sus arrumacos la irritaba y, a solas, no se privaba de reprochárselo. Había tomado también a su cargo los asuntos de la cocina y disponía de los escasos víveres en beneficio propio: pese a su robustez y buenos colores, pretendía sufrir de continua «debilidad» y no paraba de comer a lo largo del día. Creyéndose indispensable a mi padre, acentuaba poco a poco su presión sobre él. Durante el rosario de la cena y las oraciones por mi madre, mostraba una piedad extrema que no tardó en sernos antipática. Su intento de suplantar a la desaparecida, manifiesto en multitud de detalles, acabó sin duda por abrir los ojos a mi padre, no obstante su estado de abatimiento y postración. ¿Esbozó tal vez, torpemente, un acercamiento sexual que sólo podía repugnarle, obsesionado como estaba por la memoria de su mujer? ¿O le insinuó de algún modo la conveniencia de rehacer su vida, de buscar una madre adoptiva para aquellos pobres huérfanos? La rudeza de sus modales, conducta hipócrita, físico burdo y grosero no favorecían con todo sus planes de conquista. Pero algo debió de suceder entre ambos pues mi padre, sacando fuerzas de su flaqueza, la arrojó súbitamente de casa. Recuerdo los sollozos de Josefina al ver deshecho su sueño. Confiando todavía en una hipotética intervención nuestra, había tratado vanamente de ganarnos a su causa: alejada ya de nosotros, me había atraído a su pensión con el señuelo de unos dulces y trató de sonsacarme noticias de la salud y humor de mi padre. Pero éste nos prohibió a partir de entonces todo contacto con ella. Un día que la avistamos de lejos, camino del mercado, José

Agustín y yo le cantamos una letrilla ofensiva y ella nos insultó hecha una furia e intentó perseguirnos a cantazos.

Con su partida, las visitas de Lolita Soler y los tíos se reanudaron. Mi hermana Marta cumplía ahora las penosas funciones de enfermera y atendía a mi padre con paciencia y aplicación. El olor acre de la pieza, la cánula y algodones manchados, la escupidera, el orinal, el tarro de pus creaban en cambio para mí, alrededor del enfermo, un círculo difícil de franquear. Al acostarme, rozaba furtivamente con los labios la mano flaca que me tendía y, en la medida de lo posible, procuraba evitar sus efusiones y abrazos. Los rosarios y Padrenuestros que rezábamos en común en su cuarto constituían el momento más fastidioso de la jornada. Una noche en que nos leía un pasaje del evangelio en donde se hacía referencia a un asno acompañado de su pollino, esta última palabra provocó inexplicablemente entre nosotros un pujo incontenible de risa. Mi padre se vio obligado a interrumpir la lectura y, lleno de enojo, nos hizo salir de la habitación. Recuerdo que a raíz de este incidente formulé por primera vez mi desafecto hacia él, no sé si a solas o en conversación con alguno de mis hermanos. La idea de ser prohijado por el tío Joaquín e irme con él a la Argentina me sedujo durante un tiempo. Nuestro acomodo con cualquier miembro de la familia me parecía más deseable que vivir con aquel hombre triste y amargado, cuyo dolor y frustración no compartía. Otro día, entré bruscamente en mi cuarto y lo encontré sentado en la cama, llorando, con una fotografía de mi madre en la mano. Avergonzado de descubrir algo que no quería ver, me escurrí del lugar de puntillas, sin decir una sola palabra. Hoy, esta falta de piedad y comprensión filiales me parece desde luego chocante. Las pruebas a que había sido sometido mi padre sobrepasaban el límite de sus fuerzas y no merecían una actitud de rechazo como la mía. Para explicar mi conducta de entonces, habría que apuntar quizá, sin ánimo exculpatorio alguno, a la enorme decepción sufrida por mí al comprobar que el personaje omnipotente y magnífico levantado en mi conciencia infantil hasta los cuernos de la luna no era sólo un ser de carne y hueso como los demás sino para colmo un hombre senil, desvalido. El rencor subsiguiente al desengaño, aclararía de algún modo las manifestaciones precoces e injustas de desapego y frialdad.

Por estas fechas –verano u otoño de 1938– experimenté mis primeras emociones sexuales. Hasta entonces, mi ignorancia del tema era completa; ni siquiera el contacto con animales domésticos me había ilustrado como a otros niños. La vez en que, en una de las masías cercanas al pueblo, vi parir a una cabra, di por buena la explicación materna de que había engullido una alpargata y la expulsaba, al punto que, muchos años después, referí la anécdota a mis hermanos sin caer en la cuenta de mis tragaderas ni de la candidez de la engañifa. En la buhardilla, vigilaba asimismo las bruscas pisadas del gallo a las gallinas y, armado de una vara justiciera, perseguía al supuesto culpable de tales afrentas. Esta ingenuidad mía no impedía no obstante que, con José Agustín y una banda de niños, jugáramos a enseñarnos las partes y, con el sexo fuera, bailáramos una especie de conga al grito, para mí incomprensible, de *nenes, voleu cardar?* Mi hermano aseguraba haberse dejado acariciar por la María y un día nos mostró una micción descomunal en la fachada delantera de la casa, obra, según él, del miliciano con quien salía a pasear la sirvienta. La imagen mental del individuo meando me causó un indeleble impacto: cuando días después me enteré de que uno de los chicos de la pandilla sujetó al niño anormal e hidrocéfalo de nuestros vecinos y orinó en su cabeza, la noticia me provocó una excitación incontenible. Bajé al jardín, ansioso de repetir la hazaña y, al no dar con el crío, escupí y me meé en la puerta de su casa, presa de un frenesí cuyas motivaciones oscuras aflorarían en mi escritura mucho más tarde. En lo que concierne a la imaginaria víctima, no volví a saber de ella: Encarnación y su familia se mudaron del pueblo y su domicilio permaneció cerrado hasta nuestra partida de Viladrau.

No me propongo interpretar esta pulsión violenta a la luz de mi experiencia actual –esto es, como un posible antecedente de mi sensualidad futura–, sino situarla en el contexto de inmediatez y simpleza en el que se produjo. Mi afán de humillar corporalmente al niño retrasado y bizco fue un acto espontáneo y aislado, que no suscitó en mi ánimo ningún sentimiento de culpa y pronto cayó en un semiolvido. Cuando un tiempo después, en una de esas veladas organizadas por Lolita Soler y mis tíos, vino un sacerdote vestido de civil y, antes de celebrar la misa y repartir la comunión a los mayores, me llamó a su lado y dijo que quería confesarme, aunque seguí al pie de la letra sus instrucciones y busqué, aturdido y confuso, cuanto pudiera ser motivo de reproche, no se me ocurrió la idea de establecer una conexión entre ese hecho y la nebulosa noción de pecado. Evoqué o inventé algún hurto o mentirijilla y recibí la absolución de aquel hombre sin particular emoción. El recogimiento o compunción de los comulgantes, los latines del cura, los movimientos de ponerse de pie y arrodillarse, los golpes de pecho olvidados por mí desde el comienzo de la guerra me parecían una mera coreografía carente de significado y sustancia. Al concluir, los mayores nos habían impuesto silencio. Sobre todo, decía mi padre, ni una palabra a la criada.

Pese a que la María se había comportado siempre de manera discreta, Lolita Soler y mi familia desconfiaban de ella por roja. Los sábados y domingos salía a bailar con los milicianos, había ganado una insignia no sé si de la UGT o el PSUC en una tómbola y me acuerdo muy bien de que, comentando con nosotros las nuevas del frente, dijo: «Muerto Durruti, guerra perdida». Durante las Navidades, su pesimismo se había acentuado. Mientras mi padre, Lolita Soler y los tíos disfrazaban apenas su júbilo, ella, la mujer analfabeta y pobre, que había creído en la causa de la República y ofrecía generosamente su cuerpo a los soldados, barruntaba, con razón, la llegada de tiempos difíciles para ella y repetía, obsesionada, las leyendas relativas a los moros. Sus historias de violaciones, orejas cortadas, cabezas guardadas en mochilas a causa de sus dientes de oro, desenterraban de hecho, con un barniz de propaganda antifacciosa, la vieja fantasmagoría hispana forjada en los siglos de la mal llamada Reconquista. Como en muchos españoles de mi generación, el término «moro» se asoció en mí, desde fecha temprana, a unas vagas e inquietantes imágenes de violencia y terror. Sería preciso el lapso de veinte años para que, sobreponiéndome a estas estampas impresas entonces, alcanzara a establecer una fecunda relación personal con el mundo árabe en su triple dimensión de espacio, cuerpo y cultura, relación que pronto se trocaría en un eje fundamental de mi vida. A veces, en mis nomadeos por el ámbito islámico, he pensado con remordimiento y cariño en esa humilde mujer de Carballino

cuyas fantasías ancestrales se anclarían en mi subconsciente y, exorcizadas doblemente en la escritura y la vida,
serían el venero que alimentaría más tarde la inspiración
mudéjar de mis obras. Los caminos que llevan a lo que
somos son guadianescos e imprevisibles: por mi parte,
no abrigo hoy la menor duda de que en mi acercamiento
y simpatía al Dar Al Islam, las elucubraciones fascinadas
de la sirvienta que escuchara de niño desempeñaron a
través de imprevisibles meandros y vericuetos ese papel
iniciático, bautismal que misteriosamente les había con-
ferido el destino.

El frente se aproximaba a nosotros: la carretera había empezado a llenarse de militares a pie y a caballo, vehículos oficiales, sidecares, camiones de Intendencia. Luego, en largas, interminables hileras, veíamos pasar desde nuestras ventanas a los prisioneros de guerra; sus guardianes los habían apriscado, como ganado, junto a la parroquia del pueblo y distribuían entre ellos unos calderos de rancho aguanoso. El cansancio, enfermedad, abatimiento, se pintaban en todos los rostros: su paso dejaba una estela de defecaciones, papeles sucios, latas vacías. Lolita Soler y los tíos les veían pasar con lágrimas en los ojos e intentaban darles a escondidas algún mendrugo de pan u otro socorro. José Agustín y yo nos aventuramos a charlar con ellos y regalamos a uno un cigarrillo liado con hojas secas de maíz. Una mañana, apareció un pequeño avión de reconocimiento de los nacionales y un capitán desenfundó su pistola y disparó contra él unos tiros sazonados con maldiciones y tacos. Según oímos decir a mi padre, Barcelona había sido liberada por los requetés.

El lugar ofrecía diariamente escenas de pánico y desbandada. Automóviles atestados de fugitivos, camiones repletos de soldados atravesaban el pueblo hacia el norte seguidos de centenares de peatones sucios y astrosos, combatientes, civiles, mujeres, chiquillos, viejos, cargados todos de maletas y bultos, trastos absurdos, cacerolas, muebles, una estrafalaria y absurda máquina de coser, diáspora insectil consecutiva a la muerte de la reina o cierre inesperado del hormiguero. Había heridos transportados en parihuelas, cojos con muletas, brazos en cabestrillo. Los nacionales acababan de cortar la línea del ferrocarril y José Agustín afirmaba haber visto a un muerto. Una tarde, recibimos la visita de unos oficiales. Tras acomodarse a descansar en el comedor, el capitán advirtió la existencia de un gallinero en la buhardilla y, con amable desenvoltura, se autoinvitó a cenar. María sacrificó un par de gallinas y, mientras mi padre se esforzaba en mantener una conversación insustancial con sus huéspedes, uno de éstos había inspeccionado curiosamente la casa y mostró súbito interés por el estuche de violín de tía Consuelo. Quiso examinar el instrumento, pulsó las cuerdas, dijo que su asistente era aficionado a la música. Al concluir la comida, se despidieron cortésmente de nosotros y, desmintiendo nuestros temores, no se llevaron nada. El día siguiente, con todo, escuchamos un timbrazo y vimos aparecer al ordenanza. El capitán le había pedido que requisara el violín, nos dijo; pero él pensaba desertar y nos rogó que le ayudáramos. En lugar de cumplir con el encargo, quería permanecer oculto en casa esperando la llegada de los nacionales. Mi padre accedió a su petición. Los últimos soldados republicanos estaban evacuando el pueblo y no había ya ningún riesgo de que el oficial volviera pies atrás a averiguar el parade-

ro de su subordinado. El desertor se llamaba Veremundo
Salazar y era natural de La Rioja: durante toda la mañana aguardó escondido en la buhardilla la irrupción de las
avanzadillas del ejército enemigo. Se oía en sordina, de
modo intermitente, el eco de los disparos. Las avionetas
de reconocimiento seguían su vuelo hacia el norte. Al
cabo de unas horas, Veremundo bajó de su escondrijo,
nos obsequió con un cuchillo de campaña de mango
amarillo y se despidió de nosotros. Mi padre nos había
prohibido salir de casa pero, poco después, sin solicitar
su permiso, José Agustín y yo nos deslizamos al jardín.
Una de nuestras vecinas se había asomado asimismo a
mirar y dijo que el pueblo era ya de «los nuestros».

    Oímos repicar las campanas y corrimos a la plaza.
Toda la colonia de refugiados de Barcelona parecía
haberse dado cita allá: hombres y mujeres se abrazaban y
besaban llorando, agitaban banderas, vitoreaban a Franco, entonaban el «Oriamendi», daban rienda suelta a su
emoción. Los tíos estaban también, con mis primos,
exultantes, arrebatados. Alguien lucía una boina roja y
era rodeado con admiración y simpatía. Habían abierto
de par en par las puertas de la iglesia, convertida en
almacén por los republicanos. La gente discutía si llega-
rían primero los requetés o los falangistas.

    Fueron días agitados, llenos de novedad: moneda
nueva, suministro de víveres, discursos e himnos difun-
didos por altavoces. Con una camisa azul y una boina
roja, José Agustín y yo habíamos hecho cola durante
horas frente a los locales de Auxilio Social en donde distribuían gratuitamente gaseosa y bocadillos de pan con
tortilla. Los militares acampaban en la mansión que
había servido de refugio al Archivo de la Corona de
Aragón: había allí sacos de alubias y azúcar y, aprove-

chando el descuido o vista gorda de los soldados de Intendencia, una vecina y yo llenamos dos cacerolas con su precioso contenido. Mi padre se aventuraba a dar breves paseos cerca de casa y entabló amistad con dos suboficiales: un italiano, el señor Lupiani, y el que denominábamos «sargento gordito». Mientras nosotros jugábamos con casquillos de bala, él les hablaba de su viudez, las desgracias acaecidas bajo la dominación roja, sus sentimientos católicos y tradicionalistas. Un día les invitó a comer y, al término del almuerzo, reconfortado tal vez por su bizarra y aguerrida presencia, despidió a la María. La sirvienta roja, barragana de comunistas y milicianos, acató la sentencia del tribunal sin decir palabra. Cabizbaja, sonrojada, fue a la habitación a recoger sus pobres enseres y cargarlos en un saco sin que ninguno de nosotros, sentados aún alrededor de los platos que un rato antes había guisado y servido, se levantara a despedirse de ella o darle alguna muestra de compasión. Con el saco a la espalda, resignada a su suerte, desapareció para siempre de nuestra vista.

¿Qué fue de ella en aquellos tiempos de control y represión inflexibles, en los que las detenciones arbitrarias y denuncias estaban a la orden del día? ¿Intentó buscar un difícil empleo en Barcelona, careciendo, como carecía, del aval o recomendación de una familia «intachable»? ¿Regresó a padecer miseria y hambre a su pueblo? ¿Fue represaliada como tantas otras y hubo de soportar la humillación de los tribunales depuradores, la cucharada de aceite de ricino y el siniestro corte de pelo? Un sentimiento de bochorno retrospectivo me abruma al escribir estas líneas. Me parece increíble que yo, aun a mis ochos años, no hubiera experimentado remordimiento y vergüenza por aquel mezquino ajuste de cuentas. La María había servido de chivo expiatorio a los sufrimientos reales de mi padre; pero su responsabilidad en ellos había sido nula. De todos los episodios desagradables y tristes de la guerra, éste es sin duda uno de los más duros de digerir.

El señor Lupiani había creado una centuria infantil de Falange y, con aires de barítono, abombando gloriosamente el pecho, nos enseñaba a cuadrarnos, saludar, marcar el paso. Cantábamos estrofas del «Cara al sol», el himno del Frente de Juventudes: «prietas las filas, recias, marciales, nuestras escuadras van / cara al mañana que nos promete patria, justicia y pan». Un muchacho del pueblo había recibido los galones de cabo y se pavoneaba delante de nosotros con su uniforme y boina. Los sacerdotes habían reaparecido también en traje talar: se celebraba misa en la parroquia del pueblo y yo recibía clases de catecismo de mossèn Rovira a fin de apercibirme para la comunión.

Fuera de estas actividades religioso-castrenses, disfrutábamos de completa libertad. Las escuelas no habían abierto aún: paseábamos por la carretera de Espinelves, jalonada todavía de vehículos chamuscados o reducidos a chatarra; cazábamos pájaros con tiradores de goma; nos apandillábamos con los niños del pueblo. Nuestro aspecto era de verdaderos salvajes. Me acuerdo del día en que un automóvil familiar se detuvo junto a nosotros y una señora nos ofreció a Luis y a mí unas naranjas casi podridas. No quisimos cogerlas y los ocupantes del vehículo reanudaron el trayecto con muestras de sorpresa y contrariedad. El descuido y suciedad de nuestro atavío les había inducido quizás, erróneamente, a tomarnos por dos mendigos.

Nuestra ocupación favorita consistía en visitar las villas abandonadas y colarnos adentro. La extrema delgadez nos permitía pasar entre las rejas y, al cabo de varias razzias fructuosas, reunimos un importante botín: juguetes, libros y, sobre todo, una colección de sellos de todos los países del mundo, cuyo origen intentaba descifrar en casa cotejándolos con las láminas en color del libro de geografía. José Agustín se había vuelto un experto en el arte del escalo y fractura hasta el día en que, descubiertos por un vecino o curioso, hubo una denuncia y fuimos severamente reprendidos por mi padre.

No guardo memoria alguna de mi comunión, administrada por el viejo mossèn Rovira. Los domingos íbamos con los tíos a la iglesia parroquial y un día hubo gran repique de campanas y homilía de acción de gracias: ¡la guerra había terminado! El escueto comunicado triunfal del Cuartel General de Burgos corría de boca en boca. Lolita Soler se mostraba entusiasmada con Franco: ¡hombres así necesitaba España! El señor Lupiani nos hacía aprender la letra del «Carrasclás»:

> Con los bigotes de Azaña
> fabricaremos escobas
> para barrer los cuarteles
> de la Falange Española.

Un domingo, en la parroquia, el corazón me dio un vuelco: mi madre estaba arrodillada en el reclinatorio de una de las primeras filas de bancos. Su cabello, silueta, cabeza inclinada en actitud de meditación. La emoción me mantenía suspenso: ¿debía avanzar y presentarme ante ella? ¿Me reconocería al cabo de tanto tiempo? ¿Cuál sería nuestro diálogo? Cuando se incorporó a recibir la comunión, el hechizo se desvaneció: era otra. Yo me sentía casi aliviado de mis temores a este encuentro impre-

visto y creo que desde entonces no volví a soñar con ella
jamás.

Los socios de la ABDECA acudieron en automóvil
desde Barcelona a visitar a mi padre: traían regalos para
nosotros, lucían insignias del Requeté y la Falange. Países
simpáticos: Italia, Alemania. Antipáticos: Francia, nuestra eterna enemiga. ¿E Inglaterra?: sí, también Inglaterra.
¿Y Rusia?: ¡huy, la peor! ¡Ni se te ocurra siquiera hablar
de Rusia!

Desde el despido de la María, mi padre buscaba una
asistenta. Fuimos a ver a una candidata, la Julia, que
había servido antes de la guerra en casa de tía María y era
de confianza. Desde hacía dos años vivía en una masía de
las afueras de Viladrau lindante con una finca del escritor
Marià Manent. La Julia ajustó en seguida un trato con mi
padre. En adelante, hasta su muerte, iba a vivir con nosotros como en familia, con una sola condición: mudar su
nombre por el de Eulalia, dado que la mención del suyo
resultaba dolorosa al viudo. Poco después, esta mujer
aragonesa, de pelo rojizo, piel lisa y blanca, edad indefi-
nida, se establecería en casa por un período de prueba
que, en razón de los vínculos que poco a poco se tejerían
entre nosotros, duraría en realidad un cuarto de siglo.

No voy a detenerme ahora a hablar de ella: el impor-
tantísimo papel desempeñado por Eulalia en mi vida y la
de mis hermanos, su personalidad contradictoria y compleja, su inmensa bondad y afecto por nosotros, sus
querencias, caprichos, fobias, coqueterías, requieren tra-
tamiento aparte. La familia a cuyo servicio entraba, aunque conocida por ella desde antes de la guerra, mostraba
en aquella primavera o verano del 39 las heridas y cicatrices del conflicto: un viudo enfermo, suspicaz, aprensi-
vo, cuya salud, aún en vías de recuperación, imponía

penosos cuidados; una muchacha de catorce años y tres niños criados de forma un tanto agreste, sin rigor educativo alguno. Su generosidad, abnegación, natural intuitivo la ayudaron a capear la situación y sobreponerse a los obstáculos. Su presencia en Viladrau, durante los últimos meses de estancia en el pueblo, fue discreta y prudente. Si va a decir verdad, apenas tengo recuerdo de ella.

La abuela Marta reapareció aquel verano. Vestía de luto, como nosotros, pero evitaba cuidadosamente hablar de mi madre y las circunstancias de su muerte. Nos acompañaba a pasear por las afueras del pueblo y en los castañares y fuentes encontrábamos a otras familias de la colonia, vestidas de punta en blanco, como si no hubieran conocido la guerra. Un señor con un panamá se destocaba al cruzarse con nosotros y, bromeando, decíamos a la abuela que estaba prendado de ella y pretendía ser su novio. José Agustín había ido a Barcelona a preparar sus exámenes de ingreso al bachillerato y mi padre se disponía a regresar también, a fin de hacerse cargo de la ABDECA. Luis y yo seguimos unas semanas en Viladrau con la abuela y un día tomamos el autocar y el tren de Balenyà: los vagones estaban atestados de gente, soldados, falangistas, mujeres con bultos; yo andaba excitado por la novedad del viaje y coreaba con un grupo de Flechas las estrofas del «Carrasclás».

Concluía *tu exaltación lezamiana : ese deseo de soplar y atizar el fuego de las palabras para que su copulación fuera más frenética : el brillo acendrado de las brasas se había extinguido poco a poco y los últimos rescoldos lucían apenas en la ceniza yerma : con todo, la agitación proseguía, inventaba nuevas especies de orgasmo, llenaba tu cabeza de chiribitas : inducciones y corrientes, dúctiles, maleables, cifradas en imágenes puramente visuales : estructuras vistosas, fugaces desplegadas como arácnidas luces de Bengala o inquietantes orquídeas congoleñas : el maaxún te proyectaba fuera de ti, del minúsculo cafetín de la alcazaba en donde acababas de componer y borrar tus* Soledades *rodeado de pacíficos fumadores de kif, nebulosos adictos al dominó, somnolientos jugadores de naipes : a la pantalla del absurdo televisor hispaneando en sordina, perfectamente encuadrado de pronto a la vista de todos : tú, tu doble, el creador de quita y pon, acompañado de un jayán desconocido, moreno, bien puesto de mostachos, abrazados los dos, sarmentosos, reptantes, en espléndida conjunción copulativa : sorpresa,*

asombro, incredulidad al verte en tan apurado trance,
seguir siendo tú y no obstante ser otro, desdoblamiento,
dualidad, agonía interior, vergüenza paulatina : vigilan-
do de soslayo a tus vecinos por ver si te reconocen, incre-
pan tu actitud, censuran el gozoso descaro : deseos de
cubrir pantalla con mano como ingenuo censor en cine de
colegio, provocar apagón de corriente, huir confundido a
la calle : escabullirte, bajar alcazaba a trancos, detener
taxi libre plazuela restorán Hammadi, dar señas rue
Molière al chófer, contemplar inútil agitación gentío a lo
largo de la carrera, abonar precio de ésta, apearte, sacar
llave de portería, abrirla, subir ascensor, tu piso, las luces,
pasillo, dormitorio, tumbarte de bruces en la cama : al
rauda o macabro que será el escenario de la noche más
larga de tu vida : a la cita puntual con los muertos que
dejaste atrás, al cónclave de fantasmas : sucesión de deco-
rados familiares en donde ellos, los ausentes, vacan a sus
ocupaciones vestidos como vestían antes, aguardando
pacientemente su turno, la explicación sin cesar diferida :
tu padre, Alfredo, el abuelo, Eulalia : el jardín de Pablo
Alcover, el limonero bajo el que papá tomaba el fresco, la
cocina, el pasillo adusto y sombrío, el castaño de Indias :
o bien Torrentbó, la galería, eucaliptos, terraza, papá
leyendo, el traje arrugado del abuelo, Alfredo con la
azada al hombro, la voz débil, inconfundible de Eulalia :
encuentro, anagnórisis, comparecencia presentidos desde
hacía tiempo, aclarada tu relación con Monique, mientras medineabas y te extraviabas en busca de maaxún o
hachís, camino de ese elusivo tribunal de muertos a cuya
decrepitud no habías asistido y, agazapados en la sombra,
no tardarían en recordártelo : careos, recriminaciones
mutuas, insidiosa culpabilidad : personajes reales, topografía onírica, presente alternado con bruscos saltos atrás.

Únicas, significativas excepciones evacuadas antes de tu subconsciente: la mujer muerta en el bombardeo y el pueblo aborrecido de Viladrau.

Evocar la ocasión en que, a comienzos de los sesenta, entrevistaras en L'Express a uno de los presos políticos liberados por Franco gracias a la campaña internacional pro-amnistía. Veinte y pico de años en el penal de Burgos, sin más perspectiva que el remoto cuadrado celeste y los cercanos, demasiado cercanos muros de la celda. Problemas de inadaptación visual, al salir, a espacios intermedios: inestabilidad, mareos, molestias oculares. Inadaptación aún más grave a la nueva realidad no asimilada en su subconsciente. Durante los primeros tiempos en prisión, había soñado regularmente en ámbitos despejados: su casa, el pueblo, lugares y personas que conoció en calidad de hombre libre. Luego, subrepticiamente, este ozono discreto se había enrarecido hasta agotarse: dejó de recordar, cuando dormía, el exterior de la cárcel. Si soñaba con su madre, su madre estaba presa. Si evocaba su pueblo, era un pueblo entre rejas. La prisión se había infiltrado en su fuero interno sin autorizarle escapatoria alguna. Las muchachas que había conocido en su juventud, heroínas de su libido nocturna, actuaban siempre en una escena penitenciaria. El castigo impuesto por el tribunal militar conseguía así, al cabo de los años, la victoria absoluta: encierro no sólo físico, sino asimismo quimérico, imaginario, mental.

Este poder avasallador de lo real en los sueños le acosaba todavía de modo retroactivo a los dieciséis meses de circular suelto. Las nuevas amigas con quienes iba a la cama eran invariablemente presidiarias en la borrosa, elu-

siva trama de sus pesadillas. Las prisiones en donde se
había pudrido –rejas, muros, patios, guardianes– mantenían una vigencia cruel. Campo hermético, inexpugnable,
sin posibilidades de evasión, su mundo interior permanecía anclado en la cárcel.

Sólo dejando de soñar en ésta, al cabo de semanas,
meses o años, nuestro hombre llegaría al final de sus penas : abertura del espacio opresivo, desleimiento de imágenes tenaces, incorporación de experiencias nuevas. Al término –espejismo brumoso–, la promesa mirífica de la
libertad.

Estrategias comunes al sueño, la memoria, el olvido.
Decisiva importancia del tiempo en la elaboración de las
mismas. Actividad de desgaste, erosión insidiosa transmu-
tadas al cabo en devastadora rutina.

Como la imagen intrusiva y obscena que, a fuerza de
masturbarnos sobre ella, pierde poco a poco su poder
de provocación, la impronta del hecho penoso, del recuerdo amargo se esfuma sin que lo advirtamos en una atmósfera vacua de tedio e insensibilidad. Las últimas punzadas
de desazón, el breve dolor sordo serán el consabido recor-
datorio de nuestra inmensa capacidad fagocitiva : parcelas
de historia circunscritas al dominio del sueño o pesadilla y
sustituidas progresivamente en éste con nuevas zonas de
realidad.

Misteriosa distribución no obstante de los claros y
sombras : el foco de luz que baña, arbitrario, determinadas
escenas de tu vida y deja a otras en una discreta penumbra
de la que no las podrás rescatar.

Viladrau, al que no has vuelto ni volverás jamás,
expulsado para siempre de tus fantasías oníricas y, a pesar

*de ello, diáfano en el recuerdo, reconstruido imaginaria-
mente, mientras escribes, cuadrícula a cuadrícula, casa
por casa. Fuera del sueño, la memoria, el olvido : simple
página de este libro en la que –una vez impreso, arranca-
do de ti– no volverás a pensar.*

A mi regreso a Pablo Alcover, la casa parecía más pequeña y estaba llena de gente. Volvíamos a ocupar la parte izquierda de los bajos y, desaparecidos los voluntarios rusos, la señorita Esther, dueña de la finca, se había instalado con su sirvienta mestiza en el piso alto. Los rojos habían suprimido los setos de tuyas que dividían el jardín y edificado en cambio un pabellón de dos piezas en la parte trasera que en adelante nos serviría de trastera, guardamuebles, cuarto de jugar. Los abuelos y Eulalia vivían con nosotros y la torre era además punto de cita de una serie de personas más o menos vinculadas a la familia, a quienes habíamos perdido de vista al empezar la guerra: la modista Paquita, Ciscu el tartanero, el ama gallega de Luis con su marido e hija, la madre de Matías el chófer de la ABDECA. Desde la apertura de las clases en octubre, José Agustín y yo íbamos al colegio de jesuitas de Sarrià y Marta al de las monjas del Sagrado Corazón.

Pero mi vida real, con sus trajines, lecturas, escondrijos, querencias, seguiría siendo la casa.

Alguna vez, con ayuda de las escasísimas fotos de la época, he tratado de reconstituir nuestra agitada existencia diaria en aquellos primeros y escuálidos tiempos de posguerra. Mis hermanos y yo aparecemos en ellas indefectiblemente mal dispuestos –yo, con prendas casi siempre heredadas–, cabello cortado casi al cero, rodillas sucias, zapatos rotos, una mezcla curiosa de huérfanos y chavas. Nuestro status social confundía por su carácter impreciso y ambiguo: frecuentábamos un alumnado procedente de familias burguesas, pero la experiencia, modales e indumentaria de los demás eran claramente distintos de los nuestros. La etapa de Viladrau –libertad un tanto salvaje a que nos habíamos acostumbrado, afición precoz a leer, propensión al aislamiento, hábitos autodidactas– me separaba y separaría en lo futuro del resto de mis compañeros. Aunque el mundo escolar en el que entrábamos tendía a uniformar y disciplinar, la atracción centrífuga de nuestra existencia tribal se imponía a la postre con mayor fuerza.

Mi padre se defendía sin duda con el sueldo que cobraba de la fábrica pero, ya fuera por la carestía general del momento, ya por el vacío dejado por mi madre en la gestión de la casa, ya por una mezcla de ambas cosas, vivíamos inconfortablemente. La comida distribuida a través de las cartillas oficiales de racionamiento era mediocre y escasa. Matías, el chófer, nos llevaba a veces a Torrentbó y regresábamos cargados con sacos de patatas o boniatos. Los días de colegio, Eulalia nos llenaba los termos de pan empapado en leche o harina lacteada. Recuerdo que la acompañábamos a la vaquería y si el dueño había agotado sus reservas, debíamos contentarnos con un líquido desaborido, engañosamente blanco. Desapareció el azúcar y fue preciso reemplazarlo con sacarina. A lo largo de aquel curso, el pan empeoró: el que repartían en las panaderías era pequeño, amazacotado, duro como la piedra. Para poder hincarle el diente había que remojarlo. El chocolate sabía a algarroba y resultaba imposible procurarse café.

A falta de gallinas y conejos, decomisados por los controles a la entrada de la ciudad, mi padre había decidido criar cobayas. En el jardín, entre el garaje y la trastera, extendió una valla de tela metálica tras la que los roedores comenzaron a propagarse. Diariamente corríamos tras ellos para capturarlos y los entregábamos a Eulalia. Guisados con harina de maíz, fueron durante algún tiempo nuestra dieta diaria: Matías, su madre, el ama, la costurera participaban gozosos de aquel festín.

La pobreza inhumana que agobiaba al país afectaba incluso a sus clases altas. En el colegio nos habían prevenido contra una epidemia de tifus exantemático y, por unos días, las clases fueron suspendidas. Como Luis y yo permanecíamos gran parte del día jugando con los conejillos de Indias, no tardamos en vernos infestados de parásitos. Eulalia y la madre de Matías nos peinaron con aceite y limpiaron cuidadosamente de piojos y liendres. El día siguiente, mi padre nos llevó al peluquero y, entre chanzas y burlas recíprocas, nos esquilaron a los tres como borregos.

Esta época de plagas, represión y miseria se revestía sin embargo, de puertas afuera, con oropeles de fariseísmo y exaltación: el final de la contienda, el triunfo de «los buenos», eran descritos en casa como en el colegio en términos casi místicos.

Tío Ignacio había traído un disco con la voz del Caudillo: tras dar cuerda a la vieja gramola, la escuchá-

bamos al atardecer, vagamente emocionados. Ha estallado la guerra mundial y las visitas discuten interminablemente de ella. En general, las victorias de los alemanes
son acogidas con entusiasmo; sólo tío Luis y tío Leopoldo se expresan con cierta cautela. Me había acostumbrado a leer los periódicos y sigo excitado las incidencias
del conflicto: el Corredor de Dantzig, Polonia, la Línea
Maginot, la Línea Sigfrido. En mis mapas, marco el despliegue de tropas, localizo las zonas de combate, pongo
señales en los puertos que abrigan las armadas rivales. A
mi interés inicial por la geografía se sumará poco a poco
una gran pasión por la historia. En adelante, serán mis
asignaturas favoritas hasta el descubrimiento, muy posterior, de la literatura.

Franco, José Antonio, los Mártires, compases viriles,
aguardentosos de «El novio de la muerte». En el colegio
de San Ignacio, antes de romper filas en el patio, entona-
mos una canción de la que sólo recuerdo una estrofa y su
tonadilla estridente:

> *Guerra a la hoz fatal*
> *y al destructor martillo*
> *¡viva nuestro Caudillo*
> *y la España Imperial!*

Un día, vestidos con camisas azules y tocados con
boinas rojas, bajamos a pie de lo alto de Sarrià al centro
de Barcelona: ¡ha llegado el Conde Ciano! Bajo la batuta
enérgica de los padres, gritamos hasta enronquecer
aguardando su aparición en coche descubierto: millares
de brazos alzados, bocas infantiles abiertas, banderas,
música, emblemas, apoteosis teatral. El destinatario de
tanto fervor pasa lentamente ante nosotros, marcial,

aguerrido, erecto, indiferente en apariencia a los vítores y aclamaciones: abanderado ejemplar, cónsul y gladiador romano, heraldo del nuevo Sacro Imperio. Inmerso en la multitud, el niño de la testa rapada ignora su brillantísima hoja de servicios, la destreza punitiva de sus céleres aeronautas. También él saluda, mimético, su pose de Gran Hombre, de titánico Forjador del Mañana mientras los altavoces difunden el «Cara al sol» y los presentes aplauden, siguen aplaudiendo el carro procesional de los héroes, minúsculo, empequeñecido por la distancia.

La experiencia de los tres años de guerra creaba entre mí y mis compañeros de curso una distancia difícil de franquear. Mis intereses, preocupaciones, gustos, no hallaban un territorio común donde enlazar con los suyos. Mientras la mayoría de ellos habían vivido la contienda desde el otro bando y lucían orgullosamente su apariencia y modales educados, yo había entrado ya en contacto con la crudeza real de la vida: su infantilismo, espíritu gregario, maneras distinguidas no se compadecían en absoluto con los hábitos de soledad y lectura contraídos en Viladrau. Con excepción de las asignaturas de geografía e historia, en las que destaqué en seguida al punto de corregir a menudo *in mente* a los profesores encargados de las mismas, mis notas eran ordinariamente medianas. En el recreo, me refugiaba en algún rincón o lugar oculto acompañado de una novela o un libro ilustrado de geografía. Los esfuerzos por hacerme jugar al fútbol fracasaron siempre de modo lamentable. En los informes sicopedagógicos redactados anualmente para las familias, los padres subrayaban, inquietos, mi aislamiento, falta de afición a los juegos, desinterés por mis camaradas, lecturas furtivas. El descuido en el vestir, mi carácter reservado y arisco no facilitaban tampoco la integración en el aula. Aludiendo a las mangas excesivamente largas de una chaqueta ya vieja, uno de los niños elegantes y finos había observado con un deje de burla: «Tan joven ¿y ya heredas?» La frase me llenó de humillación e impotencia y acentuó mi misantropía. Los entretenimientos pueriles de mis compañeros, su código social, que no compartía, me retraían a mi mundo personal: casa de Pablo Alcover, juegos con Luis, charlas con Eulalia, lectura de diarios, recorrido voraz de manuales informativos con fotografías y estampas. Por esa época, había oído contar a un amigo de mi padre a quien referiré luego, un dramático episodio familiar acaecido en Canadá unos años antes: sus tres hijas vivían durante la guerra en un internado de lujo –una especie de castillo con torreones y almenas– y la hermana menor y más bella pereció allí en un incendio. Al salir del colegio, calle de Anglí abajo, repetía a los alumnos vecinos las exóticas peripecias del drama, atribuyéndolas a mi propia familia. Una mitomanía precoz, sin duda compensatoria, se convertiría así durante algún tiempo en uno de los rasgos primordiales de mi carácter. El afán de sorprender, engrandecerme ante el prójimo, ser admirado me impulsarían luego a escribir mis propios relatos, aprovechando los ocios veraniegos de Torrentbó. Entre tanto, víctima de mi timidez y asociabilidad, buscaba ingenuamente la ocasión de maravillar a los demás con bruscas exhibiciones de largueza o atrevimiento. La abuela solía dejar el bolso en su habitación mientras comíamos y, con cualquier pretexto, me levantaba de la mesa y le birlaba tranquilamente los cuartos: primero, billetes de duro; luego, de veinticinco pesetas –una suma elevada en aquel entonces–. Con el fruto de mis hurtos, subía por la calle Mayor de Sarrià y me detenía en la confitería que aún pertenece, según creo, al poeta catalán que hoy más admiro: el surrealista J. V. Foix. Allí, los billetes de mi abuela eran canjeados por grandes bolsas de caramelos que, una vez en el colegio, distribuía con aire condescendiente entre mis condiscípulos. Esta liberalidad y munificencia –destacadas por el hecho de que mi escaso agrado por los dulces me mantenía desdeñosamente al margen de la subsiguiente arrebatiña– me granjearon amistades interesadas y halagaban mis sentimientos de despique y vanidad. Recuerdo el día en que uno de los padres, al ver el suelo cubierto de papeles de caramelo, preguntó de quién provenían: me incorporé del asiento e inventé una fiesta de cumpleaños de un miembro de la familia. El sacerdote dio por buena la explicación y, en una actitud señoritil, típica de aquellos tiempos, ordenó al fámulo –un alumno de origen humilde, que no pagaba matrícula y asumía la limpieza de las clases– que los barriera delante de todos antes de comenzar la lección. El muchacho le obedeció sin sonrojarse y mucho me temo que nadie en el aula se sonrojó por él.

Este mismo anhelo de hacerme valer de cara a los demás a pesar de mi genio huraño y ensimismado, me envolvió más adelante en un episodio penoso que me llevaría a aborrecer para siempre el colegio. El profesor de matemáticas, llamado Mercader, se había ausentado unos minutos de la clase y, al volver, advertido por un chivato de una grave infracción al silencio, quiso saber quiénes habían armado bulla. Algunos, en las filas delanteras, alzaron el brazo y, ansioso de darme tono ante los otros, levanté también el mío sin percatarme de que en la zona en que estaba era el único que lo hacía. El señor

Mercader me preguntó con quién había hablado: como
mi gesto era pura fanfarronada y no había cruzado palabra con nadie, permanecí con los labios sellados. Mi
rebeldía causó estupor y fui castigado cara a la pared, a la
derecha de la pizarra, durante la hora de recreo. El incidente parecía olvidado cuando alguien –tal vez el mismo
profesor– observó escrita en la pared la palabra Mercado
seguida de un término despectivo. Molesto, con un sem-
blante serio, trató de averiguar quién era el culpable y, en
vista de que no aparecía, suspendió el recreo hasta nueva
orden. Había un sospechoso –un tal Masnou– a quien
el señor Mercader había reprendido unos días antes; pero el
muchacho negaba la autoría del escrito. Como yo me
había compadecido de él cuando salíamos del aula,
dedujo, erróneamente, que lo hacía por remordimiento
y, para sacarse el muerto de encima, me acusó a mí. El día
siguiente, el padre director de Estudios me convocó a su
despacho y pidió que escribiera la palabra Mercado en
una hoja de papel. Aunque desmentí toda intervención
en el hecho, sacó a relucir mi increíble negativa a revelar
el nombre del compañero con quien charlé en clase, mi
castigo de cara a la pared justamente en el lugar del grafito incriminatorio, lo fea y odiosa que resultaba a ojos de
Dios la obstinación en la mentira. Atrapado estúpida-
mente en mi propio juego, me encastillé en un lamentable silencio. No hubo forma de probarme nada y, por
ello, no sufrí castigo alguno. Pero desde entonces sentía
la ojeriza de algunos profesores y, en reacción a ella, dejé
de interesarme en los estudios. Mis notas de conducta y
el resultado de los exámenes se resintieron en seguida.
Cuando, un año después, mi hermano José Agustín tuvo
un incidente personal con el responsable de su clase, mi
padre, con muy buen criterio, decidió que el lugar no nos

convenía y nos inscribió a los dos en el colegio de los Hermanos de la Doctrina Cristiana del barrio de la Bonanova.

La injusticia de que había sido víctima, provocada por un encadenamiento de hechos del que era responsable en parte –la hombrada de alzar el brazo para la galería aunque no había participado en la bulla; mi silencio de apariencia culpable; la solicitud inoportuna con el muchacho acusado del grafito–, me mostró por primera vez la estrecha relación existente entre nuestros actos y unas consecuencias que, puestas en marcha por ellos, nos transforman en aprendices de brujo. Herido por las sospechas de que era objeto y mortificado por mi propia tontería, determiné mostrarme en lo futuro más riguroso y cauto: aunque escaldado con el lance, la angustia suscitada por éste no desapareció. Verme en la posición de acusado de algo que no he hecho –un robo, una mentira, un crimen–, se convertiría en adelante en un motivo reiterado, obsesivo de mis pesadillas. Aun hoy, la escenografía persecutoria me acosa de vez en cuando: estoy en manos de la policía de Franco o bien de la KGB. Ignoro si el origen de este guión mental adulto se remonta asimismo al inconsiderado ademán infantil de levantar mi mano o es producto de una insidiosa culpabilidad posterior. Sea como fuere, el multiepisódico y monótono folletín del tribunal nocturno empezó para mí en fecha temprana y cuarenta años después, como esos sempiternos seriales televisivos consagrados por el éxito público, no tiene trazas de terminarse.

A primeros de julio, pasados los exámenes, nos trasladábamos a Torrentbó. Inmediatamente después de la gue-

rra, mi padre había comprado las partes indivisas de la
finca correspondientes a sus hermanos y era desde
entonces el propietario único del caserón y sus tierras.
Los cambios sufridos en el período en que sirvió de refugio al presidente Aguirre a la caída del País Vasco no
habían sido graves: aunque dispersos, polvorientos, lle-
nos de telarañas, la mayor parte de muebles y enseres
fueron recuperados. La extrema penuria de la época y
abundancia de una mano de obra barata y sumisa, habían inspirado a mi padre la idea de establecer una
modesta explotación agrícola y ganadera. Después de
concretar con los viñadores los nuevos contratos de apar-
cería y asegurar la recolección y venta del corcho de los
bosques de alcornoques, centró su atención en torno a
dos objetivos: la cría de vacas, cerdos, conejos, gallinas y
el cultivo de cuantos productos agrícolas escaseaban en
Barcelona y eran vendidos de estraperlo a precios muy
altos. La alternancia de zonas de regadío y secano; culturas adecuadas a cada una de ellas; limpieza de montes,
minas y manantiales; plantación de árboles frutales; ope-
raciones de abono, siembra, cosecha; compra, cuidado y
selección de animales exigían la presencia de un factó-
tum experto en tales materias. En nuestro primer veraneo en Torrentbó de la posguerra, este hombre trabajador, sagaz, responsable, polifacético, dispuesto a cargar
sobre sus hombros la ingente tarea de levantar una
empresa agropecuaria modelo se llamaba don Ángel y
nos fue presentado al llegar como un dechado de virtudes. Veterinario, tradicionalista, católico, el nuevo apo-
derado reunía las bazas necesarias para seducir a mi
padre. También él había sufrido dramas y persecuciones
en el período rojo y su mujer, gravemente enferma a
causa de los mismos, se reponía de su dolencia cerca de

Badalona. En su pequeña biblioteca portátil –que, a su partida, permanecería misteriosamente en casa– los libros de devoción religiosa o consagrados a la lucha carlista se barajaban con sobados manuales de sus años de estudio en la Facultad y obras acerca de la alimentación e higiene del ganado vacuno, porcino o caballar. Por iniciativa de mi padre, había adquirido también docenas de conejos y aves de corral para el abastecimiento diario de la familia y, no contento con instalarlos en gallineros y pajares, lo hizo igualmente en algunas habitaciones del piso en donde debíamos aposentarnos. Con nuestra irrupción, don Ángel mudó los penates a la planta inferior en donde dormían los jornaleros y hubo que limpiar y blanquear la galería y habitaciones contiguas a la capilla. Pero ni su energía ni la de mi padre sufrieron por ello: sentados los dos en el jardín, planeaban nuevas mejoras y ampliaciones antes de enfrascarse en la revisión del voluminoso libro de cuentas.

Recuerdo a don Ángel en su papel de hombre perpetuamente atareado, cruzando la terraza con un útil cualquiera, dando órdenes a los peones, corrigiendo un trabajo mal hecho. El campo de sus responsabilidades era extenso y le exigía incesantes cuidados: desatascar una tubería, cambiar la paja de las vacas, verter agua en las cochineras, regar los bancales de patatas, disponer la tartana, enjaezar el mulo, dar hierba a los conejos. Para satisfacer a mi padre, había plantado en el bosque, junto a la casa, numerosas chumberas y utilizaba los abonos sugeridos por él para tierras de secano y de regadío. No obstante este empeño, los planes elaborados con esmero tropezaban en la práctica con una acumulación inquietante de obstáculos e imponderables. Hubo una epidemia de mixomatosis que acabó de súbito con los conejos;

algunas vacas dejaron de producir leche; las verduras y hortalizas no respondían debidamente al empleo de nuevos productos químicos. Estos contratiempos –y las cavilaciones que provocaban– me parecen ahora, vistos a distancia, de un orden muy semejante al de los que abrumaron a Bouvard y Pécuchet y dieron al traste con sus ambiciosos proyectos. El margen existente entre las teorías de don Ángel y el magro resultado de las mismas empezó a ser motivo de charla dentro de mi familia. Eulalia, con su desconfianza innata y sólido instinto de campesina, había formulado como al desgaire una serie de observaciones sobre él que afectaron poco a poco su prestigio. ¿Trabajador? ¡Un cantamañanas! La solicitud y aplicación de que daba muestras en presencia de mi padre desaparecían de modo instantáneo en cuanto éste le volvía la espalda. Prevenidos por ella, los días en que aquél iba a Barcelona, mis hermanos y yo sorprendíamos a don Ángel tumbado a la bartola, durmiendo apaciblemente la siesta bajo algún árbol. En el campo, su incapacidad era notoria y los jornaleros no parecían apreciar demasiado su machacona exaltación de los ideales carlistas. Tanta nulidad y haraganería acabaron por desengañar a mi padre y como, para colmo, las cuentas no cuadraban y los presuntos beneficios se transformaban inexplicablemente en nuevas fuentes de gasto, el reinado fantasioso de don Ángel concluyó de forma abrupta. Mi padre se resolvió a prescindir de él y confiar los asuntos de la finca a una auténtica familia de payeses.

El masovero de una de las propiedades contiguas deseaba venir a casa y mi padre llegó a un acuerdo con él. Aunque manchado de modo indeleble por un discreto pasado rojo, había velado sin embargo durante la guerra por los bienes de su amo y este respeto suyo a la propie-

dad ajena agregado al hecho de que su hija única estaba
prometida en casamiento con un muchacho trabajador,
católico y de derechas, le confería un aura de respetabili-
dad. El Rata –tal era el apodo por el que se le conocía en
el pueblo, pese a su tez rojiza de bebedor y apreciable cor-
pulencia– demostró en seguida su laboriosidad y competencia: el aspecto general de la finca mejoró; los cultivos
prosperaron. Las cosas podrían haber seguido un buen
camino con él y su yerno, pero el desasosiego y prurito de
experiencias que cosquilleaban siempre a mi padre le
predisponían fatalmente a nuevas aventuras.

Habiendo resuelto el problema inmediato de la escasez de grasas y proteínas con la cría casera de conejos de
Indias, su espíritu inquieto buscaba otras esferas en
donde explayarse a sus anchas. Hubo una primera etapa
en la que descubrió un tinte a partir del jugo extraído de
las cáscaras de nuez; con intención de comercializarlo, lo
bautizó «pintura nogalina» y embadurnó con él las pare-
des de varias habitaciones hasta que el feo aspecto de
éstas le convenció de su inutilidad. Más tarde, su gran
afición a las chumberas y sus frutos, que nos había enseñado a coger frescos, al despuntar el día, con ayuda de
unas tenazas, le condujo a fabricar un fijapelo con la sustancia vegetal de las palas. Pasado el período de tifus y la
plaga de piojos, volvíamos a gastar el corte de pelo propio de aquellos años y, como los demás muchachos, nos
lo engominábamos diariamente con dedadas de Lucky
Strike. Después de unas mixturas y cocciones de aspecto
sospechoso, mi padre, determinado a no escarmentar en
cabeza ajena, resolvió ensayar primero el producto consigo mismo: sus cabellos, ya grises, adquirieron al punto
una coloración suavemente verdosa. Pero no era hombre
que se desalentara por nimiedad semejante: su mezcla,

aseguraba, fortalecía las raíces del cabello, evitaba su caída, le daba un aspecto natural. Enriquecido con su propia experiencia, quiso extenderla al ámbito de la familia: una mañana, pese a mis lágrimas y protestas, decidió untarme la cabeza con el producto de su creación. Tuve que someterme acongojado y, al llegar al colegio, el extraño colorido de mi pelo despertó en seguida la curiosidad. Blanco de las burlas de mis compañeros, me encerré furioso en el lavabo, en donde me froté enérgicamente con agua y jabón hasta no dejar rastro de aquel maldito invento.

Pero las iniciativas de mi padre –paulatinamente arrinconado por sus socios en la gestión de la ABDECA y deseoso de probar a sí mismo y a los demás su aptitud para los negocios– no eran por desgracia tan simples y poco costosas como las que acabo de referir. Su afán oculto de emular al bisabuelo en sus espectaculares logros económicos, sólo necesitaba para manifestarse la existencia de un catalizador. Dos o tres años después de concluir la guerra, empezó a aparecer por casa un científico de aficiones e ideas comunes a mi padre, a quien llamaré doctor Roset. Calvo, con gafas, vestido con desaliño, aquejado también de problemas digestivos, pertenecía a una familia conocida y había vivido unos años en Canadá: allá, se había separado de su mujer y vivía con dos hijas de una veintena de años, rubias y excepcionalmente bellas, cuyas visitas con nosotros a la playa de Caldetes ocasionarían más tarde entre los bañistas el efecto de un maremoto. El doctor Roset, un anticomunista fanático, había previsto ya por aquellas fechas la fabricación de unas armas mortíferas capaces de aniquilar de una vez y por siempre el sistema bolchevique de Rusia. Su ideario político y firmes creencias religiosas inclinaban muy naturalmente a mi padre a su favor: por ello, sus ambiciosos proyectos en el campo de la bacteriología radicícola –un nuevo método de inoculación de las plantas, destinado a estimular su crecimiento y multiplicar prodigiosamente sus frutos– fueron acogidos de inmediato con gran entusiasmo. Con dinero de mi padre, alquiló una casona destartalada en el Paseo de Santa Eulàlia de Sarrià y estableció allí el laboratorio de bacteriología en el que realizaban sus experiencias. Su hija menor, mi hermana y dos primas nuestras trabajaban en él vestidas con batas blancas e inoculaban plantas de soja con el contenido de sus frascos. Lego como soy en achaques de química y ciencias naturales, no puedo responder de los fundamentos racionales de la empresa. En opinión de algunos testigos cercanos y mejor informados que yo, ni mi padre ni el doctor Roset andaban descaminados en cuanto a la aplicación práctica de sus observaciones; pero de ahí a la comercialización de las mismas, mediaba un trecho sembrado de incertidumbres y muy difícil de cubrir en las condiciones de estrechez y precariedad del mercado. Careciendo de los capitales necesarios para una promoción en gran escala, el laboratorio de mi padre no podía ser otra cosa que un entretenido, pero costoso juguete familiar. Tras las primeras pruebas en el jardín de Sarrià, el doctor Roset y mi padre extendieron el campo de sus experimentos a los bancales y hazas de Torrentbó. Sin hacer caso del recelo y escepticismo del masovero, sembraron vastas extensiones de soja en tierras de secano: unas inoculadas y otras sin inocular. Marta, mis primas y la hija del doctor se habían fotografiado con sus batas sosteniendo una maceta en cada mano: como en esos anuncios de propaganda de una fulminante loción capilar en los que a la primera imagen de

un odioso y decrépito calvo sucede otra del mismo sujeto sonriente, híspido, milagrosamente embellecido, así la
planta raquítica de la derecha era desfavorablemente
cotejada con la alta y frondosa de la izquierda, agraciada,
cómo no, con las virtudes miríficas de la inoculación.
Pero los resultados inconcusos de Sarrià resultaban en
Torrentbó menos contundentes. Las diferencias de altura, espesor, número de vainas portadoras de semilla
entre unas y otras plantas eran a menudo inapreciables.
En algunos casos, para consternación y escándalo del
doctor Roset y mi padre, el medro de las inoculadas
parecía a todas luces inferior. Este desconcertante misterio, acogido con una impasibilidad levemente socarrona
por el masovero, me fue aclarado por Alfredo, su yerno,
bastantes años más tarde: picado por las ínfulas y
supuesta omnisciencia del doctor Roset –naturalmente
despectivo con los métodos y usos tradicionales de cultivo de los payeses–, el Rata se había divertido en cambiar
con malicia algunos rótulos y etiquetas, poniendo la
señal de inoculado a las plantas sin inocular y viceversa.
Ignoro si esta sangrienta burla precipitó o no el final de
la empresa. Ante la imposibilidad de expander su mercado fuera de los límites de Torrentbó, el laboratorio de
bacteriología se había convertido en una rémora y, al
cabo de varios años de vida lánguida y pérdida considerable de dinero, mi padre adoptó la prudente decisión de
cerrarlo.

Al exponer de forma inevitablemente irónica la obsesión de mi progenitor por empresas excéntricas y aun
descabelladas, advierto que no he hecho justicia a sus
intuiciones creadoras, al interés que siempre mostró por
un desarrollo armonioso de los recursos del hábitat
natural, a su contribución modesta pero real en el campo

del conocimiento y defensa del mismo: mi padre escribía a menudo en la revista científica de los padres jesuitas de Barcelona y, según oí después de labios de algún entendido en la materia, sus artículos, influidos al parecer por Teilhard de Chardin, resultaban estimuladores e innovadores en el contexto mediocre de la época. Desde niños, se había esforzado en educarnos en el respeto de un cierto equilibrio ecológico, amenazado, decía, por la mecanización y el progreso. Su odio a los ingredientes artificiales, conservas, manipulaciones de la industria alimenticia le ponían en la avanzada de los actuales movimientos dietéticos y naturistas. Lo que en mi adolescencia juzgué manías suyas –vínculo entre tabaco y cáncer, enemiga a los baños prolongados de sol, efecto pernicioso de aditivos y colorantes– fueron a la postre hechos irrefutables. También mi padre, a su manera, tuvo la desdicha de vivir en un clima familiar adverso: sus gustos y aficiones, no compartidos con ninguno de sus hijos, le condenaban a su vez a un penoso aislamiento. Mi mundo personal, entrega apasionada a los libros, la precoz y un tanto petulante decisión quinceañera de llegar a novelista debían serle tan peregrinos y ajenos como lo eran a mí sus empresas fracasadas y disquisiciones científicas. Estas diferencias de vocación e intereses, combinadas con unos rasgos de carácter en los antípodas de los míos, no favorecerían desde luego nuestro entendimiento. A su incomprensión y ceguera tocante a sus hijos correspondía, por nuestra parte, una ceguera e incomprensión paralelas. Mi padre creía sinceramente que al renunciar a un nuevo matrimonio e intentar labrarnos un futuro brillante, se estaba sacrificando por nosotros. Dicho futuro –proyectado al terreno de la ciencia o de los negocios– respondía, claro está, a sus aspiraciones, no a las nuestras. Aunque con el paso del tiempo su actitud se modificó gradualmente –en el brete de admitir mi condición de escritor, soñaba en verme realizar al menos una brillante, provechosa carrera–, la imposibilidad de hacerle aceptar la verdad de mi vida ahogó en cierne cualquier pretensión de diálogo. Nuestros breves y espaciados encuentros de los últimos años desmedraron así bajo el manto piadoso de la mentira. No pudiendo decirle lo esencial, la conversación se reducía a una acumulación de tópicos. Toda revelación sobre mi agnosticismo religioso, ideas marxistas, conducta sexual habría sido para él un golpe insoportable. Llevar la conversación a algunos de estos temas era sencillamente una maldad gratuita. Condenado a disimular, permanecí afectivamente alejado de él, sin preocuparme demasiado de su vida triste y frustrada, apercibido mentalmente para la ocasión en que desaparecería de forma definitiva. Sólo después de muerto, de mi encuentro inesperado con él, vivo, real, casi de carne y hueso la noche en que deliré por la excesiva absorción de maaxún, pude juzgarlo con mayor objetividad y experimentar incluso por él un ramalazo de insospechada ternura.

Antes de nuestro regreso de Viladrau, los abuelos confiaron a tía Consuelo al sanatorio en donde había sido previamente atendida y se instalaron con nosotros en la planta baja de Pablo Alcover. En aquella casa mediana y mal dispuesta, habitada ya por seis personas, entre adultos y niños, su presencia era no obstante leve y discreta. La abuela Marta no había manifestado aún los primeros síntomas de enajenación y cumplía las funciones habituales de la tradicional *iaia* catalana: acompañaba a Luis a la escuela de párvulos situada en lo alto de la calle de Anglí y, en casa, le leía de corrido, con inagotable paciencia, los librillos de la colección «Marujita», de los que tanto él como yo éramos consumidores voraces. El abuelo Ricardo solía matar el tedio con ayuda de los diarios y, cuando la bondad de la estación lo permitía, se sentaba a descansar en la parte trasera del jardín. Los dos se alojaban en la habitación de la fachada delantera contigua al despacho: una pieza ocupada por el enorme armario de luna frente al que se habían retratado mis padres al casarse, un lecho matrimonial que hacía juego con aquél y una cómoda en cuyo cajón superior ella depositaba el monedero. No podría decir con exactitud si mis primeras incursiones al mismo comenzaron en esta época o se iniciaron a la vuelta de nuestro segundo veraneo en Torrentbó. Probablemente, metí mano en él algunas veces de forma esporádica y mi substracción regular –una o dos veces por semana– se estrenó en una fecha posterior.

Yo dormía a solas en la biblioteca-despacho, en una cama turca arrinconada entre un mueble y la pared: al acostarme, veía escurrirse a los abuelos a su cuarto y escuchaba sus murmullos y oraciones hasta que apagaban la luz. Una noche, cuando la casa entera estaba a oscuras, recibí una visita. El abuelo, con su largo camisón blanco, se acercó a la cabecera de la cama y se acomodó al borde del lecho. Con una voz que era casi un susurro, dijo que iba a contarme un cuento, pero empezó en seguida a besuquearme y hacerme cosquillas. Yo estaba sorprendido con esta aparición insólita y, sobre todo, del carácter furtivo de la misma. Vamos a jugar, decía el abuelo y, tras apagar la lamparilla con la que a veces leía antes de dormirme, alumbrada por mí al percibir sus pasos, se tendió a mi lado en el catre y deslizó suavemente la mano bajo mi pijama hasta tocarme el sexo. Su contacto me resultaba desagradable, pero el temor y confusión me paralizaban. Sentía al abuelo inclinado en mi regazo, sus dedos primero y luego sus labios, el roce viscoso de su saliva. Cuando al cabo de unos minutos interminables pareció calmarse y se volvió a sentar al borde del lecho, el corazón me latía apresuradamente. ¿Qué significaba todo aquel juego? ¿Por qué, después de toquetearme, había emitido una especie de gemido? Las preguntas quedaron sin respuesta y, mientras el inoportuno visitante volvía de puntillas a la habitación contigua en donde dormía la abuela, permanecí un rato despierto, sumido en un estado de inquieta perplejidad.

El abuelo Ricardo me había pedido que guardara el secreto y, durante el día, nada en su comportamiento permitía adivinar que aquel viejo apacible acomodado con su periódico a la sombra del castaño era el mismo que la víspera, con cosquillas y risitas, se había introducido en mi cama. Por la noche, volvió a cruzar mi habitación en compañía de la abuela. Pero media hora después –el tiempo de juzgarla dormida y de que se apagaran las luces de la casa– repitió la visita de la víspera. Incapaz de reaccionar a la novedad que me imponía, fingí caer en una especie de coma profundo mientras él me masturbaba con la mano y los labios: había encendido esta vez la perilla de la luz y la idea de ver su figura arrodillada junto a la cama me pareció superior a mis fuerzas. No sé cuántas veces, en las cálidas noches de junio que precedieron al verano y nuestro viaje a Torrentbó, el abuelo reincidió en sus manoseos. ¿Cinco, diez veces? Yo había adoptado la ingenua estrategia del sueño y me evité así el espectáculo de su enojosa y reiterada manipulación.

Semanas después, en un bosquecillo de algarrobos contiguo a los huertos de Torrentbó, revelé lo acaecido a José Agustín. Habíamos estado discutiendo del carácter del abuelo en términos generales –sus meticulosos hábitos de higiene, retraimiento, cicatería– cuando el deseo de referirle mi reciente y turbadora experiencia venció mi reserva instintiva. Al concluir la historia, temiendo las previsibles complicaciones a que su divulgación daría lugar, rogué a mi hermano que no repitiera palabra de lo dicho. Si al volver a Barcelona, el abuelo insistía en sus juegos, añadí, ya me las apañaría yo solo para chasquearle.

Recuerdo que con esa intención amontoné un rimero de libros junto a mi cama la noche de nuestro regreso. Los abuelos atravesaron como de costumbre mi cuarto y, cuando apagaron las luces, permanecí despierto, agazapado, con varios volúmenes de una enciclopedia al alcance de la mano, presto a arrojarlos al intruso en cuanto manifestase su presencia. Pero el abuelo no dio signos de vida y, lleno de alivio, terminé por dormirme con mi pequeña y ya inútil biblioteca lanzable. El día siguiente, al salir del colegio, José Agustín dijo que papá quería hablarme. Subí al pequeño terrado de encima del garaje en donde Eulalia solía tender la colada: mi padre estaba sentado en un sillón de paja con un aspecto adusto y grave y me preguntó de entrada si el episodio con el abuelo era cierto. Dije que sí y las facciones de su rostro seco, aguileño, chupado, se afinaron y aguzaron aún con perfiles de ave de presa. Sin intentar ocultar el odio que abrigaba contra el suegro, explicó que este infame vicio suyo era un pecado contra natura y había sido ya el causante de la ruina de su prometedora carrera. Según me enteré entonces, el abuelo desempeñó antes de la guerra

un cargo muy importante en la Diputación provincial
hasta el día en que fue sorprendido tocando a un muchacho de la familia en una caseta de los baños de San
Sebastián. El público quiso lincharle, decía mi padre
aprobadoramente. Lo llevaron esposado a la cárcel,
como a un criminal y, cuando fuimos a verle con la abuela y tu pobre madre, ellas lloraban de vergüenza mientras
que él callaba y no intentaba siquiera excusarse. Cada vez
más excitado, me contó con detalle las desgracias y estig-
mas que el culpable había atraído sobre sí y los suyos:
jubilación anticipada de la Diputación; deshonor público; mancha perenne al buen nombre de la familia. Por
respeto a mi madre, él había tenido que tragarse su repugnancia a aquella conducta afeminada y falta de hom-
bría; pero su última hazaña colmaba los límites de su
paciencia, exigía un castigo ejemplar.

Ignoro el contenido de la entrevista entre los dos
hombres, celebrada sin duda el mismo día en que hablé
con mi padre. Aquella tarde, los abuelos empaquetaron
sus enseres y objetos personales y, bajo la mirada justiciera y reprobadora del yerno, pasaron a alojarse, realquila-
dos, en una pequeña villa situada a tres manzanas de casa.
Su partida, humillante para todos, coincidió, creo yo, con
la súbita agravación de la salud de la abuela. Desde entonces, los dos venían a comer y cenar con nosotros, pero se
recogían a su nuevo domicilio inmediatamente después
del rosario y oraciones de la noche. Sin tener en cuenta el
efecto que podía ocasionar en su suegra, mi padre no disi-
mulaba ya su aversión al culpable, la mayor cruz que
debía sobrellevar en la vida, decía entre suspiros. Una
persecución tenaz, mezquina, sistemática, se prolongaría
así por espacio de veinte años hasta el fallecimiento casi
simultáneo de ambos. Consciente de reunir los triunfos

en su mano, mi progenitor no se privaría en adelante de humillarle de mil maneras. Obligado a convivir con él por razones materiales –desde su abandono involuntario de la gerencia de la ABDECA y experiencia fallida del laboratorio de bacteriología, la fuente mayor de ingresos familiares procedía de la pensión y ahorros de su suegro–, se lo hacía pagar con una saña que indignaba justamente a Eulalia y era a menudo contraproducente. Cuando en 1951 se lanzó a su última y más desastrosa aventura con el mirífico nazi de turno, lo hizo coaccionando al abuelo, casi chantajeándole para obtener la venta de un inmueble de habitaciones suyo, pero cuyo producto, en vez de alzarnos a las cimas de la opulencia y la gloria, como confiadamente creía, desapareció, en un pase de prestidigitación, en el insaciable bolsillo de un tal Calvet, perseguido por la justicia belga en razón de sus oscuros negocios con los alemanes.

La tensión provocada por este hecho y, en general, el acoso incesante que le precedió ha sido descrita por Luis en *Antagonía* y no me detendré en ella. Como muchos matrimonios viejos, el abuelo y mi padre habían creado entre ambos un pequeño infierno privado cuya rutina les permitía sobrevivir. El rencor activo de uno y resignación derrotada del otro fueron el pan cotidiano de mi vida barcelonesa: un elemento penoso, cuya reiteración insoportable contribuyó de forma decisiva a hacerme aborrecer el lugar. Largarme de casa, del barrio, de la ciudad: todos mis planes de bachiller flamante convergían en la huida. El día en que solté al fin las amarras, mentalmente vivía fuera. Cuando uno se va es porque ya se ha ido.

El episodio del abuelo y la reacción que suscitó en la familia tuvo de seguro para mí un efecto traumático. La fobia visceral de mi padre a los homosexuales –cuyo símbolo execrable encarnaba su suegro– alcanzaba a veces extremos morbosos: había referido con gran satisfacción a José Agustín –y éste se había apresurado a repetírmelo– que Mussolini mandaba fusilar sin contemplaciones «a todos los maricones». Aunque por aquellas fechas yo no tenía la más remota sospecha de mi sexualidad futura, la noticia, en vez de exaltarme, me llenó de malestar. La conducta del abuelo conmigo me parecía, desde luego, censurable; pero el castigo, campaneado jubilosamente en casa, despertaba en mí sentimientos de injusticia y reprobación. La ruda terapéutica mussoliniana debió de ser mencionada por mi padre, a título presuntamente informativo, delante del abuelo sin que él, como de costumbre, dijera palabra. Esta conformidad suya al juicio ajeno, aceptación sumisa de su condición natural de paria, incapacidad de reaccionar a los ataques que continuamente sufría provocaron mucho más tarde en mí una inmensa piedad por él. Su pederastia compulsiva, ruborosamente oculta por décadas, la había vivido como una tragedia íntima: un vicio condenado por la religión en la que creía y la sociedad que le rodeaba. Careciendo del temple moral necesario para asumirla, no tenía más recurso que ofrendar la cabeza al hacha del verdugo cada vez que, por su mala fortuna, cedía a ella y era expuesto después a la picota pública. El recuerdo de este automenosprecio consecutivo al desdén de los demás, de este oprobio asumido y transmutado en culpabilidad interna, pesó muy fuerte en la decisión de afirmar mi destino contra viento y marea, de poner las cosas en claro frente al prójimo y a mí mismo. Cuando Monique publicó su primera novela *Les poissons-chats* –una obra que describe el amor de la protagonista por un homosexual–, su lectura promovió un choque terrible en el abuelo Ricardo dos o tres años antes de que falleciera: llorando, explicó que las pasiones expuestas en el libro eran un horrible pecado; que él las había sufrido a lo largo de su vida y siempre que sucumbió a ellas había ofendido a Dios. La idea de seguir sus huellas, de resignarme también a una existencia miserable y deshecha fue el mejor antídoto de mis dudas y vacilaciones el día en que, de forma no enteramente imprevista, me hallé en la situación antinómica de vivir una intensa relación afectiva con Monique y descubrir una felicidad física ignorada hasta entonces con un albañil marroquí inmigrado temporalmente en Francia. Con sabia oportunidad, la muerte salvó a mi padre de este último y cruel remate: comprobar que sus temores secretos, quizá sus sombríos presentimientos, se habían realizado finalmente conmigo.

En la época en que me habitué a hurtar del monedero de la abuela, ésta comenzó a perder la memoria. Continuamente olvidaba dónde había dejado las cosas, las buscaba una y otra vez incluso en los sitios más inverosímiles y si, después de poner la casa entera patas arriba, el objeto extraviado no aparecía, recorría atribulada el pasillo de un extremo a otro, con andares de loca, diciendo que se le había ido el oremus y bisbiseando, como un conjuro, la oración a San Antonio:

> *Si buscas milagros, mira:*
> *muerte y horror desterrados,*
> *miseria y demonio huidos,*
> *leprosos y enfermos sanos...*

Su conturbación y desmejora se habían acentuado a
nuestro regreso de Torrentbó, el segundo verano, y yo me
sentía en parte responsable de ellas. Los billetes de veinticinco pesetas de su monedero, misteriosamente esfu-
mados, se habían convertido en un motivo habitual de
tormento. Pero si estaba aquí; si lo había dejado con el
llavero aquella misma mañana... El abuelo la escuchaba
pacientemente y, con gran alivio mío, desviaba las presunciones de hurto a un posible extravío callejero, cuando acompañaba a Luis al colegio o volvía de recogerse en
la iglesia. Tales escenas, reproducidas al ritmo de mis
escamoteos, no me causaban un remordimiento excesivo. Desde el principio, había captado la preciosa inmuni-
dad que me procuraban sus olvidos y me servía de ella
con el mayor descaro. Mientras la abuela escudriñaba la
casa con el bolso de hule negro bajo el brazo, intentando
recordar el lugar donde había puesto el dichoso billete,
yo acariciaba tranquilamente éste en el bolsillo, pensan-
do en el paquete de caramelos con el que asombraría a
mis condiscípulos después de la pausa casi diaria en la
portentosa confitería Foix. La abuela sospechaba sin
duda de mí como probable autor de las substracciones;
pero, en vez de acusarme y ponerme al descubierto, prefería cargar las culpas sobre sí y atribuir la pérdida del
dinero a su desorden y desmemoria. Alguna vez, me
había pedido que recitara con ella la presunta oración
milagrosa y yo lo había hecho sin rémora alguna, orgulloso de mi invulnerabilidad. Esta carencia chocante de
sentido ético, fruto casi seguro de nuestra experiencia
precoz de la guerra, nos iba a afectar de manera genérica
a los cuatro hermanos: cada uno de nosotros, en un
momento u otro de su vida, tendría que luchar duramente contra ella para imponer una norma de rectitud per-

sonal, en una larga y agotadora contienda de resultado dudoso. En lo que a mí respecta, el código de rigor e integridad propio no lo forjé, a trompicones, sino mucho más tarde: lejos de casa y en contraposición a los valores de nuestro medio, a partir del día en que empecé a interesarme por la política y descubrí también en ella sus mentiras y trampas. Pero, más aún que el temprano amoralismo de que adolecíamos me sorprende, en mi caso, la ausencia inesperada de compasión. La infinita bondad de la abuela, abnegación por nosotros, paciencia sin límites, sucesión de tragedias que marcaban su vida no entraban en consideración alguna desde el momento en que había tomado la decisión de meter mano a su monedero. Recuerdo con vergüenza retrospectiva el día en que, temiendo sin duda una de mis incursiones, llevadas a cabo de preferencia durante el almuerzo cuando me levantaba de la mesa con el pretexto de ir al lavabo, se acomodó con el bolso de hule en su asiento y yo, furioso de ver burlados mis planes, insistí en que se desprendiera de él por una cuestión de buenas maneras y respeto a los demás comensales. La abuela me obedeció casi llorando y, al ir a dejar el monedero en el lugar de costumbre, me había dicho con expresión descompuesta, como tú quieras, hijo, como tú quieras.

La muerte de tía Consuelo en el sanatorio, el problema entre mi padre y su esposa, la mudanza precipitada al nuevo aposento, lejos del resto de la familia, fueron por cierto las causas determinantes de su trastorno mental. Pero su conocimiento de los hechos, de las razones que ocasionaron su expulsión de nuestra casa, es y será un misterio para mí. ¿La informaron mi padre o el abuelo de lo ocurrido? ¿O bien, como pienso a veces, lo había advertido ella misma las noches en que, desertando del

lecho que compartían, el abuelo se escurría a la habitación contigua con unos propósitos que, desde su detención y encarcelamiento anteriores, no constituían para
ella ningún secreto? ¿Había tenido que resignarse a esta
última y dolorosa locura del marido, aguantar quizás en
silencio sus besuqueos y risitas en la cama del nieto? La
conciencia más o menos clara de todo ello, ¿había desen-
cadenado a su vez los mecanismos defensivos de su propia demencia? Lo cierto es que a sus olvidos y extravíos
reales o supuestos, su desmemoria y pérdida creciente
del sentido de la orientación, se sumaría pronto una
manía cuyo descubrimiento me dejó perplejo: revolver y
colectar basuras. Había empezado en casa, con gran
consternación de Eulalia, a recoger mondas de fruta y
desperdicios diversos y atesorarlos en el bolso con sumo
cuidado; cargada de ellos, iba y venía por el jardín sin
rumbo aparente hasta que el abuelo o mi padre la con-
vencían de que se sentara. Mis hermanos y yo la espiába-
mos mientras removía el cubo y una vez, al verse sorprendida en el momento de ocultar unas sobras, se llevó
una cáscara de naranja a la cara y explicó, como si me
gastara una broma: mira, ¡una máscara! Pero la ambigua
excitación inicial que sentíamos en acecharla se transformó rápidamente en desconsuelo cuando la abuela, exten-
diendo el radio de acción de sus incursiones, comenzó a
hurgar de manera furtiva todos los cubos del vecindario.
Ella, tan aseada y pulcra en su traje y sombrero negros y
obsesionada con la idea de lavarse los pies antes de salir
de casa, temerosa, decía, de que la muerte la pillara en la
calle, como a una mujer que conoció, con los tobillos
mugrientos, se exhibía ahora con lamentable desidia:
desgreñada, astrosa, las medias caídas, con unas zapatillas llenas de agujeros. Al divisarla un día de lejos, aga-

chada junto a un cubo de basura, el corazón me dio un vuelco: su traza era la de una mendiga. Inútilmente el abuelo y Eulalia la regañaban cariñosamente: debía arreglarse mejor y dejar en paz las basuras. ¿Qué iban a pensar de ella nuestros vecinos? La abuela callaba o se sonreía: lentamente, zozobraba en el otro lado. Cuando en verano fuimos a Torrentbó, permaneció en Barcelona con el marido. Un día tomó el tren de Caldetes, para ir a vernos; pero, aunque conocía bien el trayecto, se extravió al salir de la estación en el camino de la riera y llegó a casa turbada, balbuciente, sin bolso ni dinero, acompañada de unos desconocidos que, al verla perdida y sola, se habían apiadado de ella. Hubo que escoltarla a Barcelona, como a una niña traviesa que hubiese hecho una escapada: se expresaba de manera incoherente y manifestaba un absurdo temor a que el abuelo Ricardo la regañara.

A nuestra vuelta a Pablo Alcover al empezar el colegio, descubrimos bruscamente su ausencia. Sin que nosotros lo supiéramos, mi padre y el abuelo habían tomado la difícil pero inevitable decisión de internarla en el sanatorio donde antes se alojara tía Consuelo. La muerte de sus dos hijas, la tensión familiar creada por la conducta del marido habían arramblado con los últimos vestigios de su lucidez, llevándose de golpe, a barrisco, la totalidad de sus recuerdos. Sacrificada eternamente al bien de los otros, incapaz de pensar en sí misma, los dramas sucesivos que le golpearon la habían dejado a la intemperie, sin ninguna clase de asideros. Si bien no descarto la natural propensión a la locura presente en la rama materna de mi familia, la suya fue más bien producto de un destino excepcionalmente amargo y de su débil o nula posibilidad de respuesta: abandonar la esce-

na de puntillas y con un signo de chitón en los labios, a
fin de que, sin ella, tuviéramos la fiesta en paz.

La desgracia común a casi todas las mujeres de mi
familia y su aceptación paciente del destino confirman
en verdad, con claridad meridiana, los argumentos y
razones de la revolución feminista. ¿Por qué ellas, siempre ellas en el papel de víctimas? ¿Pasividad inherente a
una supuesta «condición femenina» o más bien, como
dirán las propias interesadas al acceder al uso de la palabra, consecuencia obligada de las presiones de la sociedad? Los abuelos Marta y Ricardo habían vivido de
forma paralela una situación mutuamente opresiva sin
poderse prestar la menor ayuda: la moral tradicional,
española y católica, los aplastaría finalmente a los dos.

No volví a ver a la abuela sino una vez, meses más
tarde, el día que fui a visitarla con Eulalia al sanatorio de
las afueras en donde la cuidaban. La evocación de este
melancólico encuentro en *Señas de identidad* me exime
del penoso deber de rememorarlo ahora en detalle. Para
los que no conocen la obra, me limitaré a precisar que la
abuela no me reconoció y, tras cambiar con Eulalia y conmigo unas frases de cortesía, regresó al mundo opaco
que la amparaba de sus desdichas y en el que, dueña del
vasto olvido, vivía indudablemente mejor.

Desde la desaparición de don Ángel, nuestro veraneo en
Torrentbó se transformó en una suerte de escenario fijo:
los mismos telones, los mismos diálogos, los mismos
actores, el mismo ritual. Tía Catalina, hermana mayor de
mi padre, se encontraba con sus dos hijas en los dormitorios cercanos a la capilla y con ayuda de una vieja sirvienta navarra, la Genara, su familia guisaba y comía,

aparte de la nuestra, en las habitaciones abuhardilladas del piso alto. Viuda desde hacía muchos años de un marido a quien no aludía nunca, como envolviéndolo en una nube de desaprobación implícita y tenaz, consagraba la totalidad de su tiempo y energías a dos preocupaciones mayores: los rezos y el minucioso cuidado de su delicada salud. Obligada a repartir el día entre sus devociones y medicamentos, seguía un horario tan preciso, absorbente y exacto como el que suele imponerse en cuarteles e internados escolares para forjar el temple de los reclutas o alumnos. La variedad e índole antitética de sus dolencias, exigía el consumo regular de numerosos remedios, destinados, en la mayor parte de los casos, a anular los perniciosos efectos de una medicina anterior: la poción que tomaba para el hígado afectaba al parecer negativamente al estómago y requería en compensación un mejunje que por desdicha dañaba los riñones, con lo cual se hacía indispensable la administración de una pastilla especial para aquéllos, que, a su vez... Entre pócimas y brebajes, potingues y drogas, tía Catalina intercalaba un cuadro muy apretado de oraciones y actos piadosos, ya de carácter cotidiano y metódico, ya ligados a las efemérides del santoral: rosarios, trisagios, novenas, preces expresamente indulgenciadas y una letanía de plegarias menores para beatos y santos de su particular devoción. Las colaboraciones periodísticas de Fermín de Urmeneta en el *Diario de Barcelona* la llenaban asimismo de arrobo: hombre de imaginación poderosa, don Fermín se había especializado, por así decirlo, en el tema del Espíritu Santo y, con facundia envidiable, acumulaba nuevos datos, precisiones y elementos sobre el objeto de su etérea pasión. ¡Qué hombre tan sabio!, decía admirada. ¿Habéis leído su último artículo sobre el Paracleto?

Aunque auxiliada por la sirvienta y su hija mayor –del dormitorio a la terraza, del comedor a la galería–, la tía concluía sus jornadas exhausta, privada por sus múltiples deberes y achaques de un grato y bien merecido solaz. Tumbada en la *chaise-longue,* con el eterno rosario de cuentas negras en la mano, permanecía absorta en el cómputo de sus oraciones y píldoras mientras la Genara y Eulalia discutían en voz baja de sus cosas, desenvainando habas o guisantes en un cesto a la sombra de los eucaliptos del jardín.

Las visitas de tío Leopoldo, igualmente regulares, eran mucho más breves: se hacía recoger por el Rata o Alfredo en la estación de Caldetes y subía la riera en tartana, con el maletín en el que guardaba sus libros así como el tabaco, salchichón y aceite reservados a su consumo personal. La iniciativa de mi padre de ofrecer la casa a sus hermanos habría sido realmente meritoria y diáfana si no la hubiera estropeado, como era frecuente en su caso, con restricciones cicateras y recordatorios mezquinos de su presunta larguez y bondad. Para evitar que le tildaran de gorrista, el tío se presentaba en Torrentbó con un muestrario de embutidos ligeramente pasados y rancios, que aliñaba por su cuenta en la cocina, bajo la mirada severa y desaprobadora de Eulalia. Su independencia algo cínica de solterón, carácter original y estrafalario, falta de respeto a las convenciones e ignorancia de los buenos modales hacían de él un personaje atractivo y simpático. Estrella fija de nuestros veranos, la afición que mostraba por las evocaciones de su infancia, cultura geográfica y astronómica, facilidad con que soltaba la lengua para referir chismes y anécdotas que, sin él, habrían quedado en la sombra, le otorgaron pronto un destacado papel en la escenografía mental familiar. Con diferentes nombres y máscaras, aparecería en una de mis novelas y en la tetralogía de mi hermano Luis, integrado ya por siempre en los lares de una empresa literaria cuya existencia desconocería.

Su pasión, compartida conmigo, por la geografía cuajó en seguida en largas y provechosas conversaciones sobre lugares y territorios que ninguno de los dos habíamos visitado nunca: egoísta, comodón, sedentario, aunque aborrecía cordialmente cualquier novedad en la medida en que implicara un esfuerzo y apenas había puesto los pies fuera de Cataluña, tío Leopoldo hablaba animadamente, con una deslumbrante precisión de detalles, del Altiplano de Perú y la Pampa argentina, el clima de Zanzíbar y el subsuelo de Angola. Siguiendo su consejo, adquirí una voluminosa *Geografía pintoresca* ilustrada con láminas y fotografías que fue por espacio de dos o tres años mi lectura favorita. Gracias a ella, sabía de memoria la extensión, población, capital, ciudades principales, status jurídico y riquezas naturales de todos los países del mundo. Nuestras charlas versaban lo mismo sobre la configuración orográfica del Cáucaso que los establecimientos coloniales franceses en la India u Oceanía. El tío hablaba de Numea o Pondichery como de lugares conocidos en los que acostumbrara pasar los fines de semana. Persuadido de que Europa acabaría arruinada, fuera cual fuere el resultado de la guerra, trataba de encauzar mi destino alentándome a vivir lejos de ella. Cada uno de los territorios o estados descritos en el libro merecía por su parte una atención particular: Nigeria y el Congo ofrecían al colonizador europeo una vistosa panoplia de riquezas naturales, pero el calor y humedad allí reinantes desaconsejaban mi instalación en sus tierras; las ventajas de Brasil eran claras: grandes

extensiones incultas, mano de obra laboriosa y barata,
lengua de aprendizaje fácil, carácter abierto y acogedor
de sus habitantes; en Argentina y Cuba, en donde tenía-
mos familia, ésta podría, al llegar yo, orientar mis primeros pasos. Pero un recorrido a lo largo del río Níger, con
sus vastas plantaciones de algodón, cacahuetes, sorgo y
mandioca sobrepasaba en encanto a todo lo considerado
de antemano; los hipopótamos, piraguas, palmas oleagi-
nosas, imágenes de la recolección de la nuez de coco por
las mujeres indígenas suscitaban el entusiasmo del tío:
¿has visto qué pechos tienen?, sonreía con picardía.
¡Parecen verdaderos melones! Los viajes imaginarios con
que compensaba su inercia y cachaza le acarrearon con todo, antes de que yo naciera, algunos percances y descalabros: tío Leopoldo había heredado una mediana suma de
dinero a la muerte del abuelo Antonio y, dejándose arras-
trar por sus fantasías nómadas, invirtió parte de él en
acciones de compañías exóticas de las que nunca recupe-
ró un céntimo. Pero el infortunio, lejos de templarle,
había aumentado su interés teórico y afán de conocimiento respecto a países y escenarios remotos. No pudiendo embarcarse ya en aventuras a causa de la edad,
decía, quería transmitir a sus sobrinos su frustrada vocación migratoria: ¿has leído el reportaje sobre los volcanes
del Ecuador? Pichincha, Chimborazo, Cotopaxi. ¡Ah,
quién tuviera tus años!

Sus conocimientos astronómicos eran igualmente
notables: en las noches agosteñas, cuando las estrellas
brillaban como ascuas, suavemente atizadas por el soplo
vivificador de la brisa, el tío examinaba el firmamento
con aires de propietario y nos enseñaba con paciencia
a descifrar las constelaciones. Arturo, las dos Osas,
Casiopea, Vega de la Lira, se fueron destacando poco a

poco a mis ojos, de forma precisa y nítida, en medio del parpadeo confuso de las galaxias: merced al tío, descubrí la infinidad del cosmos y nuestra presencia diminuta en él. Cuando pocos años después me asaltaron las primeras dudas religiosas esta conciencia de la pequeñez irrisoria de la Tierra desempeñó en ellas un papel esencial: los habitantes de un astro secundario e ínfimo, ¿merecían en verdad tal cúmulo de atenciones por parte de su Hacedor? ¿Qué idea extravagante había acometido a Éste de sacrificarse por ellos de modo tan gratuito? Su elección absurda en aquel enjambre denso y centelleante, ¿había sido azar o un capricho? ¿Por qué precisamente nosotros y no los demás?

Junto a esta seductora inclinación a la geografía y astronomía, tío Leopoldo ofrecía también unos rasgos y opiniones que le distinguían del resto de sus hermanos: era anglófilo, no creía en la victoria de los alemanes y, cuando defendía sus ideas frente a mi padre y tío Ignacio, los tres terminaban acalorados, abrumándose con reproches mutuos. En las conversaciones de sobremesa o veladas en la galería, sacaba a relucir, con gran irritación de mi padre, los trapillos sucios de la familia. Calándose las gafas sobre la enorme nariz vasca, evocaba la inutilidad y dispendio de los Taltavull, el genio estirado del abuelo Antonio, la columbina simpleza de alguno de nuestros primos. La piedad de su hermana Catalina era blanco a menudo de sus dardos y aguijones. ¿Creía realmente que una avemaría, musitada de manera rutinaria y somnolienta, redimía penas de millones de años a las benditas ánimas del purgatorio? El retintín con que pronunciaba la frase y su expresión socarrona tenían la virtud de sulfurar a la tía: su rostro, ordinariamente exangüe y pálido, enrojecía de súbito con violencia.

Los domingos y días festivos nos trasladábamos en tartana a la iglesia de Torrentbó: tía Catalina y mi padre se acomodaban siempre en los primeros bancos, junto a los cuatro o cinco señores de la colonia mientras mis hermanos y yo, mezclados con los payeses en los asientos traseros, escuchábamos los consabidos sermones sobre la modestia del traje femenino y el espectáculo inmoral de las playas. Mossèn Lluís hablaba con los ojos medio cerrados, pero avizoraba de soslayo el porte de sus feligreses y una vez llamó la atención a la hija de nuestros vecinos, culpable del delito de mostrar parcialmente el codo y exigió que abandonara de inmediato la Casa de Dios. Al concluir la ceremonia, los jóvenes acostumbrábamos regresar a pie en tanto que mi padre y la tía alternaban unos minutos, obsequiosamente, con la acaudalada viuda de la familia Garí y su escolta de nobles damas. Los viernes, el sacerdote venía a casa y celebraba misa en la capilla: la seguía un desayuno compartido también con los monaguillos, en el que el mossèn bendecía la mesa y nosotros aguardábamos con la cabeza gacha el instante de abalanzarnos a las tostadas,

Con las primas María y Carmen, hacíamos excursiones a las playas de Caldetes o Arenys de Mar o bien, igualmente a pie y cargados con los cestos del almuerzo, subíamos a la cima de las montañas vecinas o, a bosque traviesa, llegábamos incluso a la fuente y ermita del Corredor. En el trayecto, cogíamos fruta de los campos lindantes y, a veces, escuchábamos los insultos de los payeses. Fuera de estas salidas semanales, permanecíamos en los límites de la finca, buscando, según la temporada, las almendras, cerezas, higos o uvas con que amenizar la monotonía de la dieta casera. Perdida la gerencia de la ABDECA, mi padre no disponía ya del auto, y nues-

tros traslados con él o los tíos los realizábamos en tartana. El conductor de ésta solía ser el Rata pero, desde que
su hija se casó con Alfredo, empezó a sustituirle su yerno,
un hombre joven, fuerte y apuesto con quien entablaría
más tarde una buena amistad.

En casa, leíamos, jugábamos al mah-jong o croquet,
nos bañábamos en el estanque, correteábamos con los
perros. José Agustín y yo reñíamos con frecuencia y, por
la diferencia de edad a su favor, yo tendía a buscar ampa-
ro en los mayores y adoptar un antipático papel de acusi-
ca. Su ingrata condición de primogénito –comparado
siempre por mi padre, en términos desfavorables, con el
hermano anterior prematuramente desaparecido– ilumi-
na bastante las dificultades sicológicas con las que luego
tropezaría en la vida. En aquella época, sus travesuras
eran las propias de sus años y nuestras peleas concluían
de forma repentina, sin ningún resabio ni enemistad.
Luis jugaba de preferencia con los hijos de los payeses
vecinos y Marta y las primas discutían de galanes de cine
y habían escrito una carta admirativa a uno de ellos
pidiéndole una foto dedicada.

Los veraneos se sucedían a un ritmo inalterable cuyas
únicas novedades serían, al cabo de los años, mi entrega
exaltada al emborronamiento de cuadernos en la creencia ingenua de escribir novelas y una práctica masturba-
toria no menos asidua y frenética a la irrupción de la
pubertad.

En el transcurso de los años de colegio el contenido de
mis lecturas se había ido modificando: a la afición a los
librillos de la colección «Marujita» siguió el descubrimiento de los personajes de Elena Fortuny –tío Rodrigo, Celia,

Cuchifritín– para pasar de corrido al de *Emilio y los detectives* y, sobre todo, de la serie ilustrada de *Aventuras de Guillermo,* probablemente una de las mejores del género. Mi interés por Julio Verne y Salgari fue algo posterior: consecuencia directa de mi frecuentación de los cines del barrio en donde proyectaban filmes de aventuras y, a fin de cuentas, de escasa duración. A los catorce años, por consejo de mi tío Luis, había empezado a embeberme en el estudio de los libros de historia: biografías de la reina Victoria y María Antonieta, los enormes volúmenes encuadernados de la *Historia de España* de Lafuente, manuales sobre la Primera Guerra Mundial, una *Historia de los girondinos* traducida del francés, *La decadencia de Occidente* de Spengler. En verano, recorría con morosidad las páginas maravillosamente grabadas de la vieja *Ilustración Española y Americana* y alternaba estas calas en el mundo para mí fascinante de emperadores y zares, magnicidios, empresas coloniales y bodas principescas con un repaso atento a los libros y crónicas referentes a la última contienda, obra, por lo general, de los corresponsales españoles testigos de la misma. Mi tío Luis –privado de toda comunicacion a causa de su sordera: para hablarle, había que enrollar una revista como un tubo y gritar a través de éste al pabellón de su oreja– era un lector ávido de autobiografías y memorias, cuyos ejemplares se alineaban, bien ordenados, en el salón del piso de soltero que compartía con Leopoldo. Poco a poco, conforme perdía mi inclinación a la geografía y el cariño a las migraciones exóticas, me lancé a buscar los libros y publicaciones que correspondían a mi nueva e impulsiva curiosidad. Gracias a tío Luis, adquirí en el plazo de dos o tres años una vasta, heterogénea y deshilvanada cultura en materias de historia europea: a las lis-

tas interminables de capitales, ríos, montañas, ciudades y
productos naturales del mundo entero con que pasmaba
a mis profesores de geografía sucedieron las de dinastías,
conflictos sucesorios, guerras, batallas, derrotas recita-
das por mí, a la primera ocasión, con la puntualidad y
aplomo de un papagayo. Mis facultades mnemotécnicas
y un irrisorio cosquilleo de vanidad, me convirtieron,
por algún tiempo, en ese tipo insoportable de juansabi-
dillo, justamente execrado por maestros y compañeros.
Cuando por un azar de la memoria retrocedo a él, la confusión aun temporal y efímera de nuestras identidades
me deja absolutamente perplejo. El inicio de esa etapa de
pose e inautenticidad, que se extendería más allá de la
adolescencia, se sitúa alrededor de mis catorce o quince
años. Mi propensión a la mitomanía como elemento
compensador de los traumas familiares iba a hallar un
terreno inmediato en el que extenderse: verter los sueños
y fantasías, más o menos miméticos, en el papel; redactar, aprovechando la pausa escolar de los veranos, una
cáfila de patrañas históricas y de aventuras.

Mi fecundidad en el tema era extraordinaria. Sentado a la mesa escritorio de la galería superior de Torrentbó, componía mis obras sin tachadura alguna, con un
entusiasmo desbordante. En una de ellas, recuperada
años después y archivada, según creo, en la colección
particular de mis manuscritos de la Boston University, la
doble influencia de las películas y mis conocimientos
geográficos se manifiesta con claridad: mi hermana solía
comprar las revistas de cine de la época y, para evitarme
la monótona y enojosísima descripción de los personajes, había tenido la idea de recortar algunas fotografías de
aquéllas y pegarlas a las páginas de mi cuaderno con un
simple pie indicativo de su identidad. Dicho truco –cuyo

descubrimiento y uso habría modificado sin duda el arte
novelesco de autores tan concienzudos y detallistas como
Balzac y Galdós–, me permitía avanzar directamente en
las peripecias de la exploración amazónica que describía
sin embarazarme con retratos inútiles ni pormenores
cargantes. Precocísimo autor de foto-novelas, inaugura-
ba también una pequeña trocha en el ámbito, pronto de
moda, del relato behaviorista: ¡nada de comentarios ni
digresiones, directamente al grano! Con la misma facilidad y arrebato, redacté una novela sentimental sobre
Juana de Arco e introduje en ella, no sé si a sabiendas,
algunos anacronismos que serían saludados hoy por los
críticos más conspicuos como muestras de una audaz y
libérrima voluntad de renovación: en vez de perecer en la
hoguera del obispo Cauchon, moría guillotinada por
Robespierre después de una dramática confrontación
entre ambos. De mis restantes creaciones quinceañeras
conservo un recuerdo mucho más vago: alguna de ellas
trataba, me parece, de la Resistencia francesa a los nazis;
otra, escenificaba nuevas hazañas de Kid Carson, en
algún episodio de mi propia cosecha. Los filmes proyec-
tados en las dos salas de cine de Sarrià, visitadas regularmente con Luis los jueves y domingos, suministraban de
baratillo temas, personajes y encuadres a la proliferación
de argumentos. Las nociones de originalidad y plagio no
formaban parte todavía, por fortuna, de mi acervo literario personal.

   Una vez concluida la obra con rapidez digna de Corín
Tellado, sometía implacablemente a mis primas a la
prueba de su lectura. Del tormento que así les infligía no
cobré conciencia sino el día en que, al término de una
comida especial, a cuenta de la casa, para los residentes
del Colegio Mayor universitario madrileño de Nuestra

Señora de Guadalupe, fui conducido con ellos al salón en la ilusoria creencia de una breve charla, el tiempo del café, con el escritor-estrella del imprevisto banquete pero que, una vez cerradas discretamente las puertas a una señal aviesa del director, se transformó en la declamación interminable de un drama cuyo final podría haber sido el del admirable cuento de Chejov: el lanzamiento de un pisapapeles u otro objeto contundente que, al estrellarse con puntualidad exquisita en la cabeza de urraca del dramaturgo-novelista, interrumpe para siempre el desarrollo prodigiosamente somnífero del tercer acto. Escaldado con mi propia experiencia, no volvería a incurrir ya en lo futuro, en este abominable abuso, tan frecuente entre literatos, de la encerrona alevosamente perpetrada. La aplicación práctica del «si me lees te leo» me parece un progreso capital de la República de las Letras y debería figurar, con carácter preceptivo, en el artículo primero de su Constitución.

En la evolución de los gustos literarios que acabo de mencionar, ninguno de mis profesores ni maestros desempeñó papel alguno. Mis lecturas se desenvolvían de forma exclusiva en el ámbito familiar, sin el menor engarce con cuanto se nos enseñaba o pretendía enseñar en el colegio. La idea de darnos a leer textos de nuestros clásicos en vez de encajarnos en la cabeza sus fechas de nacimiento y muerte y títulos de las principales obras no había penetrado siquiera en el cerebro de los curas de misa y olla que se ocupaban en las clases de literatura. El único libro que mereció los honores de una lectura en el aula a lo largo de mi bachillerato fue un volumen de relatos del Padre Coloma, el último año de mi estancia entre los jesuitas. En el colegio de la Bonanova, ni siquiera esto: los buenos Hermanos de la Doctrina Cristiana se remitían en cuerpo y alma a los doctos juicios críticos y probada sabiduría en la materia de Guillermo Díaz Plaja. Teniendo en cuenta el sistema educativo que soportábamos no es sorprendente que mi amor e interés por la literatura procedieran de otras fuentes: primero, los consejos de tío Luis; luego, la biblioteca de mi madre. Autodidacta como casi todos los hombres y mujeres de mi generación, mi cultura, forjada a tientas y aun a contracorriente, guardaría mucho tiempo la marca de los prejuicios, lagunas e insuficiencias de una España asolada y yerma, sometida a la censura y rigores de un régimen sofocante. Muy significativamente, los libros sobre los que pronto me arrojaría serían, casi sin excepción, de autores extranjeros: leídas en francés o en las mediocres traducciones que llegaban bajo mano de Buenos Aires, las novelas que devoré entre mis dieciocho y veinticinco años no incluían a un solo autor en castellano. La instrucción dispensada en el colegio no solamente me hizo aborrecer nuestra literatura –convertida en un muestrario de glosas pedantes y exegesis hueras– sino que me persuadió también de que no había cosa en ella cuyo conocimiento mereciera la pena. Mientras consumía obras de Proust, Gide, Malraux, Dos Passos o Faulkner, ignoraba olímpicamente nuestro Renacimiento y Siglo de Oro. Incluso la fama universal de Cervantes me parecía hipotética: incensado y puesto en las nubes por los libros de texto del colegio, el *Quijote* no podía ser sino un libro aburrido y cargante. Embebido ya de Voltaire o Laclos no me sentía atraído por la locura del viejo hidalgo manchego. Fue a los veintiséis años, domiciliado ya en Francia, cuando me resolví a coger el libro y fui descabalgado, como Saulo, camino de Damasco: los detestables manuales escolares tenían razón. Con rabia y ardor

entremezclados –ansioso de recuperar el tiempo vanamente perdido a causa de mis educadores postizos–, me
abalancé entonces a la obra de nuestros clásicos. La relación amorosa con algunos de ellos se estableció de manera inmediata pero, como advertí en seguida con despecho, se producía a deshora: como un joven largo tiempo
virgen al catar la inefable dulzura del coito, comprobaba
que me había privado por mi culpa de mis más enjun-
diosos gozos. Mi exagerada prevención juvenil a lo español me jugó así, en ése como en otros terrenos, una mala
pasada: entre los errores a los que fui inducido por mi
angosta formación de colegial, es éste sin duda el que me
resulta más difícil de perdonar.

Desde que en otoño del 43 mi padre nos cambió de colegio, permanecí en el de la Bonanova hasta el fin del
bachillerato. Cinco años cuya monotonía e insignifican-
cia se expresan tanto en la parvedad del recuerdo como
en la levísima huella que dejaron en mí. A diferencia del
período que va de la muerte de mi madre a la enajenación e internamiento de la abuela –un lapso de alrededor
de cuatro años, del que conservo reminiscencias muy
precisas y sobre el que mi memoria vuelve a menudo–, lo
acaecido en la siguiente etapa me parece a la vez superfi-
cial y remoto, simple muda de piel abandonada por otro
al borde del camino. Nada de cuanto ocurrió o se dijo en
las aulas influyó directa o indirectamente en mi vida.
Ésta siguió desenvolviéndose por su cuenta, anclada en el
círculo familiar, esencialmente autodidacta. Cuando al
inicio de la pubertad empecé a masturbarme, el nuevo e
increíble placer casualmente descubierto un día de verano se transformó en uno de los centros reales, por no

decir el más real, de mi vida. El potencial de goce ínsito a mi cuerpo se impuso en seguida, brusco y convincente, a los discursos religiosos o morales que lo estigmatizaban. En la cama, el baño, las buhardillas de Torrentbó, me entregaba con asiduidad al acatamiento de una ley material que, por espacio de unos minutos, me confirmaba en mi existencia aislada y particular, mi irreductible separación del resto del mundo. Con ello no quiero decir ni mucho menos que la doctrina tradicional católica tocante al sexo –expuesta machaconamente en aulas, confesonarios, púlpitos, manuales de piedad juvenil– no hiciera mella en mí. La idea del pecado –del pecado mortal, con sus espeluznantes consecuencias– me torturó por espacio de algunos años. Docenas de veces, arrodillado frente a alguno de los sacerdotes de las parroquias o iglesias cercanas, había confesado mi culpa y pretendido enmendarme sabiendo con certeza que unas horas o días más tarde, esa fuente vital de energía que brotaba de mí impondría su fuero y anularía, imperiosa, el tenue armazón de preceptos que inútilmente la condenaban. Consciente de ello, a fin de sustraerme a los reproches de un confesor fijo o director espiritual, cambiaba regularmente de templo y confesonario, en una especie de juego de escondite cuya inanidad saltaba a la vista. Aunque mis expresiones de piedad eran forzadas y las creencias religiosas frágiles y tibias, el temor a las penas y tormentos infernales me acosó durante algún tiempo. Las imprecaciones contra el *sexto,* lanzadas por los predicadores e impresas en librillos como los de Monseñor Tihamer Toth, tenían un efecto potencialmente traumático para los adolescentes que, en el ardor de la pubertad, escuchaban o leían, aterrados, los supuestos estragos físicos y morales del acto impuro, simple preámbulo de los

suplicios eternos, sutiles, refinadísimos que les aguardaban en el Más Allá. Como todos los muchachos católicos
de mi edad y numerosas generaciones anteriores, fui
sujeto a la ruda prueba de los Ejercicios Espirituales de
San Ignacio, en alguna de las célebres casas de retiro de
la orden, en mi caso, en las de Manresa y Sarrià. La descripción gráfica, exacta y pormenorizada de los mismos
por James Joyce –y, antes de él, por Blanco White, de los
llevados a cabo en la cueva sevillana del padre Vega, claramente imbuidos a su vez de la técnica manipulatoria
de los discípulos del de Loyola, cuya compañía, entonces, había sido temporalmente abolida– me dispensa de
la tarea de exponerlos ahora a los lectores. Éstos hallarán
en el *Retrato del artista adolescente* y la *Autobiografía* de
Blanco que en parte traduje a su lengua materna, punto
por punto, ardid por ardid, ejemplo por ejemplo, la pro-
gresión teatral y escenificación dramática repetidas
décadas y décadas después, para mí y mis colegas con la
misma inercia rutinaria con que las compañías faltas de
nuevo repertorio acuden cada año, al acercarse el día
de Difuntos, a la sempiterna y rentable reposición del
Tenorio. Los excesos ridículos de alguno de los oradores
tuvieron conmigo un efecto contraproducente. Pese a las
amenazas terrenas y ultraterrenas, proferidas a veces
con voz histérica, las secretas, gozosas, absorbentes
masturbaciones prosiguieron a ritmo casi diario su ejecución acendrada.

De la índole absurda de aquella preceptiva de observación imposible –destinada, como en el caso del celiba-
to eclesiástico, a la formación de una conciencia culpable, fácilmente sumisa y dúctil a los intereses superiores
o mundanos de la Iglesia de Roma– tuve pronto una
prueba la noche o amanecer en que, habiéndome abste-

nido de masturbarme por varios días consecutivos después de una confesión penosa, experimenté mi primera
polución nocturna. Mi despertar, con el sexo endurecido
y una mancha viscosa en el pantalón del pijama, me llenó
de pavor. ¿Qué había ocurrido? ¿Me había tocado sin
advertirlo mientras dormía? ¿O alguien se había colado
en mi cuarto y había repetido la fea maniobra del abuelo? Confuso y sin saber a qué atenerme, resolví dormir el
día siguiente con la puerta cerrada con llave y un traje de
baño ceñido, que excluía todo roce directo de mi mano.
Pero el calor de la noche, aunado al rijo insatisfecho del
cuerpo y la presión del tejido, provocaron de nuevo, ante
mi estupor, el previsible derrame. La convicción de que
se trataba de un hecho natural y ajeno por tanto al escru-
tinio morboso de mis confesores, se abrió lentamente
camino. Ello, unido al pánico que suscitó entre los guardianes de la moral católica el descubrimiento de la peni-
cilina –sentimiento traducido en boca de uno de los
Hermanos de la Doctrina Cristiana por la afirmación
desesperada, casi implorante, de variedades de micro-
bios de origen venusino *penicilino-resistentes*– acabó por
desculpabilizarme del todo y conferir a sus prédicas
sobre la castidad juvenil un aura forzosamente ridícula.

Decía antes que mi vida real seguía centrada en casa:
en mis lecturas, fábulas novelescas, ensueños, masturbaciones. El colegio –cursos, estudios, recreo, condiscípulos, profesores– era un simple paréntesis abierto en aquella que concluía al cruzar el frondoso jardín presidido
por la estatua del fundador de la orden y salir al Paseo de
la Bonanova. Mi relación con los hermanos y maestros
encargados de la enseñanza de las distintas disciplinas
fue siempre impersonal y distante. Mientras escribo, rea-
parecen ante mí, esfuminados por el olvido y distancia, el

rostro un tanto patibulario del hermano Vicente, cuya mímica y gesticulaciones atroces al evocar la inevitabilidad de la muerte, me inducen a creer que padecía, como corría el rumor, de crisis epilépticas o alguna enfermedad nerviosa; del «Clémens», menudo, enérgico, sonriente, con su pequeño rizo o tupé hitlerianos, bellísima persona bien que devoto adorador de los nazis, cuyo saludo imponía a la clase al grito de *Heil Hitler* y que había llorado como un niño en la fecha para él infausta del suicidio de su héroe en el búnker, en medio de las ruinas de Alemania; del hermano Pedro, mimoso y maternal como una gallina clueca, a quien incumbía la ardua tarea de rebatir en unos cuadernillos impresos en ciclostil la casi totalidad de la filosofía universal, a veces con curiosos argumentos *ad hominem* –afeminamiento de Rousseau, locura de Nietzsche– en nombre de los principios, tan sólidos como perennes, de la doctrina elaborada por Aristóteles y Santo Tomás.

El recuerdo de la masa gris y desdibujada de mis compañeros de curso es aún más amorfo. Salvo una o dos excepciones, no los volví a ver desde mi salida del colegio y, a decir verdad, nunca me interesé demasiado por ellos. Hacia mis quince o dieciséis años, la conciencia cada vez más aguda del declive económico de la familia a causa de los desdichados negocios paternos y el desnivel existente entre las estrecheces domésticas y nuestras pretensiones sociales –decadencia simbolizada no sólo en un tren de vida paulatinamente reducido sino también en el aire de desgaste, decaimiento y vejez que se adueñaba de personas y cosas en la torre de Pablo Alcover– me condujo por primera y única vez en la vida a intentar un acercamiento amistoso a dos muchachos de posición social muy por encima de la mía, en la esperanza ilusoria de integrarme en un mundo que imaginaba seductor y brillante, aun a sabiendas de que no tenía gran cosa en común con ellos. Durante uno o dos años, un falaz y lamentable muchacho con mi nombre y apellidos procuró imitar su elegancia vestimentaria, adaptar sus maneras distinguidas, seguir sus ademanes y entonación remilgados, característicos de esa fauna típicamente barcelonesa de los «señoritos de la Diagonal». En calidad de miembro mentido de ella, asistió a una o dos reuniones mundanas en las que su timidez, torpeza y falta de modales mostraron cruelmente la hilaza : no sabía bailar ni cortejar a las niñas de buena familia ni besar la mano a las damas ni hablar de automóviles de lujo ni mover tan siquiera el cuerpo con desparpajo juvenil o indolencia afectada. La sensación de fracaso e incapacidad de adaptación a esos ambientes le dejó corrido y mustio. Pero su amargura no duró mucho: la vaciedad y petulancia de los dos condiscípulos que, con afán advenedizo, había tomado por modelos le convenció en seguida de su error. La vida de este doble cursi y mimético fue afortunadamente corta y su reproducción en alguna fotografía tomada en una puesta de largo –serio, envarado, penoso– provoca hoy en mí, al contemplarla, sentimientos mezclados de burla y conmiseración.

Descabalgado de mis cascos ligeros, volví al ámbito familiar y sus secretos, angustias, querencias. Seguí siendo un alumno irregular, bien dotado, según los profesores, para los cursos de historia, gramática y lenguas, y mediocre en cambio, por no decir nulo, tocante a ciencias y matemáticas. Mi ineptitud y desinterés por estas últimas era total y absoluto, lo que me convence de la verdad del viejo aforismo de que la inteligencia es a fin de cuentas una cuestión de gusto. Por suerte para mí, un compañero de promoción con quien conversaba a menudo en el patio de recreo y trayecto hacia casa, se enfrentaba al mismo problema que yo en términos inversos. Sumamente inteligente y despierto en el campo de la física y las matemáticas, experimentaba un mayor despego tocante a las materias que suscitaban mi curiosidad. A partir de la mutua revelación de nuestras respectivas cualidades y carencias, se desenvolvió una amistad muy provechosa para ambos. Mientras yo componía las redacciones de mi amigo José Vilarasau, éste me echaba generosamente un capote en las asignaturas que yo aborrecía. Apoyándonos uno en el otro, llegamos a concluir nuestro bachillerato paticojo sin demasiados tropiezos.

Vilarasau fue también la primera persona a quien osé plantear mis dudas religiosas. Poco a poco, habíamos intercambiado algunas reflexiones sobre la materia y las supuestas exposiciones filosóficas del hermano Pedro eran blanco, fuera del aula, de nuestros chistes y bromas. La bondad y omnipotencia del Creador nos parecían a los dos contradictorias y problemáticas. En un correo anónimo de preguntas establecido por el hermano para evacuar consultas morales, formulamos alguno de nuestros reparos y, sospechando la autoría de los mismos, aquél nos empezó a traer sobre ojo. Pero la etapa del colegio se estaba acabando, y el mundillo artificial y mediocre en el que mis mezquinos tutores habían querido apresarme, no tardaría en esfumarse sin dejar huella alguna. *El tiempo que pasó, desvaneciéndolos / como burbujas sobre la haz del agua / rompió la pobre tiranía que levantaron,* escribió Luis Cernuda. Y como él, me acuerdo hoy de ellos, al escribir, *sonriendo apenado.*

Instantáneas finales de Pablo Alcover: setos de tuyas,
rosales silvestres, buganvillas en flor, langor de madresel-
va, castaño de Indias, un viejo leyendo o dormitando a la
sombra del limonero. Territorios pacientemente adquiridos por usucapión: el de mi padre, el de Eulalia, el del
abuelo. Cauto proceso de deterioro: garaje sin auto, sistema de calefacción inservible, nuevos, irreparables des-
perfectos. Interior cada vez más sombrío: bombillas ané-
micas, círculos de luz tacaña, sombras furtivas, errantes
a lo largo del fantasmal corredor. Mi padre, en pantuflas
y bata, preparando sus extraños mejunjes, revolviendo el
yogur con la cuchara. El abuelo, en su rincón, con un diario entre las manos, atento siempre a pasar inadvertido,
a ocupar en lo posible el menor espacio. Eulalia, sentada
a oscuras en la cocina a fin de ahorrar electricidad, a la
escucha de los latidos cada vez más débiles de la casa,
auscultando su decaimiento, lasitud, astenia, los síntomas ominosos de su vetustez : incesante guerrilla de mi
padre contra el abuelo, rencores, manías, rosarios bisbi-
seados, palenque cerril de menudas pasiones, senilidad,
consunción paulatina. Cambios igualmente en los jóvenes que la arrumbaban y envejecían: Marta, una mujer,
dispuesta ya a casarse; José Agustín, universitario y a
punto de dejarnos, de seguir los estudios fuera; yo y Luis,
amarrados aún al colegio, pero prestos, como presentía
tristemente, a levantar también el vuelo, huir de aquella
casa que se nos caía encima, tabique a tabique, pared por
pared, techo por techo. Ella, la pobre sirvienta aragonesa, embarazada por el amo de la casa en que servía,
madre soltera de un niño presentado siempre por sobrino, obligada a emigrar a Cataluña, a conocer mudanzas y
despidos, acomodarse a los apuros y estrecheces de la
guerra, Julia transformada para siempre en Eulalia, cus-

todia celosa de tres muchachos a quienes llegaría a querer como hijos, ignorante, sabia, patética, bondadosa, vuelta en razón de las circunstancias, del puesto central que, a fuerza de voluntad y carácter, ocuparía entre nosotros, en testigo lúcido, fatalista de la decrepitud de personas y cosas: angustia de vernos desaparecer a uno tras otro, quedar a solas, con dos ancianos, en una vivienda descompuesta y ruinosa, al acecho del mal que sordamente la corroía, anuncio de esa Esfinge a la que eufemísticamente aludía cuando en el núcleo de nuestra familia acaecía alguna desgracia. Goteras, desconchados, bulimia ratonil, devoración de polilla, toses, carraspeos, decadencia, ocaso: imágenes, sonidos, impresiones de mis últimos años en Pablo Alcover, Barcelona y España, listo para irme adonde fuera, con el pie en el estribo de un caballo todavía imaginario. Espera interrumpida por bruscas evasiones hasta la gracia o bendición de mi marcha definitiva. La memoria de lo que abandoné dejó de pertenecerme ya antes, bien antes del día en que realmente me fui: el final de la historia, de las tres muertes, sería hermosamente integrado por Luis, con el paso del tiempo, en el espacio literario de *Antagonía*.

T odo ocurrió como habíais previsto : castillo de naipes lábil y efímero, el fallecimiento de uno arrastraría el de los demás.

Hubo llamada telefónica de Luis con el temido anuncio de una mala nueva : agonizaba el abuelo, simple cuestión de horas según el médico, debías tomar el primer avión si querías asistir al entierro. Cuarenta y ocho horas* intensas, movidas, en un país en donde tu nombre figuraba ya en la lista negra, miradas de soslayo de la policía de fronteras, huésped malquisto e importuno, agredido en letra impresa por la jauría, sujeto a vigilancia discreta, una sombra pertinaz a tu espalda cuyos movimientos desacordes, a destiempo indicaban a las claras que no te pertenecía. La tuya había quedado atrás, en el momento de embarcarte a España y regresar a ésta como un fantasma, mero individuo con profesión, estado civil, domicilio, lugar y fecha de nacimiento establecidos en el pasaporte,

* Fechas de entrada y salida estampilladas en tu pasaporte 4-3-1964 y 6-3-1964.

*pero privado por decreto de su verdadera identidad : posi-
bilidad de escribir, publicar, expresarse en público, reunirse con los amigos sin temor a comprometerlos. Personaje de
Hoffman sin sombra, menguado, espectral.*

Llegar con todo a tiempo de presenciar la muerte católica del abuelo, reconfortado, según rezaría la esquela, con los
auxilios espirituales y bendición apostólica : su confesión con
un cura joven, cuyo diálogo con el moribundo, perceptible en
las habitaciones vecinas a causa de la sordera del último,
parecía el de un entremés o sainete. Bueno, don Ricardo, es
usted muy mayor y hay que irse preparando. ¿Preparando?
¿Para qué? ¿Qué edad tiene usted, ochenta años? ¡Huy,
muchísimos más! Y luego la satisfacción del abuelo al recibir
los santos óleos, convencido como estaba de que le aplicaban
un nuevo y eficaz remedio contra el eczema que le atormen-
taba. ¡Ah, la pomada! Los hermanos reunidos en la pieza
vecina mientras Eulalia y tu padre, escondidos, silenciosos,
amedrentados, conscientes de que la Esfinge evocada por ella
había llegado al fin, aguardaban el desenlace en sus respectivos rincones con un conmovedor desamparo.

Cinco meses después, el ocho de agosto, papá esta vez,
en el lecho de muerte, mirándote ya sin reconocerte, consumido, chupado hasta los huesos por el avance inexorable
de la enfermedad. Eulalia, en su habitación, cubierta de
los regalos que le había mandado Monique, encastillada
en su angustia, respondiendo con monosílabos a tus digresiones y preguntas. Leyendo no obstante su interrogación
muda, la pregunta que le acosa y no alcanza a formular :
¿en qué se ocuparía ahora si los viejos la abandonaban?;
y sobre todo, ¿qué iba a ser de ella en aquella vivienda
condenada y vacía? La Esfinge conocía ya las señas de la
casa : el día menos pensado, cuando se le antojara, podía
merodear por el barrio, repetir la visita.

A medianoche, la enfermera os había convocado a susurros en la habitación : tu padre yacía con los ojos abiertos, estertores y jadeos se sucedían a ritmo cada vez más lento, sus labios apenas boqueaban. Esponjosa irrealidad de unos instantes sin emoción alguna, sensación de desdoblamiento. Concurrir al ritual del lavado y disposición del cadáver para su entrega a los mercaderes de la funeraria : acto de bajar los párpados sobre la mirada fija y como obnubilada del muerto; ademán presto, conciso de Marta de retirar el anillo de oro antes de que la mano quedase rígida. Ceremonia absurda en la iglesia parroquial de Sarrià, solemne despedida del duelo, comitiva de automóviles negros hacia el cementerio, parada ante el lujoso panteón en donde se pudren los restos de tu familia. Sentimientos de horror por aquel mausoleo, tu puesto reservado en él : firme decisión de no permitir tu sepultura en el mismo. Visitas de pésame, conversación inquieta sobre el estado de Eulalia, insoportable opresión del cuadro ruinoso de tu infancia, deseos de huir, tomar avión, aeropuerto del Prat, salida estampillada por policía suspicaz, verificación del aserto de los malsines de Pueblo de un apellido más popular en las comisarías que en las librerías.

Noticias regulares, por medio de Luis, del cáncer de Eulalia, primero en París, luego en Saint-Tropez, finalmente en Marruecos. Determinación egoísta y cobarde de seguir tu vagabundeo, aun a sabiendas del final cercano y resuelto : idea intolerable de enfrentarte a la mujer aterrorizada e indefensa, verte obligado a esconder la naturaleza de la dolencia, reír para animarla, poner buena cara, inventarle un futuro sonrosado y alegre, mentir para arrancarle la mueca que no llega a sonrisa y queda en rictus inmóvil, yerto, desesperado. Tetuán, Xauen, Al Hoceima, Mequínes, escudriñando las listas de correos en espera de carta hasta el *escueto telegrama, abierto con dedos temblorosos, que te aguarda en Fez. Brusca interrupción del periplo de oscuro fugitivo de ti mismo : volver de inmediato a Tánger, hallar momentáneo refugio en casa, digerir la abrumadora nueva, ahogar la pugnaz culpabilidad, subir en busca de hachís o maaxún a la sombra propicia de la alcazaba.*

Desde el momento en que te dejas caer en el lecho hasta la ardua, varias veces postergada decisión de incorporarte penosamente de él, de su revoltijo de sábanas revueltas y húmedas, perderás la noción del tiempo. La persiana semicerrada no filtra luz alguna y cuando miras el reloj son casi las ocho. ¿De la mañana? Las luces del puerto, de los cercanos edificios te sacan de dudas : anochece y tus vecinos se recogen poco a poco a sus aposentos. ¿Qué has hecho durante el día? Necesidad de beber agua, mucha agua, orinar, tomar un par de aspirinas. La resolución del enigma la dejarás para luego.

Veinte horas tumbado en la cama reconstruidas poco a poco, en la calle, absorbiendo a pulmón lleno el soplo vivificador de la brisa. Con la cabeza todavía dolorida y maciza, pero capaz de reflexionar. Operación de desenterrar, sentado en una terraza de la avenida de España, los lances, encuentros, visiones, raptos, apoderamientos de la noche más larga de tu vida : rescatarlos con cuidado, como un arqueólogo, de la hondura en que han vuelto a sumirse, estratos densos de olvido, masas informes, brumas, opacidad. Garabatear en la cajetilla de Gitanes vacía las palabras clave : guijarros, hitos, señales que te conducirán, vuelta atrás, a la memoria hiriente de lo sucedido.

Agilidad, ligereza, suspensión grácil, quizá momentánea del imperativo universal de gravedad. Planeas leve-

mente, sin vértigo alguno, a escasa distancia del suelo, raudo, sutil, ingrávido, en mecimiento o levitación serenos, errátiles : un sueño desde entonces insistente, curiosamente integrado en lo futuro en tu modesto repertorio habitual. Estás en Torrentbó : papá sentado en un sillón, vestido probablemente de blanco, con esa elegancia natural, un tanto pintoresca de que le invistió la vejez en el curso de sus últimos años. Ha muerto y los dos lo sabéis. Sin embargo os saludáis, cambiáis unas cuantas palabras. Ningún dolor de tu parte, ningún remordimiento. Su presencia es grata, suave : irradia una balsámica impresión de sosiego, dulzura, apacibilidad. Os despedís con muestras de mutuo afecto y levitas de nuevo, jardín, terraza, surtidor de las ranas, alguien con una azada al hombro (¿Alfredo?), sonríe, saluda de lejos con el brazo. Nuevo decorado, castaño de Indias, plantas silvestres, limonero y, a su sombra, el abuelo, real, en carne y hueso, con el periódico en las manos, te mira unos segundos, viejo, muy viejo, sin interrumpir la lectura, no hay nada que deciros, absorto en las noticias, la guerra mundial probablemente ha estallado.

Recaída en el olvido, irrealidad esponjosa, angustia paulatina, aprensión del encuentro que sordamente se fragua, posibles tentativas de levantarte del lecho, mear, apurar el resto de la botella de Sidi Harazam, paz irremediablemente desvanecida, ansiedad, tormento, vueltas y más vueltas en la cama, negro, todo negro, pecho sobrecargado, cabeza ardiente, punzadas de dolor, presentimiento agorero, deseos frustrados de huida, síntomas de pánico, humedad involuntaria, tenaz aleteo del corazón, miembros paralizados, inminencia del rostro que temes, figura de Eulalia convocada por la desmesura de tu propio espanto, perceptible ya en la penumbra, cada vez más precisa y níti-

da, cabello, piel, ojos, labios, mejillas perfectamente exac-
tos, esquiva, distante, muda, un gesto de reproche amargo,
imagen, presencia, corporeidad que te fulminan, se adue-
ñan de ti, rompen los diques del pudor, desbordan la cul-
pabilidad acumulada en tu seno, minutos u horas de dolor,
gemidos, lágrimas, extemporáneo e inútil arrepentimien-
to, recuerdo confuso de súplicas no oídas, protestas tardías
de amor, jornada interminable en la cama sucia y man-
chada, como si hubieras echado raíces en ella, vaciando
anchurosamente, sin trabas, cuanto guardabas dentro,
fantasmas, errores, deslealtades, cobardías, miedos, un cur-
so completo de terapia freudiana por el precio de un vaso
de maaxún.

Consideración feraz, germinativa de la transmigración a
la luz de la poesía : vuelo ligero del alma de un cuerpo
a otro cuerpo, parecido o idéntico al que sustentara en
vida : mudanza de los malos tragos de ésta a otra de apa-
riencia más correosa y huérfana, pero arropada con el res-
peto de una creencia que la sacraliza y eleva a las alturas
de un trono ideal : cobijado a la sombra cálida del Islam,
el viejo acuclillado te interpela en silencio : su mano es
flaca, rígida, macilenta : el capuchón de la chilaba le cubre
la cabeza a medias pero permite ver el rostro magro, apu-
rado al límite de los huesos, la nariz corva, los labios exan-
gües : mirándote como si fueras transparente, repite en voz
baja, tal vez para sí mismo, fi sabili Allah u otra invoca-
ción tradicional al creyente, con esa serenidad resignada
del otro moribundo, Alonso Quijano al borde del sepulcro,
cuando recién llegado del aeropuerto entraste de puntillas
en su habitación : tu padre, las sucesivas encarnaciones de
tu padre en zocos y callejas de Fez o Marraquech, acurru-

*cado, digno, implorante, cruces casuales o metódicamente
planeados generadores del chispazo, el arco voltaico que
nunca brotó en vida : itinerante ritual, medineo evocador
de la tristeza de un desencuentro que lo trae no obstante a
tu memoria y cariñosamente lo resucita.*

Dos

... «et existe autant de différence de nous à
nous mêmes que de nous à l'autrui».

MONTAIGNE

A comienzos de 1963, en el curso de tu segunda visita a Cuba, huésped esta vez del Instituto de Industrias y Artes Cinematográficas, recibiste una invitación del poeta Manuel Navarro Luna a asistir con él a un mitin que debía celebrarse en un centro de instrucción de milicianas situado en las afueras de La Habana. El viejo escritor, a quien habías conocido un año antes con ocasión de un viaje a su ciudad natal, Manzanillo, era un comunista convencido, entregado en cuerpo y alma a la causa de la Revolución : vivía muy modestamente en un hotelito a pocas manzanas del tuyo y te fue presentado por amigos comunes, colaboradores, como él, del semanario Verde Olivo. Por consejo suyo, la revista del Ejército había publicado unos extractos de tu reportaje Pueblo en marcha y, cuando éste apareció por extenso en el suplemento ilustrado del diario Revolución, Navarro Luna te había apoyado calurosamente en la polémica que suscitó tu transcripción fonética del habla popular cubana. Su gran nobleza personal e integridad política –en las antípodas del oportunismo revolucionario de tantos otros escritores que habían transigido servilmente con la dictadura de Batista–, unidas a una particular devoción a la España republicana, habían soslayado los obstáculos de su apego incondicional a la URSS y, lo que era más grave para ti, al cultivo y defensa de unas formas literarias anquilosadas. En un momento en que el arribismo de alguno de tus primeros amigos empezaba a mostrar la hilaza, su trayectoria limpia, exenta de toda ambición y afán de poder, aparecía, por contraste, grata y reconfortante. Varios escritores de tu generación, como Heberto Padilla, compartían tu aprecio al viejo poeta, en quien veían, no sin razón, el antimodelo de un Nicolás Guillén, comunista de siempre como él, pero envanecido y satisfecho ya entonces de la gloria oficial y sus privilegios. Generoso, abnegado, ejemplar, Navarro Luna encarnaba una fuerza moral no desdeñable en aquellos tiempos agitados de cambio y confusión.

Te había ido a buscar al hotel Habana Libre en compañía de un exiliado comunista español y os trasladasteis los tres al barrio periférico en donde iba a presidir la clausura, te dijo, de un curso de instrucción política de varios centenares de jóvenes voluntarias. Cuando llegasteis al punto de destino era ya de noche y el auditorio aguardaba. Uno de los profesores del curso os puso al corriente, en pocas palabras, de las actividades del día : dos muchachas lesbianas sorprendidas in fraganti en alguno de los dormitorios o duchas de la escuela, habían sido sometidas a una asamblea pública de censura y expulsadas finalmente de aquélla por decisión unánime. Tus compañeros aprobaron la decisión sin un pestañeo de duda y, presa de un vago malestar, de una sorda impresión de disgusto, les seguiste a la plataforma erigida en el patio central de la escuela, desde la que Navarro Luna debía pronunciar su discurso. Recuerdas la luz violenta de los focos, los saludos rituales, *el ritmo disciplinado de los aplausos : tu amigo, el poeta, te había presentado a la asistencia, con cariñosa hipérbole, como «un joven intelectual revolucionario venido de España» y las adolescentes uniformadas se habían puesto de pie y batían interminablemente las palmas en honor de aquel valeroso y bragado representante de un pueblo en lucha, digno descendiente de los héroes de Guadalajara y Brunete, heraldo de los obreros sin voz, puño vengador de los explotados que, cogido de la mano de Navarro Luna y del responsable doctrinal de la escuela, contestaba a sus saludos con un lento balanceo de los brazos alzados, repetía lemas y consignas con leve y desdibujada sonrisa, integrado en una especie de coro de sardanistas o bailarines eslavos, tú, yo, aquel juan goytisolo repentinamente avergonzado de su papel, del abismo insalvable abierto de pronto entre la realidad y las palabras, abrumado con los recios aplausos al impostor que había usurpado su nombre, a ese fantasma superpuesto a su yo real como un doble o, en expresión de Cavafis en uno de sus poemas más bellos, un huésped importuno : lleno de asombro e incredulidad ante el grotesco contraste de su hagiografía con la realidad opaca, ajeno del todo al fantoche o autómata cuya voz había dejado de representarle para representar en cambio a quienes le oprimían : al simulador encaramado al estrado en el que acababa de juzgarse la anómala conducta de las acusadas, rubricador cobarde, mudo, de una sentencia dirigida a la postre contra sí mismo, contra su yo genuino inerme y agazapado : abandonar las catacumbas, emerger, respirar, escupir a la cara del otro, del doble, el fantasma, enemigo alevoso de tu intimidad, triste expoliador de tus señas y coordenadas, asco, sólo asco a su presencia, deseos vehementes de arrojar la careta, ser expuesto a público desdén, afrontar el destino de las acu-*

sadas, todo menos seguir los irrisorios y pautados movimientos, rítmica oscilación de brazos alzados, ritual vacío, penosa sensación de desdoblamiento, fraude, esquizofrenia, mordaza.

Pero el otro, el fantasma, había permanecido en la tribuna del centro de instrucción de milicianas con sus ademanes sincopados y sonrisas hueras, adaptado exteriormente a su mezquina impostura, embaucador total sin resquicios ni grietas, saludando y meciéndose como un pelele a derecha e izquierda, objeto de horror y aversión retrospectivos por parte del espectador escindido y súbitamente silencioso en el trayecto de retorno al hotel, impaciente de hallarse a solas consigo, de ajustarle las cuentas al ventrílocuo, rescatar su voz antes de que fuera demasiado tarde y el otro, el intruso, impusiera la norma correcta de la tribu, segara el géyser de tu rebeldía, disfrazase la verdad, te convirtiera en zombi.

Valor seminal de una experiencia que, poniéndote en guardia contra la mentira, atajaría el camino hacia el despeñadero : las cosas no ocurrieron al ritmo acelerado en que las cuentas sino con suavidad; mas lo sentido confusamente entonces se aclararía poco a poco, al cabo de unos meses, hasta imponer su cegadora evidencia : entre tú y tu personaje se había instalado el recelo, un margen creciente de extrañeza y, según verificas ahora, al evocar las consecuencias durables de la fisura, un brusco e imperioso afán de autenticidad.

Encrucijada de caminos: como pocas veces en mi vida, había tenido aquel verano la impresión de internarme en un terreno movedizo a partir del cual mi existencia podría bifurcarse, tomar rumbos distintos. Pese a mi total incompetencia tocante a matemáticas y ciencias, acababa de pasar el temible examen de estado y, a lo largo de las que serían mis penúltimas vacaciones en Torrentbó, consideraba las opciones que se abrían ante mí con una mezcla febril de júbilo y aprensión. Sabía que abandonaba para siempre mi cómodo refugio anterior –el cascarón familiar y su prolongación natural, el colegio– y el miedo instintivo al salto en el vacío de mi futura independencia enturbiaba a menudo mi gozosa expectativa de ésta. La indecisión frente a la senda que debía tomar, la conciencia de la necesidad de ganarme la vida a causa de las estrecheces domésticas me atormentaban hasta privarme del sueño. En mis agitados duermevelas, sentía deseos de echarme atrás, acogerme a la irresponsabilidad alegre de la niñez, ocultar la cabeza bajo el ala, guarecerme en el claustro materno. Eran rachas breves, intermi-

tentes, cuya fuerza se había ido apagando en el transcurso del verano conforme se aproximaba la fecha ansiado-
temida de mi ingreso en la universidad. Poco a poco, la
grata certeza de aflojar los lazos con la familia, de distan-
ciarme al fin de mi padre y el mundo opresivo de Pablo
Alcover arramblaron con esas inquietudes. El impulso
que me movía a huir del pasado pesaba más fuerte que la
incertidumbre respecto al porvenir. Faltaban pocos días
para la apertura de las matrículas y vacilaba aún en la
elección de mi carrera. Mis preferencias iban a Filosofía
y Letras, especialmente a sus ramas de historia y literatura, pero los métodos de enseñanza de las mismas que
había tenido ocasión de catar en el colegio me aconseja-
ban obrar con cautela. Las presiones discretas de mi
padre en favor de unos estudios rentables y el ejemplo de
mi hermano mayor me inducían en cambio a escoger
Derecho. Tras haber sopesado cuidadosamente los pros y
los contras, tomé una decisión salomónica: inscribirme
en las dos Facultades. El tiempo y circunstancias, pensaba, zanjarían oportunamente el problema.

En mi resolución un tanto acomodaticia de sacar el
título de abogado intervino con todo un elemento cru-
cial: mi obsesión tenaz de viajar, ver mundo, salir fuera
de España, me había hecho concebir la idea inepta, dis-
paratada de ser diplomático. En unos tiempos en los que
la posesión de un pasaporte y consiguiente posibilidad
de abandonar la Península eran un privilegio celosamente reservado a una minoría, la diplomacia emergía como
una milagrosa panacea, el sésamo ábrete que me permitiría un día vivir en una nación distinta de la mía, conocer otras costumbres y tierras, recorrer en fin aquellos
paisajes y lugares evocados en mis charlas con tío Leopoldo o en las páginas ilustradas de mi leal *Geografía*

pintoresca. Cualquier país me parecía mejor que aquel en el que había vivido hasta entonces y, repitiendo sin saberlo la experiencia de Blanco White un siglo y medio antes, presentía oscuramente que un exilio del mismo, lejos de ser para mí un castigo, sería una bendición. Aunque mi carácter y temperamento actuales se sitúan en el extremo opuesto del temple y maleabilidad exigibles al diplomático, el anhelo subyacente que dictaba la elección era bastante claro. Orgullosamente, había anunciado a mi entorno mi irrevocable composición del futuro: convertirme en una especie de Paul Morand elegante y culto, políglota y brillante, capaz de conjugar su afición personal a la escritura con las amables servidumbres impuestas por su carrera. El hecho de que no conociera otros idiomas fuera de mi empobrecido castellano no entraba siquiera en el ámbito de mis preocupaciones: los estudiaría. Armado de juveniles evidencias, me sentía dispuesto a abarcar una vasta serie de disciplinas sin sacrificar no obstante por ello mi inveterada adicción literaria.

Al pisar por primera vez las aulas y patios del viejo edificio de la universidad no contaba con ningún amigo: los escasos compañeros con quienes intimé en el colegio se habían inscrito en otras Facultades y el puñado de los que estudiaban Leyes conmigo me resultaban indiferentes o extraños. En cuanto a los cursos de Filosofía y Letras, no había hallado en ellos ni una cara conocida. Este aislamiento inicial favorecía mis propósitos de concentrarme enteramente en los estudios. Mi doble matriculación, con sus conflictos de horario, me planteó sin embargo una disyuntiva: ante la imposibilidad de frecuentar todas las clases, decidí asistir en prioridad a las de Derecho y limitarme a seguir los demás cursos en calidad de estudiante «libre». A mi temprana elección había

contribuido sin duda el enfoque rutinario y obtuso de las
clases de literatura: siendo como era mi afición más esencial y profunda, temía, con razón, que una experiencia
desdichada en las aulas me hiciera aborrecer aquello para
lo que justamente estaba hecho, el campo inestimable de
mi vocación e inclinaciones futuras. Mejor concentrarse,
pensaba, en unas materias aburridas e inocuas, con la
perspectiva de ingresar algún día, gracias a ellas, en la Escuela Diplomática que malgastar un tiempo precioso en
un aprendizaje contraproducente y arrojar por la borda
mis eventuales dones de escritor. Con excepción de los
cursos de Vicens Vives y algún otro profesor de asignaturas alejadas de mis intereses, la Facultad de Filosofía y
Letras de la época no podía ofrecerme ningún sustento
intelectual ni moral. La guerra civil, con sus devastadoras
consecuencias, había rebajado a un nivel ínfimo la enseñanza universitaria: nueve años después del final de
aquélla, la mayoría de las cátedras seguían en manos de profesores conformistas y mediocres, escogidos menos por
sus conocimientos o competencia que en virtud de su
fidelidad a los gloriosos principios del Movimiento o el
grado de inclinación servil de su espalda. El mismo
panorama asolador, con las salvedades que luego apunta-
ré, aguardaba a los alumnos inscritos en Derecho, pero
en mi caso me daba igual. Lo que oía o podría oír en las
aulas resbalaba sobre mi piel, lo vivía como algo distante
y ajeno. Habiendo optado por un matrimonio de conveniencia en vez de una pasión quizá desgraciada, disfrutaba de la ventaja de ver las cosas desde la barrera, con un
holgado margen de despego e impasibilidad.

Para quienes no han tenido el triste privilegio de
conocer la universidad española de fines de los cuarenta
–cuando, al disiparse las esperanzas suscitadas por la

victoria de los Aliados, la efervescencia estudiantil había
alcanzado su cota más baja– resulta casi imposible imaginar el estado de indigencia y sopor en el que vegetaba.
Las luchas por reconstituir la FUE eran sólo un vago y
remoto recuerdo: las sucesivas caídas de sus miembros
en manos de la policía habían diezmado paulatinamente
las filas de la organización hasta barrerla del todo.
Cuando me asomé a la Facultad de Derecho el año cuarenta y ocho, nadie manifestaba, ni siquiera en privado,
el menor interés por la política fuera de algún donjuanis-
ta excéntrico como Senillosa y un pequeño núcleo de
falangistas vocingleros, que hablaban sin rebozo de José
Antonio y su presunta revolución traicionada. El Opus
Dei reclutaba activamente simpatizantes y adeptos: algunos viejos conocidos, incluido el hijo mayor de mi tía
Rosario, habían cedido a la asiduidad de su cerco y mira-
ban desde entonces con recelo a quienes, como yo, recha-
zábamos abiertamente su proselitismo. Una simple profesión de agnosticismo religioso bastaba para armar
revuelo: según descubriría pronto a mi costa, ninguno de
mis compañeros de curso había tenido el valor de hacerla. Un conformismo aparentemente unánime en achaques de religión, moral o política juzgaba toda expresión
de disidencia como un desafío o chifladura dignos de
sanción o desprecio. Los opositores silenciosos que
detectaría más tarde –incluidos casi todos en las filas del
catalanismo– compartían a veces, en otros terrenos, los
criterios de la mayoría: recuerdo muy bien el día en que,
por haberme permitido gastar una broma sobre la almi-
barada figura del papa Pacelli, evité por los pelos el pun-
tapié histérico de Albert Manent en dirección a mis inocentes testículos. Los universitarios de promociones
anteriores a la mía política o intelectualmente inquietos

como Castellet, Marsal, Reventós o Manuel Sacristán
habían terminado ya sus estudios de Filosofía o Derecho
o estaban a punto de hacerlo. Alberto Oliart era un pulcro, modesto y siempre sonriente coleccionista de matrículas de honor. Gil de Biedma hacía sus pinitos literarios
y se preparaba a completar sus estudios en Madrid con
miras a su ingreso en el servicio diplomático. Carlos
Barral, no envuelto aún en una de esas vistosas capas que
le convertirían luego en el protagonista ideal de *La venganza de don Mendo,* se emborrachaba ya y escribía versos. De Gabriel y Juan Ferraté no oiría hablar sino años
más tarde. Mi promoción y las que le sucedieron fueron
probablemente las más desmochadas y anodinas de
nuestra miserable posguerra: los últimos rescoldos de
resistencia se habían extinguido en medio del humo y
cenizas de una paz mentirosa y los primeros chispazos de
rebeldía juvenil no habían brotado aún. Mi experiencia
lamentable de los años de colegio se repetía así en la universidad: sin maestros ni orientadores, a menudo sin los
libros que desesperadamente necesitaba –inaccesibles a
causa de la censura o mi ignorancia cruel de otros idiomas–, mi educación intelectual y moral iba a realizarse
de modo aleatorio y a trompicones, a la merced de encuentros, lecturas, conversaciones llevados a cabo fuera
de las aulas. Autodidacta por obra de las circunstancias,
me forjé a solas una cultura desordenada y caprichosa
cuyos efectos arrastré hasta la treintena y de la que no
logré zafarme sino el día en que, alejado ya definitivamente del medio barcelonés y español, empecé a revisar
por mi cuenta los valores y normas que habían regulado
hasta entonces mi vida sin las anteojeras ni prejuicios
inherentes a toda ideología y sistema.

Cuando en fecha reciente, con motivo de una lectura pública de *Makbara,* volví a pisar las aulas, pasillos, galerías interiores del patio de Letras, mi memoria trataba de rescatar penosamente de un magma confuso algunos recuerdos e intantáneas que corroboraran la presencia en los parajes de aquel mozo inquieto, febril, vulnerable, cuya actitud condescendiente e irónica con sus pares, destinada a ocultar en verdad su timidez profunda, le llevaba a usar y abusar, con suficiencia pedante, de las armas de la sabihondez y la paradoja. Curiosamente, no guardo ninguna fotografía de él, como si mi extrañamiento actual del período y afán inconsciente de desentenderme de cuanto entonces hice o pensé me hubieran inducido a desprenderme de las pruebas de nuestra identidad embarazosa. Pues el mozo en el que tan difícilmente me reconozco fui no obstante yo, y la imagen proyectada por él esos años, conservada quizá por quienes después dejaría de frecuentar, había seguido una trayectoria independiente de la mía, como los carismas y poderes del taumaturgo se prolongan a veces por inercia mucho des-

pués de que el perplejo detentador de los mismos haya
perdido la fe en su existencia real.

Zapatos: negros. Color del terno: beige o gris perla.
Un abrigo ajustado y guantes del mismo color que el
traje, como convenía a un futuro diplomático. El muchacho apostado bajo las arcadas del patio, absorto e indiferente al griterío y ajetreo de sus compañeros, lleva consigo una cartera llena de libros en la que los manuales y
apuntes correspondientes al curso se mezclan con novelas y obras de teatro impresas en Buenos Aires. Desde su
salida del colegio se ha convertido en un lector frenético.
Sus autores favoritos son todavía Unamuno y Wilde. El
primero le ha enseñado a plantearse preguntas y alimen-
tar con ellas sus ingenuas zozobras filosóficas. El segundo, el arte de la contradicción humorística e irrespetuo-
sa, de la causticidad puntual del *causeur*. Catolicismo,
moral, jerarquía eclesiástica son la diana predilecta de
sus puyas. Su irreverencia escandaliza y le granjea algunos aprecios y numerosas enemistades. Significativamente, favorece su propensión vanidosa a destacarse, a
sobresalir por su cordialidad e ingenio entre los demás.
Estudia con ahínco y se sitúa desde el principio en el
grupo de los aventajados. Ha revelado con arrogancia a
sus colegas que escribe novelas y, en sus ratos libres,
comienza a aprender el francés.

En general, la exposición de las asignaturas del primer curso de Leyes le aburre, pero vencerá el hastío con
empeño y tenacidad. El rector de la universidad les obli-
ga a memorizar con sonrisa impertérrita veinte defini-
ciones latinas del *jus naturalis* y nuestro joven se somete-
rá a la odiosa prueba sin rechistar. El derecho romano le
resulta más soportable en la medida en que entronca de
algún modo con sus lecturas caseras: de los primeros

césares a Justiniano, sus compiladores emergen aureola-
dos de una antigua familiaridad. La economía política le
interesa: su estudio le ayudará a comprender las relaciones existentes entre sociedad e ideología, su mutua
dependencia e imbricación. Las clases de Luis G. de Val-
deavellano le sorprenden en fin por su claridad y rigor:
algunas malas lenguas le tildan de republicano y el califi-
cativo, lejos de rebajarle a sus ojos, le confiere el prestigio
inherente a lo insólito. En la universidad de entonces es
una *rara avis*.

Los contactos e intercambios de ideas con sus compañeros son más alentadores. Prescindiendo de los
meros estudiosos sin personalidad ni talento, descubrirá
simpatías y afinidades con tres jóvenes inclinados como
él a la lectura: el primero de ellos, Juan Eugenio Morera,
es un ex seminarista que se esfuerza en recobrar el tiempo perdido en un noviciado de jesuitas simultaneando
con disciplina y encarnizadamente los cursos de Derecho
y Filosofía; el segundo, Mariano Castells, un vástago de
una conocida familia barcelonesa cuyo carácter brillante
y desordenado, unido a una avidez de lector sólo compa-
rable a la suya, le seducen y atraen. Aunque el tercero,
Enrique Boada, no manifieste gran entusiasmo en los
estudios, su dandismo y el despego irónico de que hace
gala en las aulas despiertan su atención y curiosidad.
Gracias a Morera, a quien la diferencia de edad con él y
Mariano le concede sobre ellos cierta autoridad moral,
estos últimos asistirán durante unos meses al seminario
de economía de Lucas Beltrán en donde, en una atmósfera cargada de humo de pipa y cigarrillos americanos, se
discute sobre las teorías de Keynes y Schumpeter: como
la participación en las charlas es de rigor, nuestro eventual diplomático y diletante en cierne acariciará la pere-

grina idea de centrar una de ellas en el atípico ensayo de Wilde, *El alma del hombre bajo el socialismo*. Lucas Beltrán expone cautelosamente las diferentes opciones económicas de la sociedad moderna y el nombre de Marx aparecerá por vez primera en las conversaciones de nuestro joven sin ninguno de los términos insultantes que de ordinario le afean. Las obras del Fondo de Cultura, introducidas más o menos clandestinamente de México, circulan de mano en mano y el supuesto brillante opositor a embajadas adquiere buen número de ellas a cuenta de sus futuros estudios. Al mismo tiempo, Morera les ha puesto en relación con un ambicioso y mordaz adjunto de cátedra destinado a escalar pocos años después la cúspide de la jerarquía universitaria: Fabián Estapé vive aún con sus padres en un viejo piso del Paseo de San Juan, no oculta su ateísmo y aversión a la Iglesia e incrementa sus escasos ingresos de auxiliar mediante lecciones particulares de economía política. De común acuerdo, el trío de amigos decide seguir aquéllas y se reúne con él semanalmente en el piso de la abuela de Mariano, en el cruce de Balmes y Gran Vía. Por influencia de Estapé, nuestro joven descubre a Anatole France y devora de un tirón sus *Obras completas* editadas por Aguilar, pero cuya difusión ha sido prohibida por la censura. Las clases de economía ceden paso a menudo a discusiones religiosas o metafísicas que les enfrentan, a él y Estapé, con Juan Eugenio Morera, quien, pese a haber ahorcado el noviciado, mantiene intacta su fidelidad al cristianismo. Mariano vacila, pero acaba inclinándose, con gran contrariedad de Morera, a las tesis agnósticas. A la lectura entreverada de libros de economía, derecho, historia y literatura se agrega poco a poco la de algunas obras filosóficas: Ortega, Croce, Jaspers, Bergson, Kierkegaard. El ansia de saber, de acumular con rapidez el mayor número de conocimientos en la materia fomenta una emulación infantil entre él y Mariano, en la que el progreso intelectual se confundirá a veces con el prurito de adquirir nuevos libros, sobre todo aquellos que, por su inaccesibilidad o rareza convierten el hallazgo en un codiciado y prestigioso título de nobleza. Su pequeña banda –de la que Enrique Boada no forma parte a causa de su indolencia e individualismo– propende espontáneamente a aglutinarse y acoge con reserva o desconfianza cualquier irrupción de extraños. Éstos serán blanco de sus sátiras y, al comprobarlo, algunos compañeros que al comienzo buscan congraciarse con ellos, optarán prudentemente después por mantenerse a distancia. De vez en cuando, el trío y algunos huéspedes ocasionales celebran una suerte de junta destinada a lucir de puertas afuera su erudición y sabiduría: nuestro joven ha preparado una larga y pomposa disertación sobre la política exterior francesa, no sé si «de Talleyrand a Luis Felipe» o «de la Commune a Fachoda» y, con la misma impavidez con que antes asestaba los partos de su ingenio a sus primas, la encajará ahora a sus indulgentes amigos sin ninguna conmiseración. Menos afortunado que él, un argentino ajeno al clan, autor de una obra monumental sobre el espíritu español en la conquista de América inspirada probablemente en las ideas de Maeztu, Morente y Menéndez Pidal –y al que Mariano se ha apresurado a incluir en la categoría infamante de los *pelmas*–, ha tenido la desdichada idea de leerles con gran énfasis y entusiasmo el exordio y algunos capítulos de la misma sin advertir, en su arrebato, las miradas cómplices, arqueos de ceja, muecas, risitas del trío original hasta que el denso y amenazador silencio que sucede a una de sus pausas le convence de la oportunidad de interrumpir su exposición y solicitar el criterio a los reunidos: uno tras otro, sus jueces implacables le abrumarán con comentarios sarcásticos sobre el estilo, composición, opiniones y propósito general del libro, dejándole sumido en un estado de total abatimiento y perplejidad. En un esfuerzo desesperado por romper el cerco, viendo un juego de naipes sobre la mesa del despacho en que se hallan, la víctima propondrá una pausa a las críticas: jugar una partida de monte. La cabra siempre tira al monte, comenta irónicamente Mariano. El argentino aguanta el golpe con entereza de ánimo mientras nuestro héroe y sus amigos se regocijan puerilmente de su victoria cruel. La creencia en la propia superioridad legitima a sus ojos su dureza y actitud de perdonavidas. Esta filosofía elitista, embebida de desprecio a quienes juzgan de un nivel inferior, les concede la licencia de adoptar, por razones de interés, una conducta oportunista y lisonjera con los profesores: visitas o consultas privadas a catedráticos so pretexto de ampliar estudios, organización de un almuerzo de homenaje en nombre de un grupo de «alumnos distinguidos». El arribismo de que dan muestra se ennoblece, es verdad, con la referencia a Maquiavelo: Mariano y nuestro joven son por estas fechas devotos admiradores de *El príncipe*. Dicha estrategia fría y cínica, unida al empeño y seriedad que ponen en sus estudios, obtendrá su recompensa al final del curso: llegado el momento de los exámenes, Morera, Mariano y él conseguirán matrícula de honor en la casi totalidad de las asignaturas.

La breve evocación de los primeros pasos en la universidad de mi homónimo de hace treinta y cinco años me produce una impresión de estupor semejante a la que sentiría, imagino, un docto profesor universitario espe-

cialista en Calderón o los presocráticos si, al caminar por
los pasillos del metro más cercano a su hogar, tropezara
con una hilera de pósters con el retrato juvenil de sí
mismo anunciando con sonrisa y bigotito un champú
natural proteínico o un níveo, suave y casi acariciante
jabón de afeitar. ¿Sonambulismo? ¿Ofuscación? ¿Pesadilla? Digamos mejor incredulidad teñida de tristeza ante
la total contradicción del personaje con lo que luego se-
rías. Una duda sorda sobre tu identidad posterior a la
infancia y la existencia real de aquel período absurdo
escolta insidiosamente tus pasos al aula magna en donde
minutos después debes iniciar tu lectura.

¿Es función de la memoria involuntaria conservar las impresiones soterradas que el mecanismo del recuerdo destruye? : la hipótesis freudiana, atribuyendo al último una acción canibalesca, depredadora respecto a los vestigios de un pasado sepulto, ¿no condena acaso tu ingenuo proyecto en razón de sus posibles resultados opuestos al fin perseguido? : la lenta sedimentación de los años, estratos de cuanto vegetaba en semiolvido fecundo, sería en tal caso objeto de un pillaje organizado cuyos propósitos estructuradores no compensarían sino al contrario la devastadora manipulación : enfrentado a la crudeza de la teoría no tienes más remedio que admitir su contaminadora sospecha : la tarea que tan confiadamente emprendieras, aquella resolución brusca de no permitir que tu vida, experiencia, emociones, lo que eres y has sido desaparecieran contigo se ha ido transformando poco a poco en un terreno plagado de redes y asechanzas que te obligan a andar con cautela, volver atrás la cabeza, poner en tela de juicio la exactitud de tus versiones, someterlas a la prueba de una confrontación con otros testigos, recurrir a documentos escritos que

de algún modo corrigen o alteran su laboriosa reconstrucción : como los sueños contados en el momento de desper-
tarse a fin de que no se borren de la memoria se modifican
en seguida y pierden su aroma, así la fidelidad de la impresión que evocas exige una dosis prudencial de recelo : tu
personalidad aleatoria de aquellos años, con sus rasgos a
menudo antitéticos, propicia la tentación de otorgarle una
posterior coherencia que, pese a su verdad teleológica,
sería una forma sutil de traición.

Afortunadamente, no todas las facetas y rasgos del joven que fui me parecen hoy remotos o antipáticos. Mi extremada pasión por la lectura y la firme decisión veinteañera de poner en tela de juicio las normas y valores del medio social en el que me crié, contenían el germen de mi ruptura posterior con aquél y una aspiración todavía confusa a nuevas y más auténticas formas de existencia. Encerrado en mi habitación de Pablo Alcover, permanecía a menudo en vela hasta la madrugada recorriendo escrupulosamente los libros franceses de la biblioteca de mi madre o devorando centenares de páginas de Dostoievski, Poe, Conrad, Pirandello o Bernard Shaw. La elección de estos autores era en mi caso, como en Mariano, producto de la casualidad. Apurando al último céntimo el dinero de que disponíamos, espulgábamos juntos las librerías de lance de la calle de Aribau en busca de la posible ganga o el raro y fabuloso ejemplar. Los libros impresos en la anteguerra, en especial en los años de la República, eran objeto asiduo de nuestras correrías: volúmenes en rústica de la editorial Cenit, apolilladas traducciones de D'Annunzio, Maeterlinck o Andreiev. Cuando el venero de obras singulares o extrañas parecía a punto de agotarse, Mariano, valiéndose de sus conexiones familiares, me facilitó la entrada a la trastienda de publicaciones prohibidas de dos o tres librerías. Allí, temblando de excitación, mi amigo y yo habíamos escudriñado los anaqueles y rimeros en donde se alineaban o amontonaban aquéllas, deslumbrados por la increíble plétora de autores y títulos que conocíamos sólo de oídas y cuya asimilación, según presentíamos, sería indispensable a nuestra correcta formación intelectual: Proust, Kafka, Malraux, Gide, Camus, Sartre. Para satisfacer mis crecientes gastos de librería, tuve que recurrir a la piadosa estratagema de convencer a mi padre de que se trataba de obras jurídicas de consulta, indispensables al éxito de mi carrera. En casa, ocultaba mis adquisiciones en diferentes y a menudo ingeniosos escondrijos, temiendo que mi hermana las descubriese y me reprochara la lectura y posesión de volúmenes incluidos en el Índice de libros prohibidos: por entonces, seguía manteniendo la ficción de un catolicismo de fachada y los domingos, acompañado muy pronto de Luis, salía a dar vueltas por el barrio simulando cumplir con el precepto de oír misa. La obligada furtividad de mis calas –la conciencia gozosa de adentrarme en zonas vedadas– infundía a la lectura un cosquilleo de excitación y estímulo que sólo quienes hayan bebido como yo de esas aguas pueden comprender de modo justo. Las consecuencias de este descubrimiento precoz influirían beneficiosamente en mi vida: la noción de placer, asociada en mi fuero interior a las de clandestinidad y transgresión, abriría más tarde el camino a la gradual, reticente, laboriosa aceptación de otros impulsos más escondidos e íntimos.

La relativa tolerancia de las autoridades franquistas con los autores juzgados «menos peligrosos» les permitía hacer la vista gorda sobre la difusión bajo mano de sus obras: aunque su representación estaba prohibida, los dramas de Lorca editados por Losada habían comenzado a aparecer discretamente en los estantes de algunas librerías; Ortega y Baroja eran duramente censurados en los medios eclesiásticos, pero se les podía leer. Otros escritores más conflictivos seguían en cambio en las listas negras del Régimen y el acceso directo a sus escritos resultaba poco menos que imposible. Durante el primer curso de universidad, un compañero aficionado a la poesía me había pasado copias mecanografiadas de poemas de Alberti: esa especie de *samizdat* no reproducía, como un lector de hoy podría sospechar, sus versos comprometidos de *Entre el clavel y la espada* o algún inflamado poema de guerra, sino inocentes composiciones de *Marinero en tierra* y *Sobre los ángeles*. La dificultad de acercarse a la obra de los intelectuales que habían tomado partido contra Franco, transmutaba la operación de leer en prodigiosa aventura. La afirmación paradójica de Italo Calvino de que los regímenes autoritarios y represivos son los únicos que toman en serio a la literatura al atribuirle unos poderes subversivos que desdichadamente no tiene e intentar de modo ingenuo entorpecer su lectura, encierra en mi opinión una gran dosis de verdad. Los mejores lectores de una obra, ayer en España, hoy en la URSS y países del bloque soviético, han sido y serán los subrepticios: quienes por penetrar en ella arriesgan pagar un precio muy alto y aceptan con todo el desafío, exorcizan paulatinamente el temor. Frente a una vivencia de este orden, las facilidades otorgadas al lector en las sociedades abiertas rebajan necesariamente la intensidad de su experiencia: no es lo mismo introducirse a escondidas en un harén religioso o profano con la excitante idea de una intriga plagada de peligros que escoger sin ninguna clase de apremio entre las docenas de pupilas consintientes de una casa de trato. A pique de escandalizar a más de uno, sostengo y he sostenido siempre que mis calas más agitadas y fértiles fueron aquellas que realicé en la juventud, ya con la vaga impresión de incurrir en un acto delictivo, ya con la certeza de una deleitosa y turbadora profanación. No estoy hablando, claro está, del nivel o calidad de las obras sino de las emociones que, independientemente de aquéllas, enriquecieron mi lectura. Mientras la adquisición de los libros que buscaba me impuso una serie de sacrificios y obstáculos –tanto por el precio prohibitivo a que se vendían como por la dificultad en encontrarlos–, los coleccioné amorosamente hasta formar una modesta, pero meritoria biblioteca. Cuando a raíz de mi instalación definitiva en París pude obtener sin esfuerzo, gracias al puesto que ocupaba Monique Lange en Gallimard, la totalidad de las obras que deseaba, su conocimiento perdió misteriosamente algo de su valor y, renunciando a mis ínfulas de coleccionista, dejé de interesarme en su posesión, no dudando en desprenderme de ellas ni regalarlas con un desasimiento que hubiera juzgado inconcebible sólo unos años antes. Esta mengua de mi instinto de propiedad tocante a los bienes culturales –libros, discos, grabados y otros objetos más o menos artísticos– se convertiría desde entonces en un rasgo perdurable de mi carácter. Sin llegar al ascetismo monacal de un Genet, hoy me es más cómodo y fácil vivir sin el vistoso arropamiento cultural con el que se envuelve la mayoría de escritores que conozco. Los libros me atraen únicamente por su contenido y los tomo por obje-

to de consumo inmediato: una vez leídos me estorban y
no me importa deshacerme de ellos, a reserva de volver a
comprarlos el día en el que por una razón u otra me sean
aún necesarios.

En la España en la que me tocó vivir de joven, procurarse las obras de Orwell o Bernanos, Vallejo o Neruda
era patrimonio exclusivo de unos cuantos: como con las
drogas finas de hoy, el candidato a la lectura de aquéllas
requería a la vez dinero, conexiones y paciencia. Cuando
alguno de nosotros lograba echar mano a algún ejemplar
valioso, éste, una vez leído, circulaba en seguida dentro
de nuestro circuito de amigos. Aunque el trío formado
por Mariano, Morera y yo no admitía intrusos en sus discusiones más íntimas, nos reuníamos a veces en un café
de la Ronda de la Universidad a intercambiar opiniones
sobre libros y autores con una docena de estudiantes.
Esas tertulias eran informales y cualquier miembro de
ellas podía hacer uso de la palabra. Recuerdo muy bien la
velada en que uno de los participantes resumió su reciente lectura de *Le deuxième sexe* y los demás, encabezados
por Morera, se apresuraron a rebatir con argumentos un
tanto pedestres la entonces audaz y novedosa exposición
de teorías feministas. Enrique Boada, aunque objeto de
una tenaz suspicacia por parte de Mariano, asistía a estos
encuentros y defendía conmigo, frente a los otros, una
concepción exclusivamente hedonista de la vida: la estética, pretendíamos, se hallaba por encima de la moral y
no debía dar cuentas a ésta. La lectura de Thomas de
Quincey, descubierto por Mariano, aportaba nuevos, efi-
caces y a veces insólitos argumentos a mi apasionada
defensa del arte por el arte. Si bien nadie sostenía aún en
aquel momento la doctrina del valor social de la obra
literaria –ninguno de nosotros había oído hablar de

Lukács ni del funesto catecismo de Politzer–, el extremismo de nuestras posiciones chocaba de frente con Morera y su justificación de los valores morales. Otras veces la tertulia había sido testigo de lances curiosos, destinados a avivar la monotonía de algunas discusiones con una imprevista nota de color. Una noche, un estudiante matriculado en uno de los cursos superiores, a quien conocía de vista del colegio de los jesuitas, leyó un texto sugestivo y muy bien escrito sobre la presencia del *duende* en la poesía andaluza. Su intervención fue bien acogida y mereció la felicitación de todos. No obstante, al hojear con Mariano días más tarde el último volumen de Lorca venido de Buenos Aires, descubrimos primero con asombro y luego cierta excitación perversa, que el pasaje que tanto nos gustara figuraba íntegramente en él. Deseosos de vengar nuestras tragaderas y castigar la superchería, convocamos a la siguiente reunión al culpable del plagio y lo expusimos a la vergüenza pública. El incidente, y la violencia que creó entre nosotros, puso fin, al menos durante un lapso, a nuestras tertulias. La cercanía de los exámenes y el consiguiente apuro de tiempo, contribuyó también según creo a dicha suspensión.

Las discusiones literarias más serias tenían lugar con todo en casa de Mariano. Allí, junto a la bella, espaciosa y bien dispuesta biblioteca de su habitación, los libros objeto de nuestras *razzias* eran leídos, comentados, discutidos con detenimiento y pasión. Mi amigo no se veía obligado como yo a disimular en algún escondrijo las obras juzgadas anticatólicas o inmorales. Sus padres eran sumamente tolerantes y, según descubrí luego, la madre, aunque firme partidaria del orden social instaurado por el Régimen, compartía nuestra postura tocante a la reli-

gión. Ésta cumplía a sus ojos una función moderadora y
útil: mantener a las clases bajas en su lugar con la promesa de una mirífica recompensa futura. A causa de ello iba
a misa con su marido aunque interiormente consideraba
la ceremonia hueca e insustancial. Con habilidad y pers-
picacia notables, concedía a su único hijo un amplio
margen de movimientos, confiando en que sabría utili-
zarlo con tino para sobresalir en inteligencia y cultura en
un ambiente que ella misma conceptuaba de asoladora
mediocridad.

Los balcones delanteros de la casa de Mariano daban
directamente al mercado del Borne: el barrio había perdido desde hacía décadas su índole residencial, pero el
tráfico y ajetreo de la compraventa le infundía de día
como de noche intensa vida y actividad. Su apartamento,
atestado de muebles y objetos valiosos conservados con
esmero, contrastaba de modo abrupto con la imagen de
ruina y abandono de la torre de Pablo Alcover. La presencia de una mujer, su madre, acentuaba cruelmente el
vacío dejado por la desaparición de la nuestra. Mariano
se movía en su territorio con modestia y naturalidad.
Aunque su posición social era superior a la mía tenía la
elegancia de no hacérmelo notar. En su casa probé por
primera vez desde la guerra uno de esos panecillos de
Viena que mi madre me servía, de niño, en el desayuno:
acostumbrado al producto amazacotado que aún consu-
míamos en casa, la diferencia me abochornó. Su abuelo
era además un célebre coleccionista de obras de arte:
vivía en las plantas inferiores del inmueble de mi amigo
en una especie de museo que visité en más de una ocasión. En él, las estatuas y tallas románicas alternaban con
numerosos cuadros de pintores catalanes de la época de
los *Quatre Gats:* un pequeño salón privado estaba ente-

ramente decorado con murales de Nonelí. El medio artístico y cultural en el que se educó mi amigo creaba una atmósfera propicia al desarrollo de sus gustos y había contribuido decisivamente a su temprana, pero firme resolución de ser escritor.

Mariano me había confiado su secreto al comienzo de nuestra amistad y la confidencia recíproca había sellado un pacto solemne entre ambos: los estudios de Derecho que seguíamos no serían sino un medio de ganar tiempo con nuestras familias, una suerte de pantalla destinada a encubrir temporalmente nuestra verdadera vocación. Acabábamos de descubrir *La metamorfosis* y *La náusea* y, en plena rebeldía existencial y metafísica, no vislumbrábamos otra salida a nuestras dudas e inquietudes que a través de la creación. Los dos íbamos a ser grandes novelistas, de la talla y alcance de los que rendidamente admirábamos. Para llegar al nivel de nuestros modelos debíamos consagrarnos por entero a la empresa, encauzar la totalidad de las energías a la realización de la obra futura. Embriagados con la lectura de Quincey, Baudelaire y Huysmans aspirábamos a vivir sin otra regla de conducta que la busca de sensaciones y experiencias propicias a la génesis literaria y artística. El alcohol, las drogas, los vicios más refinados y exquisitos serían nuestra escuela. Curar el alma por medio de los sentidos y los sentidos por medio del alma, aconsejaba Wilde. Pero mientras repetíamos la fórmula como un conjuro, nos manteníamos perfectamente sobrios y castos. Nuestra defensa de todos los vicios y perversiones, pregonada a los cuatro vientos, era tan sólo teórica. Las hazañas crueles de Maldoror, diametralmente opuestas a la moral insípida del cristianismo, nos arrebataban de entusiasmo. Queríamos ser despiadados, malignos, extravagantes, exhibir un estilo de vida morboso y original. Sin embargo, fuera de la actitud irónica y despectiva que asumíamos con el común de los estudiantes, nos guardábamos muy bien de poner nuestras ideas en práctica. Ni Mariano ni yo nos habíamos asomado aún a ningún prostíbulo ni tan siquiera nos habíamos emborrachado. Poseídos de la fiebre de la literatura, levitábamos serenamente en los límites de nuestro reino, en un delicioso estado de embaimiento y fervor.

A consecuencia de este enfoque y su correspondiente modificación de prioridades, el celo que había puesto en los estudios decayó. Las asignaturas del segundo curso de Derecho me abrumaban con su densidad insoportable y, poco a poco, empecé a desentenderme de ellas. Sin darles aún carpetazo definitivo por no alarmar a mi padre, dejé con todo de ser el estudiante modelo, oportunista y servil con los profesores que había sido meses atrás. La misma idea de ingresar en el cuerpo diplomático perdió su relumbre anterior: conforme transcurría el tiempo y me afirmaba en la convicción de emular un día a Gide y Baudelaire llegué a la saludable conclusión de que no estaba hecho para aquél. El cambio que señalo no se produjo de modo brusco y gracias a los conocimientos adquiridos y el prestigio ganado el primer año, pude cubrir el expediente y salirme de apuros. Ello tenía la ventaja de procurarme un año de respiro: el tiempo de, so pretexto de proseguir mis estudios de abogado, realizar la gran obra literaria que *a posteriori* me justificaría.

Mi alejamiento gradual de las aulas me acercó en cambio a dos estudiantes a quienes mi precedente dedicación a los cursos y adulación a los catedráticos me habían impedido tratar con mayor intimidad: Enrique Boada –ya mencionado antes– y Carlos Cortés. El primero había asistido con indulgencia y reserva a mi brillante, pero efímera carrera de coleccionista de matrículas de honor: dotado naturalmente de una indolencia aristocrática, aceptaba de buen grado los reproches de Mariano cuando, celoso tal vez de mi estima por él, le motejaba de veleidoso y frívolo. Las aficiones de Boada en el campo artístico eran mucho más amplias que las mías: abarcaban música, baile, pintura, actos y manifestaciones de vanguardia. Iba a la ópera con sus padres y consiguió arrastrarme alguna vez a las escasas representaciones de teatro de cámara toleradas por la censura. Como Mariano y yo, afrontaba un problema de identidad cuyas crisis y bruscos bandazos no tardarían en llenarme de desconcierto. Por entonces, se contentaba con permanecer las noches en vela, escuchando música y salir al amanecer en automóvil para recorrer velozmente las calles desiertas de la ciudad. Carlos Cortés aparecía sólo ocasionalmente por el patio de Letras y me fue presentado por un amigo común antes de que yo renunciara del todo a mi empeño en los cursos: vestía de un modo inconformista y excéntrico, con una pajarita de color rojo que acentuaba su aspecto bohemio, agradablemente distinto del de los demás. Era un lector empedernido como yo y, a fin de subvencionar su adicción, se dedicaba, como los camellos de hoy, a la compraventa de libros de literatura. Él puso en mis manos, por primera vez, la poesía de Blake en una traducción catalana de antes de la guerra y me incitó a leer *Demian* y *Las cuevas del Vaticano*. Su pasión por Gide y Herman Hesse resultó contagiosa y, a causa de ella, no paré hasta conseguir la totalidad de sus obras. Cortés no era como mis demás amigos, un hijo de papá: las estrecheces domésticas y su negativa a seguir estudios rentables le obligaban a vivir a salto de mata, del difícil y aleatorio negocio de los libros. Frecuentaba los tugurios de la Barceloneta y Barrio Chino, acudía al patio de Letras borracho y profesaba a los futuros picapleitos una aversión visceral. De una manera un tanto provocadora, me había informado de que era judío –su familia paterna pertenecía en realidad a la comunidad chueta mallorquina– y su desprecio a los tabús y convenciones sociales me impresionó fuertemente. Desde un principio había intentado iniciarme en los misterios de una vida que Morera calificaba de disoluta: esas *tardes de lepra,* como el propio Cortés las bautizaba, consagradas al alcohol y las putas. Yo desconocía del todo la vida barcelonesa extramuros del medio bienpensante y burgués en el que me movía, pero un reflejo pusilánime y precavido, del que tardaría aún en zafarme, me hizo resistir y perder lo que hoy juzgo un tiempo precioso. El miedo entonces informulable a poner a prueba mis sentidos, unido al propósito ingenuo de reservar mis fuerzas a la consecución de la obra maestra con la que un día asombraría al mundo, dieron al traste con aquella primera ocasión de conformar mi conducta a mis palabras y desprenderme del rígido corsé de censuras interiores que, pese a mis maneras y actitudes de joven liberado y experto, me oprimía e inmovilizaba. Sólo dos años más tarde, en Madrid –y a salvo por tanto de las inhibiciones creadas por la cercanía de testigos– tendría el valor de afrontar la experiencia adulta que tan neciamente rechacé entonces: descubrir de golpe alcohol, prostíbulos, barrios bajos, cafetines que abren de madrugada y junto a ello, en la espesura algodonosa de una nueva y tenaz realidad, la aspirina y el café amargo para combatir la resaca.

M is conversaciones con Mariano se habían ido concentrando con el tiempo en un tema único, casi obsesivo: la realización de nuestra obra, de esa futura obra cuyo alumbramiento nos izaría de golpe a las cumbres de la fama, si no de la inmortalidad. Los dos afirmábamos estar trabajando en ella y en mi caso era cierto: en aquel otoño de 1950 había reanudado mi vieja afición a componer novelas y emborronaba de nuevo docenas de cuartillas fuertemente influido por los dioses del momento, Gide y Herman Hesse. Escribía por las tardes, en mi habitación, ocultando dolosamente los manuscritos tras una pila de libros de Derecho: mi padre asomaba de vez en cuando por la puerta su perfil de aguilucho a fin de cerciorarse de mi aplicación en los estudios y la concentración y entusiasmo que descubría disipaban sus dudas y reconfortaban su ánimo. El Derecho Civil debe de ser muy interesante, ¿verdad, hijo?, musitaba antes de eclipsarse; y yo, fingiendo salir de un profundo ensimismamiento en los minuciosos requisitos del dominio enfitéutico, afirmaba que sí, que efectivamente lo era. Mi novela avanzaba a buen paso, pero la misma facilidad con que la escribía, producto de un insidioso mimetismo inconsciente, me llenaba a momentos de inquietud. Sabía que mi castellano barcelonés adolecía de imprecisión y pobreza y, obligado de continuo a hacer uso del diccionario, incurría en aquel estilo un tanto libresco, rígido y envarado que, en mayor o menor grado, afecta la prosa de mis primeras novelas. El tema, por su parte, tampoco acababa de convencerme: la decadencia material, física y moral de una familia, vista a través de un adolescente refinado y perverso, traslucía en exceso el impacto de mis lecturas. Con todo, el temor a someterme al juicio de los demás y afrontar sus opiniones negativas, me aconsejaba proseguir el trabajo hasta concluirlo y evitar la posible tentación de arrumbarlo a la mitad. Mariano era mi único confidente y a menudo discutía con él del contenido del libro. La emulación existente entre nosotros nos había vuelto mutuamente exigentes. Mi obra debía estar a la altura de las que más admirábamos –*Les nourritures terrestres, El lobo estepario*– o ser arrojada al cesto de los papeles. Convencidos como estábamos de obtener un día la gloria literaria, no podíamos desbaratar nuestro objetivo con prisas nocivas ni permitirnos el fracaso ni la mediocridad. Más radical que yo, Mariano aspiraba a escribir una obra única, tan absolutamente perfecta que, para evitar su profanación por miradas ajenas, se vería precisado a destruir una vez acabada: un acto sublime de aniquilación por amor, añadía, que un Creador más responsable y consciente que el nuestro tendría que haber reservado al universo en vez de legarnos su lamentable chapuza. A medida que pasaban los meses, mi amigo hablaba con exaltación creciente de aquella obra suya que, severa, implacablemente había predestinado a las llamas. La redactaba de noche, después de haber bebido unas copas para entonarse: la escritura se producía entonces de modo automático, sin necesidad de correcciones ni tachaduras. Yo sentía, claro está, una gran curiosidad por conocerla; pero Mariano no mostraba premura alguna en leerme las hojas de caligrafía apretada en las que condensaba sus emociones, sentimientos e ideas. En su reticencia había probablemente una mezcla de coquetería y aprensión: deseos de mantener mi atención en vilo y, a la vez, miedo a defraudarme. Un día en que le confesé mi desánimo tocante a mi propia novela –maleada por descuidos de expresión, escenas inmaduras, personajes mal trazados, influencias no asimiladas del todo– conseguí que me leyera una página de la suya: un texto, escrito en primera persona, que asumía la voz de la Maja Desnuda, pero cuya redacción desmañada e infantilismo me consternaron. Mariano interrumpió en seguida la lectura, como si hubiera adivinado mis pensamientos, y no solicitó mi opinión. Yo tampoco me atreví a dársela y, si bien el episodio pareció caer en el olvido, abrió por primera vez, según pude advertir más tarde, una brecha en nuestra amistad: Mariano no me volvió a mencionar su obra y dejó de interesarse en el esquema y desenvolvimiento de la mía. Seguimos hablando de literatura y los libros que nos impresionaban; no obstante, la anterior certidumbre en nuestro excepcional y luminoso talento se desvaneció.

Mientras la duda sobre el valor de lo que hacíamos ponía fin a nuestro dúo exaltado, comenzamos a sentir necesidad de relacionarnos con otros escritores noveles, intercambiar ideas con ellos, conocer sus trabajos. Ante la imposibilidad de encontrar en nuestro curso a alguien a la altura de nuestras exigencias, decidimos espigar en las promociones anteriores. Sabíamos por Estapé –a quien seguimos frecuentando pese a nuestro alejamiento de las aulas– que Alberto Oliart había escrito una novela titulada *Ráfagas* con la que aspiraba a ganar el premio Nadal: Estapé pretendía haberla hojeado y no ahorraba sus sarcasmos sobre ella. Nos aconsejó, en cambio, la relación con Jaime Gil de Biedma, autor de un poema que merecía los elogios del futuro rector; éste, con indiscreción juguetona, se había apresurado a informarnos de la particularidad amorosa del mismo: leedlo despacio y comprenderéis, decía con una sonrisa. Pero Gil de Biedma se disculpó invocando los estudios de fin de carrera y no pudimos asociarlo al proyecto. Por fortuna, Luis Carandell y Mario Lacruz, dos universitarios de la promoción de José Agustín, a los que había conocido a través de él antes de que mi hermano se decidiera a sacar la licenciatura de Derecho en Madrid, compartían nuestras aficiones e intereses y buscaban también una plataforma para darse a conocer. La idea de reunirnos periódicamente a leer nuestros trabajos y discutirlos en público fue bien acogida por ellos y otras personas con las que consultamos. Alguien sugirió la conveniencia de invitar igualmente a escritores consagrados o al menos con alguna obra impresa a fin de dar mayor realce a nuestras reuniones. Asesorados, si mal no recuerdo, con Carandell y Estapé, elaboramos la lista de eventuales participantes y nos pusimos en contacto con ellos.

Hasta entonces, los únicos escritores de carne y hueso con quienes había tropezado eran Sebastián Juan Arbó y Ana María Matute. El primero vivía cerca de casa, en el barrio de las Tres Torres y solía trabajar en los cafés: por la mañana, en el difunto Oro del Rhin y las tardes en otro, asimismo desaparecido hoy, que había en el chaflán

de Aragón y Paseo de Gracia. Arbó era un hombre de
mediana edad, amable, modesto, cuyas maneras un tanto
torpes revelaban su origen campesino, una estampa que
no cuadraba en absoluto con la que me había formado de
un escritor: imaginaba a éste de aspecto señorial y distante, altivo y con un toque perverso, una combinación
brillante y moderna de Des Esseintes y Dorian Gray.
Arbó, con quien me cruzaba a menudo en la línea del
metro de Sarrià, se había mostrado siempre atento y
afectuoso conmigo, pero su traza vulgar, acento de pueblo y el infortunado relato de una reciente visita suya al
Colegio de México en la Ciudad Universitaria de París,
con su fascinación candorosa por la libertad de que hacían gala las estudiantas francesas y la conducta faunesca
de su paisano Palau Fabre, me inducían a juzgarlo arro-
gantemente con desdén y severidad. Estaba convencido
de que el genio del verdadero escritor debía deducirse no
sólo de su obra sino de su figura y atuendo y me pregun-
taba con cierta angustia si yo mismo lograría algún día la
exquisita aleación de bohemio y dandi que descubriría
mi ínsita grandeza a los demás. Inútil precisar que esta
creencia narcisista y provinciana en el aura inconfundible y gloriosa del poeta, bastante extendida aún en
España, me causa hoy verdadera revulsión. Cuando años
más tarde escribía «genio y figura hasta la sepultura:
cuanto más genio, más figura: cuanto más figura, más
genio», la ironía julianesca no apuntaba solamente a la obs-
tinada confusión de gran número de colegas sino a la del
joven aspirante a figurón que fui yo. El continuo afán de
representar, robar luz, jugar al personaje importante,
convierte en verdad a la tribu literaria hispana en un
agregado de farándula y guardarropía: collares, gatos,
puños de bastón, chinelas argénteas, gorras capitanas,

poses sabihondas, barbas de viejo lobo de mar cultivador de prosas anfibias. Si comparo la mímica, chulería y desplantes de los barítonos y tenores del día con la sencillez, pudor y reserva de un Genet y otros escritores a quienes tuve ocasión de frecuentar o conocer simplemente de vista, el contraste me abochorna y fortalece mi decisión de mantenerme al margen de la escena y el exhibicionismo reinante: ser ese moro de París, retraído y huraño, entregado al ejercicio tenaz de sus inconfesables manías. Añadiré en mi propio cargo que, pese a mis ideas de entonces sobre el porte y modales del artista, transmití la invitación a Arbó: pero él, desconfiando quizá del joven *amateur* que disfrazaba su condescendencia con obsequiosidad oportunista, rehusó alegando un exceso de trabajo y sus escasas aficiones noctívagas.

Mi relación con Ana María Matute fue, de entrada, distinta. La conocía también del metro de Sarrià y dos de sus hermanos habían estudiado conmigo en los jesuitas: los recuerdo muy bien, vestidos de monaguillo, con una capa de seda roja y brillante, ribeteada de armiño falso. Ana María era por estas fechas una mujer muy joven y bella: había publicado ya una novela y escribía otras que, según se rumoreaba, planteaban graves problemas de censura. Yo la admiraba en silencio, sin atreverme a dirigirle la palabra, hasta que un amigo común nos presentó. Su voz cálida y dulce, la llaneza y modestia de su trato ganaron en seguida mi simpatía y afecto. Cuando le expuse el proyecto de nuestra tertulia, lo apoyó generosamente: conocía y apreciaba a Mario Lacruz y prometió asistir a nuestros encuentros.

El núcleo inicial de los que lanzamos la tertulia del Turia contó pronto con nuevos valedores: el más entusiasta de ellos fue sin duda un autor y director teatral de cierto renombre, lleno de proyectos de animación cultural y con mayor experiencia que nosotros en materias organizativas. Me sería imposible aclarar ahora por quién nos fue introducido y cómo ganó nuestra confianza. El dramaturgo –un hombre nervioso y enjuto, de una cuarentena de años– tenía una presencia agradable y manifestaba por nosotros cordialidad y simpatía. En los medios teatrales se le tildaba de homosexual, pero Carandell y Lacruz estaban convencidos de que se trataba de una mera pose artística: el inocente pigmalionismo de alguien ansioso de formar espiritualmente a los jóvenes y enriquecerse a su vez de su compañía refrescante y lozana. Nuestro nuevo amigo demostraba en cualquier caso un genuino interés por nuestros primeros y vacilantes pasos en el ámbito de la escritura adulta: nos leía, censuraba, corregía, animaba; devolvía las páginas que tímidamente sometíamos a su juicio con comentarios y apostillas manuscritos en los que nos reprochaba a menudo, creo recordar, el intelectualismo y falta de ternura. De común acuerdo, habíamos convenido en arropar nuestra convocatoria de autores en cierne y casi desconocidos con un nombre clásico y prestigioso, Mediterráneo, que a todos satisfacía. Mandamos imprimir tarjetas de invitación al acto inaugural, pero el grabado que debía figurar en las mismas ocasionó problemas: nuestro nuevo amigo proponía un atleta de Fidias mientras Mario Lacruz y Carandell insistían en que fuera una Venus, símbolo de la fecundidad. Tras una serie de discusiones eruditas, los últimos impusieron su criterio y la cartulina con el grabado de Venus fue enviada por correo a un centenar de amigos, escritores y simples aficionados a la literatura.

No me propongo trazar la efímera historia de nuestra tertulia ni de la presencia en ella de personas tan dispares como Barral, Oliart, Díaz Plaja y Salvador Espriu. Allí se rindió un insólito homenaje a André Gide, con motivo de su fallecimiento y se celebró un concurso de cuentos leídos por sus propios autores, al que yo concurrí con dos textos breves y que fue ganado, en votación a mano alzada, por Ana María Matute. La narración de ésta y mi relato *El ladrón* serían publicados meses más tarde en una revista literaria subvencionada por un asiduo a la tertulia, un marino poeta que escribía quejumbrosos versos sobre la condición humana en el refugio y soledad de su barco, atracado, al parecer, en los muelles del Sena. Este primer texto impreso, en lugar de halagar mi vanidad, me produjo desconsuelo: bruscamente enfrentado a la endeblez y escaso aliento de mi inventiva, descubrí que andaba muy lejos de aquel genio creador al que aspiraba y que, a raíz de mis conversaciones con Mariano, había creído ingenuamente poseer.

En el curso de aquellas semanas –febrero y marzo del cincuenta y uno–, el dramaturgo había estrechado sus vínculos con nosotros: con una curiosidad no exenta de segundas intenciones –el deseo de poner a prueba su limpieza de miras respecto al grupo–, mi hermano José Agustín y yo pasamos un fin de semana con él en una pensión de Llafranc. Pero ya fuera por cautela, ya por falta de afición a confesarse, nuestro amigo se mantuvo en guardia, sorteando las trampas verbales que, maliciosamente, José Agustín le tendía. Su naturaleza de educador abierto y refinado, de una especie de Tiresias casto, admirador de la noble, juvenil hermosura empezaba a obtener crédito entre todos cuando sobrevino un incidente que no sólo dio al traste con dicha imagen sino que precipitó el final de nuestra flamante tertulia.

Una noche, Mariano se presentó en casa en un estado de gran excitación. Había salido a pasear a solas con el dramaturgo por los jardines de Montjuïc, me dijo: una charla amistosa sobre vida y literatura hasta el momento en que su acompañante, en la creencia errónea de haber despejado el terreno con citas de Platón y referencias a Gide, intentó pasar, ante el horror y sorpresa suyos, de las palabras a los hechos. La ligereza de Mariano en el asunto y su afán de hacerse admirar por un hombre ducho en el campo del arte y la literatura, habían desempeñado sin duda un papel no desdeñable en el malhadado desliz: mi amigo necesitaba de alguien que creyera a pies juntillas en el genio de la obra que proyectaba y desengañado de mí a causa de la frialdad de mi reacción, imaginaba haber encontrado un sustituto en la persona de nuestro mentor. La escena podría haber sido cómica de no mediar el despecho de Mariano: estaba absolutamente indignado del lance y exigía una cuarentena del culpable por parte de todo el grupo. Aunque su reacción me parecía exagerada y traté de restar importancia al asunto, el episodio se divulgó. Los demás patrocinadores de la tertulia compartían la reprobación furibunda de Mariano: como había podido comprobar desde lo ocurrido en mi familia, el término infamante de maricón seguía siendo el *monstrum horrendum, informe, ingens,* un estigma o baldón de tal índole que no admitía excusa ni conmiseración. Luis Carandell fue el encargado de comunicar al réprobo la sentencia de extrañamiento sin que a éste le viniese siquiera a las mientes la idea de rebelarse o protestar. Chivo expiatorio de la sociedad, inclinaba la frente como el abuelo y acataba la ley opresora e inicua: habiendo interiorizado el discurso condenatorio, no tenía otra salida que el silencio, bochorno y humillación.

Aunque por estas fechas mi inclinación sexual no estaba en modo alguno resuelta, las medidas profilácti-

cas de mis amigos me disgustaron. Enrique Boada se
sentía tan apenado como yo y, de común acuerdo, a es-
paldas de los restantes, hicimos una vergonzante visita al
apestado, reiterándole nuestra cobarde estima y amistad.
Pero la siguiente tertulia se celebró sin él, en una atmósfera enrarecida de rumores acerca de lo ocurrido. Ante la
falta de un organizador capaz de coordinar nuestras actividades y el alejamiento esquinado de algunos, Lacruz,
Carandell, Mariano y yo decidimos cortar por lo sano y
anunciar públicamente, al cabo de la quinta o sexta reunión, la clausura definitiva de la tertulia.

La duplicidad de mi conducta en el mezquino episodio que acabo de referir era sin duda reflejo de una embarazosa incertidumbre respecto a mí mismo. A los veinte años cumplidos, mi identidad, no sólo en lo que tocaba a mi carácter y criterios morales, sino también a los godeos y fantasmas que luego marcarían mi vida, permanecía envuelta en una bruma que no alcanzaba a disipar. Desde la adolescencia, había comprobado con inquietud y sorpresa que, a diferencia de mis amigos y compañeros, la cercanía o intimidad con las mujeres no me procuraban la menor emoción. Las muchachas del barrio con las que me cruzaba en la calle no me hacían latir el corazón más aprisa ni me inspiraban el deseo de frecuentarlas: ningún enamoramiento ni flechazo sino extrañeza y retraimiento mientras, en abrupto contraste conmigo, José Agustín coleccionaba aventuras y flirteos y, con precocidad notable, Luis empezaba a recibir llamadas telefónicas de sus admiradoras y amigas. Esta indiferencia al otro sexo se extendía igualmente al propio: las relaciones estrechas que mantenía con algunos

203

compañeros no incluían en ningún caso un elemento
ambiguo. Mis amistades masculinas fueron siempre claras y lo han seguido siendo en la medida en que no han
traspasado los límites de mi clase social y el ámbito asép-
tico de mi cultura. El desapego e insensibilidad a las
muchachas y muchachos de mi edad y en general al
conjunto de hombres y mujeres integrados en el paisaje cotidiano de mi vida no excluían no obstante el acoso por-
fiado de los instintos. Como años atrás, continuaba mas-
turbándome con monótona regularidad. Las imágenes
mentales que me asediaban en tal trance introducían de
forma inmutable ingredientes de fuerza y aun de violencia: recuerdo el día en que, frente a la puerta de mi casa,
un gitano había golpeado salvajemente a su mula y aquella escena, lejos de despertar mi piedad, me excitó de tal
modo que me corrí en plena calle. Los atributos externos
de una virilidad exótica, avasalladora, excesiva –fotografías del entrenamiento militar de unos sijs, de dos jayanes
trabados en el sinuoso, implicante abrazo de la lucha
turca– provocaban asimismo un estímulo fugaz a mis
fantasías. Pero estas sensaciones bruscas y reiteradas no
engarzaban con el resto de mi experiencia diaria: perma-
necían inasimilables y aisladas, ajenas del todo a las incidencias de mi vida real. No habiendo traspuesto aún las
fronteras del mundo burgués y del espacio urbano en el
que vivía, mis representaciones mentales y figuras soña-
das no tenían ninguna posibilidad de concretarse: eran
simples figuraciones tenaces, condenadas en virtud de
las circunstancias a desmedrar en un estado latente y
clandestino. En mi madurez, he pensado a menudo en la
absoluta desconexión de aquellos años entre mi libido y
el mundo objetivo y he llegado a la conclusión de que, de
haber vivido entonces en un medio heterogéneo o menos

cerrado –o, mejor aún, a la sombra propicia del sotadis-
mo–* las cosas habrían sido distintas. Pero inmerso en
un limbo o vacío digno de campana neumática, los
ramalazos que a veces me hostigaban no me proveían de
ninguna pista o clave en dirección a una eventual salida:
el pulcro territorio civil ocupado enteramente por mis
pares excluía a priori cualquier posible tentación. Puesto
que nadie a mi alrededor me atraía físicamente, la idea de
ser o no ser homosexual no se me planteaba siquiera. Por
eso, experimenté una sensación de ansiedad y estupor el
día en que Mariano –meses antes de su incidente con el dramaturgo– me confió que alguien a quien yo había conocido ocasionalmente días atrás le fue con el chisme de
que era marica. El acusador –representante de una famosa editorial argentina– se dedicaba a la venta de libros a
domicilio: yo le había confeccionado una lista de novelas
y ensayos publicados por aquélla y, si la memoria no me
engaña, él me preguntó insistentemente al traerme el
encargo las razones de mi interés por Wilde y André
Gide. Incrédulo e indignado, convencí a Mariano de que
le invitara a su casa y rebatiera sus calumnias con energía. Mi amigo lo hizo así, mientras yo escuchaba el diálogo de ambos oculto tras la puerta entornada de un salon-
cito. El corredor de libros –un hijo de familia que fue
detenido meses después por su participación en un robo
a mano armada– hubo de admitir que carecía de pruebas, pero insistió en sus presunciones, fundándose para
ello en mis preferencias literarias. Antes de despedirse
citó a varios conocidos que según él eran también homosexuales y admiradores de Gide. El hecho, aunque olvi-

*   Véase «Sir Richard Burton, peregrino y sexólogo», *Crónicas sarra-
cinas,* págs. 170-171.

dado pronto, me dejó no obstante un sabor amargo. La idea de ser tomado por un miembro de ese gremio objeto de un desprecio y aversión universales me llenaba de angustia y espanto. El horror patológico de mi padre, exacerbado a diario por su convivencia forzada con el abuelo, había calado hondo dentro de mí. Todos mis amigos, salvo una o dos excepciones, profesaban igualmente a los «invertidos» una abominación virulenta. Deseoso de escapar a toda posible sospecha, comencé a manifestar una fingida atención a las amigas de Mariano y Juan Eugenio Morera. Pero estas tentativas de forjarme una imagen «normal» tropezaron en seguida con el obstáculo insalvable de mi reserva y alejamiento de las interesadas. Careciendo de un terreno de entendimiento común –amor a la lectura, afinidades personales– su trato me aburría y no tardé en cortarlo. Durante los meses que siguieron al final de las tertulias del Turia, mi anterior intimidad con Mariano se enfrió. Mientras él parecía dar por clausurado el período de sus ambiciones literarias y se disponía a cruzar una zona tormentosa de aventuras e intrigas femeninas como tendría ocasión de comprobar en Madrid un año más tarde, yo había buscado refugio en la escritura y trataba de recomponer sin éxito mi novela. Entre las personas con quienes nos relacionamos durante nuestra fallida iniciativa cultural, figuraba un poeta y crítico de arte de origen santanderino, al que Enrique Boada y yo fuimos a visitar a su domicilio. Fernando Gutiérrez era un hombre de una cuarentena de años, sencillo, caluroso y franco: nos acogió a punto con los brazos abiertos y, desde aquel primer encuentro, su casa fue, durante poco más de un año, un verdadero hogar para mí. Su esposa e hijas habían simpatizado también conmigo y mi convivencia con ellos pasó a ser de ritual. La tristeza, decadencia y vejez reinantes en Pablo Alcover me resultaban cada día más sofocantes: obligado a disimular a mi padre el abandono de mis estudios, escribía a escondidas, en un estado de inquietud y opresión que influía a todas luces en el naufragio previsible de la novela. Necesitaba escapar, evadirme, de aquel clima insoportable y emprender mi trabajo a partir de bases nuevas. Fernando Gutiérrez lo comprendió así y me prestó un apoyo inestimable. Tras haber prometido piadosamente a mi padre que me ayudaría a repasar las asignaturas de Derecho, consiguió que me ausentara regularmente de casa sin despertar su recelo. Instalado en su piso de la calle de Bailén, atestado de pinturas y libros, le asistía a revisar sus traducciones, solicitaba su consejo en las dificultades y escollos de mi novela y disfrutaba de las comodidades y ventajas de una vida de familia, fuera de casa, pero como si estuviera en ella. El miedo instintivo a franquear el umbral de mi mundo anestesiado y estéril, aventurarme en otras zonas en donde de una forma oscura pero cierta presentía que se hallaba la vida, dar el salto en el vacío que me permitiría descubrir lo que en realidad era, me mantuvo durante un año envuelto en una crisálida: sin tentaciones ni deseos de ninguna especie. Ni la súbita explosión de la huelga de tranvías que sacudió a Barcelona de su modorra ni la celebración aparatosa y chocante del Congreso Eucarístico, con su cohorte de ceremonias grotescas, lograron sustraerme de mi mullida cápsula. Mi interés se centraba única y exclusivamente en la novela. Fernando Gutiérrez había advertido muy pronto las carencias y defectos de mi castellano y me alentaba a superarlos. Aunque no pudo comunicarme entonces, por culpa mía, su amor a la poesía de nuestros clásicos, contribuyó a extender y

mejorar el contenido de mis lecturas, limitadas en aquel
tiempo a libros franceses e indigestas traducciones pro-
cedentes de Buenos Aires. Su empeño y generosidad conmigo le indujeron a apoyar mi candidatura a un premio
de Joven Literatura creado por el editor Janés y del cual
era secretario. Pese a las correcciones sucesivas, mi novela pecaba a todas luces de torpe e inmadura: la sombra de
Gide y Herman Hesse se proyectaba ostensiblemente en
ella y situaciones y personajes adolecían de melodrama-
tismo e inverosimilitud. No obstante, el voto cariñoso y
parcial de mi amigo y su absoluta confianza en el valor de
mi obra venidera convencieron al editor de que me otor-
gara la recompensa, increíble para mí, de un cheque de
diez mil pesetas. Por fortuna, *El mundo de los espejos* no
fue publicado nunca: el propio Janés, al recibirme, me
había hecho comprender con gran tacto que su premio
era sólo un estímulo a continuar mi camino y llegar a ser
algún día un escritor de verdad. En compañía de
Fernando Gutiérrez y su familia, festejé mi súbita riqueza con ostras y champaña. Su esposa, que mantenía con
sus amigos relaciones intensas y apasionadas, me incitaba también a proseguir mi aprendizaje junto a ellos y
soñaba incluso en verme casado con una de sus hijas.
Una de sus cartas había caído en manos de mi padre y el
tono exaltado de la misma le hizo alarmarse erróneamente por la índole de sus sentimientos. Le desengañé en
seguida pero, con la idea no desencaminada de que mi
amistad con Fernando Gutiérrez me alejaba ostensiblemente de los cursos de Derecho para acercarme a la
literatura, empezó a poner pegas y reparos a la frecuencia y duración de mis visitas. La ficción de los estudios de
abogado envenenaba mi vida cotidiana y era cada día
más difícil de sostener. Yo no sabía cómo afrontar el dile-

ma que se me planteaba cuando el azar decidió por mí. El mirífico negocio de mi padre con uno de esos personajes mezcla de nazis y estafadores profesionales que inevitablemente surgían en su camino había tomado a lo largo del año cincuenta y dos un cariz alarmante hasta convertirse en una catástrofe sin paliativos que amenazaba con sumirnos en la ruina. José Agustín se había ocupado en Madrid de las gestiones destinadas a evitar la quiebra de la empresa financiada con la venta de un inmueble del abuelo, pero forzado a incorporarse al Ejército al concluir sus estudios de abogado, el rescate de los restos del naufragio me correspondía a mí. Aquel golpe había hundido definitivamente a mi padre y la atmósfera de Pablo Alcover no podía ser más sombría. Tras despedirme de Fernando Gutiérrez y los pocos amigos que aún veía, con el corazón ligero y un alivio increíble pese a la gravedad de la coyuntura, me embarqué en avión para Madrid.

Rostros surgidos nadie sabía de dónde en el espacio de una mañana : fantasmas venidos de extramuros, tal vez del paredón junto al que cayeran acribillados : anonimato justiciero, simbiosis en fosa común, olvidado criadero de malvas : presentes de nuevo, pese a la gran barrida, como fruto de una pesadilla densa e insoportable : ademán inútil de frotarse los ojos, despertar de una vez, sonreír a una vida idéntica a sí misma, al horizonte civil de la paz conquistada : topar todavía con ellos, hoscos, sombríos, ceñudos, fríamente resueltos : estampa resucitada de unos tiempos de expresión en susurros, sobresalto al sonido del timbre, mano mustia, furtiva que descorre un visillo, pasos acolchados por la alfombra del corredor, oraciones musitadas en voz baja, miedo, mucho miedo : avanzando en grupos compactos desde las promiscuas callejas laterales, zapatos rotos, prendas raídas, signos exteriores de pobreza indecorosamente ostentada : una mujer de mediana edad, en zapatillas, distribuyendo octavillas entre los curiosos : gritos roncos, incomprensibles de un pequeño individuo anguloso, con gafas : docenas, centenares brotados como

*hongos después de la lluvia del asfalto urbano, Ramblas
abajo, coreando consignas junto a los vidrios destrozados
de los tranvías, huelga general de transportes, ciudad
absolutamente paralizada : impotencia de las autoridades
desbordadas por la amplitud de la protesta, la súbita
atmósfera colectiva de fiesta, suspensión del temor que
mantenía los labios sellados, tímida sonrisa de los tran-
seúntes, confraternidad difusa, reaprendizaje torpe de gestos y palabras abrogados. Imágenes efímeras, jirones de
frases, conversaciones inquietas de papá, suspiros de
Eulalia en la cocina, compás de espera, contundente reacción oficial, voz vibrante del locutor, recuadros en todos los
periódicos, agentes infiltrados, grupos revoltosos, elementos hostiles, maniobra hábilmente coordinada del exterior,
tradicionales enemigos de nuestros valores, contubernio
oscuro, el odio, el viejo odio antiespañol.*

*Acondicionamiento gradual del espacio : dispositivo cui-
dadosamente organizado en las semanas que preceden el
magno acontecimiento : aseo general de la ciudad, erección
de cruces, podios, emblemas eucarísticos, proliferación de
escudos marcados con el símbolo, montaje de altavoces en
las principales arterias del centro : obsesiva propaganda
radiofónica, ediciones enteras de periódicos consagradas
al hecho, ubicua fotografía de Pastor Angelicus, expectación mantenida hasta el paroxismo : primera y abigarrada
experiencia del turismo de masas : peregrinaciones entu-
siastas, banderas, pendones, oriflamas, salutaciones escritas
en latín : sacerdotes, monjas, religiosos, prelados, capella-
nes, diáconos, presbíteros, vicarios, protonotarios, obispos
residenciales e in partibus revestidos de sus correspondientes ropajes, hábitos, trajes talares, bonetes, tocas, casu-*

llas, mitras, capas pluviales : construcción previsora de
muros para ocultar la miseria de los barrios próximos al
trayecto que debe seguir el cortejo : expulsión perentoria
de centenares de chabolistas, limpieza radical de prostitutas e indeseables : redadas nocturnas gigantes de nuestra
ciudad tradicionalmente acogedora y hospitalaria embar-
gada hoy por una emoción imposible de expresar con palabras mientras aguarda la llegada del nuncio y su séquito
impresionante de autoridades religiosas, civiles y militares :
voces omnipresentes, odiosas de una Iglesia estatal, agresiva, avasalladora que te acosarían durante días, doquiera
que fueses, con insistencia tenaz : volver a casa después de
un merodeo indagador por las barracas devastadas y
encontrar a tu padre arrodillado frente al aparato de radio
que transmite en aquellos momentos la solemne bendición
papal.

Quienes esperaban un desembarco liberador de su
armada en el cuarenta y cinco, poco después de la victoria
de los Aliados y los acuerdos cuatripartitos de Postdam, no
eran probablemente los mismos que aquella mañana
luminosa acudían a darles la bienvenida a lo largo del
rompeolas : hombres, mujeres, niños, ancianos, atraídos
por la curiosidad, un aire de novedad que pronto se convertiría en rutina : los portaviones y navíos de la Sexta
Flota anclados en la línea del horizonte en su primera visita de amistad : embarcaciones menores conducían a los
marinos de permiso al muelle de la Paz : altos, fuertes,
saludables, simpáticos, vestidos como en las películas, salu-
daban a los viajeros de las golondrinas, distribuían cigarrillos a los muchachos, se sometían de buena gana al asedio de buscavidas y ganchos, ligaban con las más audaces
y madrugadoras prostitutas : rodeados de la admiración
popular, iban Ramblas arriba sorprendidos con la jovial

disposición del mujerío, la increíble baratura de los precios, el inglés chapurreado por guías y camareros, la atmósfera expectante, como de fiesta, de toda la parte baja de la ciudad : la sociedad cambiaba, la política cambiaba, el mundo cambiaba, y los americanos estaban allí, con sus uniformes y gorros inmaculados, exactamente como en la comedia musical de Gene Kelly, recorriendo la plaza de Cataluña, entre las palomas, cogidos alegremente del brazo : fotógrafos callejeros y espontáneos fijaban la escena de Singin' in the rain *al sol y sin zapateado, aunque aquélla se produjera, como pensó melancólicamente alguno, con siete y jodidos años de retraso.*

En el lapso que viví a la sombra de Fernando Gutiérrez y su familia, los lazos que me unían a los compañeros de universidad se aflojaron. En unos casos fue distanciamiento recíproco, como con Morera y Mariano; en otros, debido a circunstancias ajenas que interrumpieron inopinadamente nuestra relación: Enrique Boada había sufrido una crisis de conciencia –la primera de la que luego sería una abrupta sucesión de ellas– y, por espacio de un año, se refugió en el seminario diocesano de la calle de Balmes; allí acudí dos o tres veces para verle absurdamente disfrazado de novicio, poco antes de que, desencantado sin duda de la monotonía y rutina de su experiencia, arrinconara los hábitos y, tras cumplir su servicio militar en una base aérea en el Rif, ingresara en la comunidad de los Padres Blancos y se perdiera por un tiempo en los espejismos y trampantojos de Argelia. Aunque posterior a mi viaje a Madrid, la incomunicación con Cortés fue todavía más brusca: si bien conocía su aversión al Régimen y simpatías catalanistas, mi sorpresa fue absoluta el día en que me enteré de que estaba preso. Había caído al parecer en una redada de la policía contra la organización clandestina del movimiento socialista dirigido entonces por Pallach y permanecía detenido, en espera del juicio, en la fortaleza militar de Montjuïc.

Al partir de Barcelona lo hacía con la certeza de iniciar una nueva etapa de mi vida: la ciudad en la que había nacido y crecido se divisaba apenas en escorzo, disuelta ya en la bruma, y me alejaba de ella, como escribió un poeta, «sin pesar ni nostalgia». Madrid no era todavía la tierra libre en la que tercamente, en sueños o despierto, buscaba asilo; pero el margen de movimiento que me permitía, sin las trabas ni componendas impuestas por la cercanía a mi padre ni mi invencible angustia al cuadro familiar de Pablo Alcover, me parecía lo suficientemente amplio como para convertir aquella capital aún hambrienta, provinciana y mediocre, ferozmente castigada por la guerra, en una especie de paraíso. Por primera vez, no estaba obligado a dar cuentas a nadie de lo que hacía o no hacía: aunque había prometido a mi padre seguir mis estudios de abogado y matricularme incluso en la nueva facultad de Ciencias Políticas, no tenía ninguna intención de perder el tiempo en unas materias que aborrecía y disponía libremente de mis horas para explorar un mundo al que, por timidez e inhibición, no había tratado siquiera de acercarme, sin descuidar por ello mis proyectos y ambiciones de escritor. Los deberes respecto al desdichado negocio paterno resultaron más llevaderos de lo que suponía. Mi primo hermano Juan Berchmans Vallet, el hijo mayor de mi tía María, había sacado dos o tres años antes una plaza de notario en la capital y, con un afecto y solidaridad familiares que tendría oportunidad de verificar aún más tarde, me procuró una orientación valiosa en el laberinto jurídico del proceso en el que, para salvar lo todavía salvable, andábamos metidos. Tradicionalista, católico, padre de una numerosa familia, mi primo Juan tenía una virtud realmente insólita en la España de aquellos tiempos: el respeto a las ideas ajenas. Aun sabiendo que las mías y de mis hermanos estaban a mil leguas de sus creencias, intervino valientemente, primero durante la detención de Luis y luego en la campaña desatada contra mí por el Régimen a raíz de lo ocurrido en la presentación de *Campos de Níjar*, en Milán, para atajar el torrente de injurias vertidas por la prensa y restablecer la verdad.

En el tiempo que estuvo en Madrid, terminando la carrera de Derecho, José Agustín se había alojado en el Colegio Mayor universitario Nuestra Señora de Guadalupe, situado entonces en la calle de Donoso Cortés, en el barrio de Argüelles. Este Colegio fue originariamente creado para jóvenes latinoamericanos que cursaban estudios en España, pero residían igualmente en él algunos españoles oriundos de provincias. Las características políticas de un gobierno autoritario como el de Franco habían atraído lógicamente a un puñado de intelectuales y universitarios simpatizantes de ellas; algunos, disfrutaban incluso de becas oficiales y se erigían en defensores del nebuloso ideal falangista: poetas como Ernesto Cardenal y Pablo Antonio Cuadra profesaban devoción a la figura inmarchita de José Antonio, antes de convertirse religiosamente, como el primero, al ideal revolucionario y sucumbir al hechizo de líderes carismáticos como Castro y Guevara. Otros, como el también nicaragüense Mejía Sánchez y el colombiano Eduardo Cote, se mantenían en cambio, con prudencia, al margen de la política. Cuando llegué a Madrid, futuros poetas o novelistas

como José Ángel Valente y Julio Ramón Ribeyro habían
abandonado el Colegio o estaban a punto de hacerlo,
pero en él se alojaban todavía dos adeptos fervorosos de
las buenas letras: Hernando Valencia Goelkel y Rafael
Gutiérrez Girardot.

En la premura del viaje, mi familia se había olvidado
de reservarme una habitación: al aparecer yo, estaban
todas ocupadas. Pero Argüelles era entonces un barrio
residencial de estudiantes; encontrar un cuarto realquila-
do no planteaba problemas. Me acomodé en uno, a dos
manzanas escasas del Colegio, en una pensión familiar
en donde servían asimismo desayuno y almuerzo.
Aunque al desembarcar en la zona no conocía a nadie, las
numerosas amistades de José Agustín manifestaron en
seguida su presencia. El premio literario de Janés me
confería por otra parte un pequeño prestigio y los poetas
y escritores que gravitaban en torno al Guadalupe desea-
ban ponerse en contacto conmigo y cultivar mi amistad.
Gracias a Eduardo Cote y Hernando Valencia descubrí la
novelística norteamericana, a través, *hélas,* de sus pobrí-
simas versiones argentinas: de Dos Passos a Hemingway
Madrid fue para mí una fiesta. Era el año de la publicación de *El viejo y el mar* y Hernando Valencia preparaba
un estudio crítico sobre la obra. Recuerdo que el propio
Hernando me mostró el primer ejemplar de la novela del
entonces jovencísimo Truman Capote, *Otras voces, otros
ámbitos,* que yo devoré de un tirón, con el mismo fervor
que él. Con todo, la lectura más fecunda de aquellos
meses fue sin duda la de William Faulkner. Me sumergí
en sus novelas presa de una tensión y deslumbramiento
desconocidos por mí hasta la fecha y, paralizado por la
suntuosidad y violencia del universo en el que me inter-
naba, dejé temporalmente de escribir. Esta pausa en mi

obsesiva adicción a la escritura me favoreció: liberado de
la carga que me imponía de emborronar inútilmente
cuartillas, pude consagrarme al fin a ocupaciones más
sencillas y amenas. Los cafés y bares de Argüelles eran fre-
cuentados asiduamente por mis nuevos amigos y, con una
rapidez que me sorprendió a mí mismo, me inicié con
ellos en los atractivos de la ociosidad, callejeo y alcohol.

Al redactar estas líneas configuro mentalmente, en
sus menores detalles, el pequeño bar en el que solíamos
reunirnos: su dueño, Honorio, jovial, amistoso, calvo,
preparando el café o fregando cucharillas, tazas y platos,
siempre de palique con los clientes; la empleada de aire
vagamente profesoral, con delantal y gafas, depositaria
de las confidencias y cuitas de los latinoamericanos que
aparroquiaban el lugar y con uno de los cuales terminaría por casarse; la hilera de mesas y banquetas dispuestas
paralelamente a la barra, en las que estudiantes, becarios
o jóvenes y menos jóvenes sin ocupación alguna, bebían,
fumaban, discutían, jugaban a dominó o a cartas a lo
largo del día; el tenebroso lavabo, al fondo, al que acudían puntualmente los consumidores de cerveza y en el
que, por primera vez en mi vida, vomité de puro borracho. Los asiduos de Honorio me aventajaban en años y
experiencia: eran, en gran parte, viejos bebedores que
habían descuidado más o menos sus estudios y vegeta-
ban en Madrid merced a una asistencia oportuna de sus
gobiernos o el cheque mensual enviado por las familias.
Algunos de ellos poseían verdaderas enotecas particulares o museos alcohólicos catalogados por «literaturas»
conforme a su peculiar terminología: inglesa, rusa o
francesa según se tratara de ginebra, vodka o coñac. Su
despreocupación alegre y abundancia de dólares facilitaban las relaciones con muchachas y mujeres del barrio:

sus condiciones de vida, muy superiores a las del español
de entonces, les convertían en auténticos potentados y
gozaban apaciblemente de ellas sin desazón ni rubor. Su
mundo, modales, trato, acento, giros idiomáticos resultaban nuevos para mí. Yo había sido admitido en su
grupo en cuanto hermano menor de José Agustín y esta
inmediata familiaridad suya me ayudó a vencer mi corte-
dad natural.

Desde el primer día que puse los pies en el bar de
Honorio di con una pareja de colombianos cuya singula-
ridad y afición al trago llamaron mi atención. Uno de
ellos, Lucho P. B. era un mozallón de casi una treintena
de años, de rostro moreno y como violentamente tallado
en un alarde de ensoñación o arrebato, dotado de una
fuerza, vitalidad y magnetismo fuera de lo común: estaba terminando la carrera de médico, pero solía pasar la
mayor parte del tiempo en los bares del barrio. El otro,
emparentaba por parte de padre con el líder populista
Jorge Eliecer Gaitán, asesinado en Bogotá unos años
antes: el joven Pedro Antonio Gaitán ofrecía más bien la
apariencia de un cantor flamenco o bailador de tangos
momentáneamente en paro por cierre fraudulento de su
empresa. Lleno de labia y desparpajo, combinaba los
escasos giros de su desengañada familia con un empleo
eficaz y elegante del arte del sablazo: según descubrí
luego, no cursaba ningún estudio y se esforzaba en prolongar su estancia en España recurriendo a toda suerte
de argucias y expedientes menudos. Pedro Antonio mostraba por Lucho una admiración sin límites: le seguía
como una sombra, coreaba sus gracias, favorecía sus
inclinaciones alcohólicas y, cuando lograba emborra-
charle, le hostigaba hasta sacarle de quicio y se dejaba
insultar gozosamente por él.

El grupo de colombianos adictos al bar de Honorio incluía además a tres estudiantes que alternaban con mayor o menor éxito su asistencia a las aulas con una ajetreada vida nocturna que, desbordando los lindes familiares de Argüelles, se extendía a los bares del centro y prostíbulos de San Marcos: Ramón, Herman, Jorge Eliecer se asomaban por el local al anochecer, cuando sus dos paisanos habían mezclado ya, animosamente, ron, coñac y cerveza y andaban trabados en una de sus continuas disputas. Pedro Antonio, con esa mecha negra alicaída que, como la capucha del fraile en un higrómetro, presagiaba la vecindad de una tormenta, escurría el bulto a la hora de pagar y su irresponsabilidad financiera provocaba la tempestad de truenos e insultos de su irascible, pero fiel bienhechor. Otras veces, Lucho, envuelto en un aura sombría de gladiador titánico, respondía a la curiosidad o escepticismo de algún vecino con una de sus gloriosas exhibiciones de fuerza: envolver teatralmente con un pañuelo su mano izquierda, asir con ella por el gollete una botella descorchada llena de agua, propinar con la palma de la otra un golpe seco, certero, que hacía saltar el fondo del casco a pedazos. Una inspiración exterior poderosa absorbía entonces al grupo de amigos y vaciaba súbitamente el local.

A las dos semanas escasas de mi llegada a Madrid, formaba ya parte de aquel escogido grupo de bebedores. Conscientes de habérselas con un neófito, mis nuevos compañeros extremaron su celo cariñoso en educarme: mis aires de joven serio, tímido, voluntarioso, con una prometedora carrera de escritor por delante, se disiparon muy pronto en aquel antro feliz al que mi buena o mala estrella me había guiado. Empecé a revolver vino, manzanilla y coñac: recuerdo muy bien mi inocente sorpresa ante la acolchada densidad que se adueñaba de mi frente y la torpeza de mis movimientos al incorporarme a orinar. El bar de Honorio fue de inmediato mi cantina y punto de apoyo: acabado el almuerzo, me instalaba en él con alguna novela recomendada por Cote o Hernando Valencia y aguardaba allí, leyendo, la alborozadora irrupción de mis amigos. Por la noche, les seguía a los cafés o bares del barrio o me iba de chateo con ellos por los últimos refugios de Carretas y tascas de Echegaray.

La promiscuidad, sordidez y dureza de las zonas que rastreábamos herían sin duda mi sensibilidad moral: pero la fascinación y estímulo que ejercían en mí pesaban más que mis sentimientos de condena o piedad. A los veintiún años descubría así lo que luego sería una constante en mi vida. Mi desafecto y aun horror a los ámbitos y áreas urbanos despejados, limpios, simétricos, desesperadamente vacíos, con sus calles bien trazadas y pulcras, espacios acotados, circulación fluida, existencia sonámbula: habitantes atrincherados en sus casas, jardines, cercas, signos exteriores de no compartida riqueza, frigidez, egoísmo, vitalidad anestesiada. Mi pasión, en cambio, por el caos callejero, transparencia brutal de las relaciones sociales, confusión de lo público y lo privado, desbordamiento insidioso de la mercancía, precariedad, improvisación, apretujamiento, lucha despiadada por la vida, medineo fecundo, imantación misteriosa. Una bipolaridad que, con el paso del tiempo, se acentuaría al extremo de dividir el paisaje civil y mis sentimientos respecto a él en dos campos opuestos e inconciliables: aversión irremediable a los monumentos y símbolos de una historia siempre cínica y despiadada, a esos barrios adustos, conminatorios, oficiales, cuya falsa grandeza y solemnidad disimulan el pecado original de su erección a costa de humillaciones, sufrimiento, sangre; apego a las zonas de vida espontánea, oscura, densa, proliferante en las que el acto creador implanta sus raíces y con las que alimenta su savia. La obsesiva frecuentación posterior –el brujuleo instintivo de zahorí que orientaría mis pasos hacia territorios no esterilizados ni sometidos a un riguroso proceso de planificación y control–, ya sea de París o Estambul, Nueva York o Marraquech, se originó quizás hace treinta años durante mis correrías azarosas por Madrid con el grupo de amigos colombianos. Movimiento de buscavidas y ganapanes, pobreza ferozmente exhibida, respeto servil a una autoridad no por lejana o discreta menos terrible y asfixiante, marcaban aquella capital de posguerra –ya no heroica, sino avasallada– que sería para mí la antesala, con sus lacras y convulsión violenta, de las actuales metrópolis paulatinamente minadas por la sutil, vengadora infiltración de sus ex colonizados, marginales y víctimas.

Mis salidas nocturnas con Lucho, Pedro Antonio y sus paisanos se sucedieron agradablemente durante unas semanas: en ellas, experimenté los inconvenientes y molestias de la resaca, sus mañanas algodonosas, la confusa impresión de irrealidad. Mi flamante personalidad de juerguista, surgida bajo la muda de piel de la antigua, me había hecho comprender hasta qué punto la última era inestable y falsa. Como en otras ocasiones en mi vida de aquellos años de aprendizaje, verificaría una sorprendente discontinuidad biográfica: la existencia de quiebras o rupturas en unos hábitos y normas de conducta que creía firmemente arraigados. El joven curioso y extrovertido que, tras haber arrinconado la escritura, saboreaba anticipadamente en el bar de Honorio la inmediatez cordial de sus colegas parecía encaminarse, a primera vista, a una etapa despreocupada y sin sorpresas cuando un acontecimiento trastornó sus expectativas y dio inopinadamente con sus huesos en tierra.

En una de mis ya diarias veladas alcohólicas, había paseado con Lucho y sus amigos por diferentes bares del barrio; ya fuera porque aquel día yo hubiese bebido a mi vez más de lo ordinario, ya porque Lucho se hubiera empeñado en poner mi resistencia a prueba, lo cierto es que, después de haber ido dejando atrás, como objetos extraviados a la vera del camino, a nuestros demás compañeros de aventura, arrancados de la diligencia al galope por un vendaval frenético, varamos los dos de madrugada en un café de Gaztambide cercano al Colegio. Allí, volcados sobre una mesa junto a la última ronda de copas vacías, habíamos intercambiado probables confidencias de borracho y, según creo, aunque no estoy seguro de las imágenes borrosas, como clorofórmicas, filtradas por el recuerdo, nos habíamos abrazado, yo le había acariciado bajo la mirada impasible del camarero. No sé cómo pudimos salir del local dado nuestro estado ni cómo arrastré a Lucho al dormitorio de mi pensión en donde, nada más llegar, se desplomó sobre una de las camas y me impidió dormir a mí en la otra con la violencia de sus ronquidos. Al levantarnos el día siguiente, ni él ni yo nos acordábamos de nada: bajamos al bar de Honorio a tomar café y nos despedimos amistosamente. Sin embargo, unas horas más tarde, Lucho apareció en la pensión con expresión preocupada. Me dijo, sin ninguna agresividad ni reproche, que la víspera le vieron en un bar del barrio borracho como una cuba y un compañero no identificado se había conducido con él de un modo *extraño*. Aunque Lucho no aclaró en qué consistía la extrañeza, me pidió que fuera con él a dar una vuelta y, con un pre-

sentimiento angustioso, le seguí al café en donde la
noche anterior nos habíamos derrumbado juntos. Mi
amigo cruzó unas palabras en voz baja con el camarero y
volvió a salir conmigo. El tipo ese dice que mi compadre
me echó mano y toda esa vaina, comentó lacónicamente.
Sus palabras me aterraron; pero Lucho interrumpió la
conversación: insistió en invitarme a cenar y, sin mentar
ya el incidente ni mi proceder en el mismo, me abrazó
como de costumbre en el momento de separarnos.

Aquel descalabro moral me sumió en un estado de
humillación y desconcierto difícil de expresar: lo que
oscura e instintivamente temía desde que dejé de ser
niño, se había producido con sobrecogedora puntualidad. Me sentía desnudo, inerme, vulnerable, expuesto
sin razón ni culpa a la reprobación y el escarnio. Lo que
más me ofendía y sublevaba era que el episodio hubiera
ocurrido sin ninguna intervención de mi voluntad: de
una manera simple e irremediable, castigo absurdo o
broma cruel del destino. Alguien, emboscado en mi
interior y aprovechando mi incapacidad momentánea,
había incurrido en una conducta impropia que yo
mismo, dueño de mi lucidez y facultades, condenaba sin
paliativos. Pero ¿quién era aquel intruso burlón y malé-
volo que, envalentonado por el alcohol, me identificaba
abusivamente con los parias objeto de general repulsión
y me ponía en el brete de desacreditarme con los amigos? El miedo y horror al indeseable Mr. Hyde de cuya
realidad agazapada tomaba bruscamente conciencia me
incitaban a reforzar la vigilancia respecto a mí mismo: a
evitar en lo futuro, si quería recomponer mi imagen
dañada, cuantas circunstancias pudieran propiciar su
reaparición. Pero el mal estaba hecho y, abrumado con
un remordimiento gratuito, me rebelaba no obstante

con todas mis fuerzas contra el fallo de mi remoto e ina-
sible tribunal.

A la luz de mi experiencia posterior resulta muy cómodo atribuir a lo acaecido un sentido premonitorio y establecer a partir de ello un collar engarzado de causas y efectos. Pero mi propósito no es ése sino exponer los hechos tal
y como los percibía en el momento en que sucedieron. Mi
desamparo e incapacidad de interpretar las cosas de modo
cabal alentaban la vaga e irrisoria esperanza de escamotear
la verdad. Por un conducto u otro, el episodio había tras-
cendido: con una envidia mal oculta, Pedro Antonio aludió
maliciosamente a él. Obligado a afrontar lo que consideraba un desastre biográfico, multipliqué mis esfuerzos en
hacerlo olvidar. Por fortuna, Lucho no me guardaba ningún resentimiento: curiosamente, había acrecentado conmigo sus manifestaciones y pruebas de amistad. Con una
delicadeza que se compadecía muy poco con sus maneras
directas y bruscas, no evocó jamás el tema ni permitió que
nadie lo hiciese delante de él. Disfrutando tal vez de su
secreto poder sobre mí, buscaba mi compañía, me invitaba
a su mesa, me tomaba cariñosamente del brazo, insistía en
que me uniera al grupo de sus colegas en sus habituales
correrías por las zonas alegres de la ciudad.

En una de estas veladas, nos encerramos siete u ocho
en el reservado de un bar con dos prostitutas. Una, del-
gada, teñida de rubio, firme de carnes, se llamaba Mely;
la otra, de apariencia saludable y robusta, con aires de
campesina, Fernandita. El vino corría libremente, desa-
taba añoranzas y lenguas y mis compañeros se acercaban
peligrosamente a la afirmación perentoria de sus hondos
sentimientos patrióticos: del *Cuando tú te hayas ido / me
envolverán las sombras* al *Mira que están mirando / que
nos miramos* el coro de canciones colombianas, proferi-

das con voz aguardentosa, resonaba cada vez con mayor
brío en el reservado mientras Lucho, abrazado a las dos
mujeres, las hacía sentar por turno en sus rodillas, mostraba orgullosamente su musculatura, bebía boca a boca
con ellas en un mismo vaso y con sus ojos negros, metá-
licos, insondables y duros como la mica, me observaba a
mí. Yo interpreté aquello como una orden silenciosa y,
cambiando de asiento, me acomodé junto a Mely. Con
una audacia de la que no me creía capaz –sostenido sin
duda por el alcohol y la inmediatez acechante de Lucho–
la besé y abracé torpemente. Ella me miraba con unos
ojos que imagino claros y hermosos y, más experimenta-
da que yo, me separó los labios con los suyos e introdujo
entre ellos, como un dardo, su lengua escurridiza y fres-
ca. Permanecimos largo rato besándonos, succionándo-
nos, saboreando aquella nueva y tibia intimidad. Lucho
había sacado entre tanto los pechos a Fernandita, pero
advertí que vigilaba mis progresos con el rabillo del ojo.
Su aprobación implícita y mi ansiedad por abolir la
memoria de mi pasada conducta, me animaron a seguir
su ejemplo: inclinándome a los senos de Mely, liberados
ya de sus sostenes negros, acaricié, besé, mordisqueé los
pezones. No sé si fue ella o su amiga quien decidió que
era hora de partir. Había un *meublé* al lado, dijo, y allí
podríamos tratar con mayor discreción nuestros respectivos asuntos. Pagamos al camarero y salimos a la calle.
Recuerdo las canciones de los colombianos borrachos,
Mely abrazada a mí y Fernandita a Lucho, el viento cor-
tante y seco, la pausa aterida en la acera aguardando al
sereno que debía abrir el portal. Luego, la noche en compañía de Mely, su ceremonial de desnudarse, las ligas
negras de encaje sujetas a la cintura, el pubis generosamente sombreado, su ayuda amistosa a conseguir la erec-

ción, el roce turbador de sus uñas, la sincopada, jadean-
te trabazón de los dos; y el sueño ligero, como sacudido
por ráfagas, oyendo su respiración acompasada, mi sensación de alivio, de haber lavado la mancha, de ser como
los demás, de poder mirar otra vez de cara, sin sonrojar-
me, a Lucho y sus amigos.

Confortado con esta primera experiencia, continué
frecuentando los bares y casas de putas de Echegaray y
San Marcos. Mi inhibición y frialdad con las muchachas
y mujeres «decentes» habían cedido poco a poco con las
de horario y servicios pagados. Aunque desde mi demostración a Lucho no sentía ya el prurito de justificar nada,
proseguí mis visitas a los prostíbulos más baratos y con-
curridos, guiado por una subterránea afinidad a aquel
universo áspero, sórdido, destemplado, pero investido a
mis ojos de una coherencia y estímulo que reducían por
contraste a las figuras y paisajes de la familia, colegio y
universidad a las proporciones de una vetusta, polvo-
rienta vitrina de inmueble burgués, atestada de abanicos,
muñecos y cachivaches: la imagen brutal, sin artificio, de
la sociedad descompuesta y en ruinas en la que duramente sobrevivía el pueblo llano de la capital se revelaba
entonces, como oscuramente intuía, en esos burdeles
mezcla de hospicio, almoneda, zoco y guarida que parecían aguardar el pincel de un Goya para sobrecogernos
con el impacto de su burlona familiaridad. Durante aquel
crudo invierno del cincuenta y tres, lleno de acontecimientos y novedades, recibí en la pensión de donde me
albergaba la visita inesperada de Mariano. El cambio que
había experimentado en unos meses, me sorprendió: sus
rasgos juveniles daban la impresión de haberse aflojado y
hablaba con una seguridad y empaque totalmente nuevos en él. Me contó que tenía problemas con su familia a

causa de la muchacha con quien vivía: una andaluza
morena y muy bella llamada Argelia, a quien me presentó una noche en Barcelona poco antes de mi partida.
Argelia poseía un apartamento amueblado al otro lado
del Retiro y habían resuelto refugiarse allí una temporada, esperando que amainara la tormenta. En su piso
sobraban habitaciones: si yo quería, podía cederme una
para vivir y escribir en ella con paz y tranquilidad.
Aunque la oferta no me apetecía, dado que me alejaba del
núcleo ígneo, irradiante de mis nuevos amigos, acabé
por aceptar. El escaso dinero que recibía de casa se esfu-
maba pronto en mis correrías nocturnas y no disponía ya
de recursos para pagar la pensión. Por otra parte, había
añadido para tentarme, su amiga y él se veían obligados
a viajar por un sí, por un no a Barcelona: en su ausencia,
yo me encargaría del piso y gozaría de entera libertad.

Para evitar tal vez el aburrimiento de su convivencia
a solas con Argelia, Mariano quiso reavivar nuestras viejas charlas sobre temas literarios. Con todo, la lozanía y
ardor de su afición novelesca parecían haber decaído. Sus
referencias seguían siendo las mismas que dos años
antes, de lo que deduje que no sólo no escribía, sino que
había cesado también de leer. Como muchos otros jóvenes heridos de la pasión por las letras, desdeñado reiteradamente por éstas, había firmado por cansancio una
paz por separado con la literatura. Mientras yo mismo
arrinconaba momentáneamente mis proyectos de novela, sus consejos bien intencionados tenían la virtud de
irritarme. La consabida discusión sobre Hesse o el acto
gratuito de Lafcadio repetía como en sordina el disco
rayado de nuestras pláticas de la universidad. Yo había
intentado transmitirle mi admiración reciente por los
novelistas norteamericanos de la generación perdida,

pero Mariano, después de hojear la mediocre traducción
de una novela de Hemingway, proclamó desdeñosamente que era la obra de un patán.

Aprovechando su generosa hospitalidad, convidé,
con gran alborozo de Argelia, a mi banda de amigos.
Guardo una memoria bastante confusa de aquella velada
con música, baile, canciones y alcohol a discreción.
Lucho había cortejado asiduamente a la anfitriona –satis-
fecha a todas luces de excitar los celos de Mariano– y
había terminado borracho, incapaz de tenerse en pie. Le
acompañé a mi habitación y le ayudé a echarse en la
cama. Cuando iba a salir, escuché su voz ronca pronun-
ciando mi nombre e invitándome a tumbarme junto a él.
Todavía hoy, al cabo de treinta años, no alcanzo a descifrar la intención de sus palabras: ¿era una propuesta a
una intimidad real entre nosotros o bien, como erróneamente quizá juzgué entonces, una última prueba a la que
me sometía para aclarar la verdad de mi conducta *extraña*?
En este caso, si su borrachera era exagerada o fingida,
¿no me estaría tendiendo una trampa para descubrirme
luego ante los demás? El magnetismo que había ejercido
en mí durante mi enajenación alcohólica no actuó aquella noche en que sólo bebí unos tragos: Mr. Hyde no reapareció. Con una prudencia o pusilanimidad que luego
no dudaría en reprocharme, hice como que no le oía y
abandoné el dormitorio a hurtadillas, contento de mí
pero con el corazón palpitante. Mi estancia en casa de
Argelia no duró mucho: las posibles consecuencias legales del disparatado negocio de mi padre estaban en vías
de resolución y mi presencia en Madrid ya no era indispensable. Trampeé como pude unas semanas, para despedirme sin prisas de Cote, Hernando Valencia, Ernesto
Mejía Sánchez y el grupo de amigos de Lucho. La idea de

volver a Barcelona, al declive y angustia del mundo de
Pablo Alcover, me deprimía. Pero deseaba reescribir la
novela a la luz de mis nuevas experiencias y sabía que
para ello debía alejarme de Madrid.

Conciencia de los peligros y trampas de la empresa : vana tentativa de tender un puente sobre tu discontinuidad biográfica, otorgar posterior coherencia a la simple acumulación de ruinas : buscar el canal subterráneo que alimenta de algún modo la sucesión cronológica de los hechos sin saber con certeza si se trata de la exhumación de un arqueólogo u obra flamante de ingeniería : no ya la omisión arbitraria de recuerdos juzgados no importantes sino la elaboración y montaje de los escogidos : precisión engañosa de los detalles, anacronías inconscientes, contornos presuntamente nítidos : aspecto y figura de la primera mujer con quien te acostaste, medio de transporte utilizado al viajar a la capital : evocaciones e imágenes inverificables, desconfianza en tu labor de rescate, ausencia inquietante de pruebas : impresión de construir con materiales precarios, transmutar la realidad incierta en argumento amañado de libro : de evacuar lo que queda de tu pasado con el efugio mendaz de salvarlo de la viscosa densidad del olvido : el impulso liminar a decirlo todo, aceptar metafóricamente la sensible cornada del toro, se diluye y *pierde entidad al someterse a las leyes insidiosas del relato escrito u oral : convertir la vida en estilo sería ingenuidad o pretensión dignas de un alquimista : tu arduo, ininterrumpido forcejeo con la escritura no te ha procurado todavía el secreto de la piedra filosofal.*

Sutilmente, en mi ausencia, las cosas habían cambiado: concluido el bachillerato, Luis cursaba Derecho sin mayor convicción que yo y empezaba a relacionarse con un grupo de universitarios intelectualmente inquietos y preocupados por la política; José Agustín, cumplido su servicio militar en Mahón, trabajaba y escribía un libro de poemas, *El retorno,* con miras al premio Adonais; Marta tenía un novio un tanto evasivo y misterioso: su apellido, de origen o gentilicio imprecisos, desagradaba a mi padre obsesionado como siempre por los linajes; se refería a él como a «un ser innominado» y no ocultaba su aprensión a una posible ascendencia judía.

Pero la mudanza no era sólo familiar: se extendía asimismo al ámbito universitario y cultural en el que me movía. Mi hermano mayor, después de encontrar un puesto de consejero de una compañía privada de aguas, había reanudado el trato con los escritores e intelectuales reunidos en torno a la revista *Laye:* Sacristán, Castellet, Barral, Gabriel y Juan Ferrater. Esta publicación dependía teóricamente de la secretaría de Propaganda de

Falange: no estaba por tanto sujeta a censura. Gracias a
ello, valiéndose de la amistad personal que unía a algunos de sus miembros con el responsable nominal de la
misma, nuestros amigos se habían infiltrado en el comité de redacción hasta convertirla en algo enteramente
distinto: un espacio de discusión en el que, con las precauciones de rigor, se podía criticar en términos cada vez
más claros el estancamiento, indigencia y opresión de la
vida cultural española del momento. Estudios o ensayos
acerca del lenguaje poético y los procedimientos narrativos de la novela norteamericana se codeaban con notas
breves, mordaces, demoledoras sobre los paniaguados y
figurones ensalzados por la prensa oficial. La ferocidad
de algunas reseñas agregada al manifiesto inconformis-
mo de que hacían gala los redactores no tardaría en despertar suspicacias y promover pegas. Cuando José Agustín y yo nos aproximamos al núcleo de animadores de
Laye, la revista atravesaba ya una fase conflictiva. Las
presiones de los medios y personajes censurados en sus
páginas arreciaban de día en día para obtener la suspensión. Un periodista tristemente célebre por sus ataques a
los escritores exiliados y enfermiza detectación de «rojos» escribiría meses más tarde en un diario de Falange
una nota titulada «Los cuervos no nos sacarán los ojos»
que, por tratarse de una denuncia en regla de la pequeña
banda de ovejas negras, consiguió tras un violento tira y
afloja de los mandos con el responsable de la secretaría
de Propaganda, indirectamente implicado en sus acusaciones, el cierre definitivo. Mi única colaboración en la
revista –una crítica de las novelas de Guido Piovene–
apareció en 1954 en el último número de la misma. En la
imposibilidad no ya de exponer las causas de la clausura
sino de mencionar siquiera el hecho, los redactores se las

ingeniaron para trazar en la portada una franja negra, mortuoria con la sabrosa cita de Garcilaso: «Sufriendo aquello que decir no puedo».

Pero me estoy adelantando a los acontecimientos. En aquella primavera del cincuenta y tres, la mayor novedad intelectual para mí consistía en el doble descubrimiento de la política y el objetivismo narrativo defendido por Castellet. El impacto de las obras de Sartre y Claude Edmonde Magny tocante a la técnica novelesca de Dos Passos, Hemingway y Dashiell Hammett –ostensible en los ensayos de Castellet recogidos en *La hora del lector* y el producto epigonal de los mismos, mis articulillos de *Problemas de la novela*– nos alcanzó simultáneamente al concepto o, por mejor decir, dilema en apariencia insalvable del «compromiso». Yo estaba redactando, con mi incorregible apresuramiento juvenil, la versión definitiva de *Juegos de manos:* aunque había incluido en ella los ambientes y experiencias de mi etapa madrileña, la novela traslucía aún la influencia de Gide y mis lecturas francesas. Estos «resabios» de intelectualismo e intentos malogrados de una escritura poética que por un tiempo me reprocharía, me impidieron sin embargo caer en el muermo de alguna de las obras que entonces tomaba de modelo. Los pinitos teóricos de mi acercamiento a Lukács y Sartre cuajarían en cambio en unas reflexiones que, en vez de ser fruto de mi experiencia de lector y escritor, reflejaban más bien, como en la mayoría de mis colegas novadores de la época, una penosa indigestión de lecturas. Como boas de portentosa energía absorbente, incorporativa, nos tragábamos los bueyes procesionales de la recién descubierta estética marxista y permanecíamos quietos, pasivos, abotargados, eructando la enorme y amazacotada presa hasta su eventual deglución. Aunque el resultado de tales elucubraciones fuera de escasa relevancia para un lector extranjero en la medida en que tenía acceso directo a las fuentes en donde bebíamos ansiosamente nuestras doctrinas e ideas, éstas cumplían con todo una función informativa y divulgadora, en una sociedad provinciana y cerrada como la nuestra, de cuanto ocurría al otro lado del muro protector erigido por el franquismo. Desde la perspectiva de hoy, lo sucedido entonces conmigo y otros escritores españoles me parece inevitable. Nuestra orfandad intelectual y el yermo cultural en el que vivíamos nos alentaban a incurrir en los errores y deslices de quienes, privados de todo asidero, se esfuerzan en dar los primeros pasos. Aterrados del vacío que súbitamente descubríamos alrededor de nosotros abrazábamos un cuerpo doctrinal nítido y coherente que nos permitía forjar deprisa una teoría explicativa de nuestro atraso: importada pieza por pieza de Francia o Alemania, la defensa primero del «behaviorismo» y luego del «realismo crítico» serían el tributo que pagaríamos a la miseria intelectual de la posguerra en nuestro afán bien intencionado de eliminarla. Como dice T. S. Eliot, en una cita espigada en un reciente y luminoso libro de José Ángel Valente, «para teorizar hace falta una inmensa ingenuidad; para no teorizar hace falta una inmensa honestidad». Fatalmente incluidos en el bando de los ingenuos, nuestra tarea de derribar las puertas abiertas se envolvía de cara a España en unos criterios elementales de pragmatismo. La existencia de honestidad, más allá del dogmatismo simplista y actitudes oportunistas y maniqueas, no se plantearía a nosotros sino bastantes años más tarde, cuando la práctica de la política y tenacidad burlona de lo concreto nos obligaron a unos cuantos a abrir los ojos.

La vieja idea de viajar a París fue cobrando consistencia conforme adelantaba en la novela: a fin de apercibirme para aquella primera y tímida tentativa de evasión, me lancé a fondo al estudio y ejercicio del francés. En la tertulia del Turia había conocido a un joven de mi edad de apellido británico pese a su ascendencia francesa: en su torre de la vecina calle de Ganduxer solía recibir a compatriotas suyos o catalanes afrancesados con quienes era posible platicar y mejorar mi acento y vocabulario. Allí escuché por primera vez el repertorio de Brassens y numerosas creaciones de Piaf con esa exaltación con que «lo no esperado se impone a la imaginación»*. En mi porfía habitual en lograr lo que en un momento dado me parece deseable, no paré hasta comprender la letra de sus canciones. Después de haber asimilado la jerga de las novelas y relatos de Sartre me sentía listo para afrontar el proyecto que acariciaba desde la adolescencia. Un estado de ánimo y disposición mental semejantes explican tal vez el hecho de que mi primera novela, traducida después magníficamente al francés por Maurice Edgard Coindreau, se leyera mucho mejor en este idioma que en el defectuoso original castellano: cuando hace unos años tuve que repasarla con motivo de su inclusión en unas pomposas «Obras Completas», las continuas dificultades con que tropezaba en la revisión del texto me convencieron de que la única manera satisfactoria de obviarlas consistiría en traducir escrupulosamente el libro del idioma en el que de forma inconsciente fue pensado. Mi estancia física en España, salvo dos escapadas parisienses, se prolongaría hasta el cincuenta y seis. Sin embargo, mi vida intelectual, y no sólo mis fantasías, empezaban a

---

* Jaime Gil de Biedma, «Elegía y recuerdo de la canción francesa».

desenvolverse fuera. Abandonando las traducciones importadas de Buenos Aires, leía exclusivamente en francés tanto la obra de Proust, Stendhal o Laclos como a los autores venidos de otros ámbitos. Este filtro me alejó durante años de la poesía y novelas escritas en mi lengua con consecuencias fáciles de calcular. Pero la literatura es y será el reino de lo imprevisto: mi pasión por ella, vivida como un verdadero salto al vacío, me precipitó un día al goce del castellano en virtud de la misma lógica misteriosa por la que hallaría en el sexo la afirmación agresiva de mi identidad.

En mi naciente interés por la política –entendida ya como crítica del sistema conservador, clerical y autoritario impuesto a España por la victoria de los militares sublevados en 1936– no intervenían sólo factores de orden puramente intelectual. El rencor a mi clase social, cuya decadencia y precariedad creía ver reflejadas en el declive de la propia familia, se había acentuado con la amarga comprobación del latrocinio y falta de escrúpulos de ese dechado de virtudes católicas y burguesas de los autores de la estafa a mi padre: acabar con aquella sociedad hipócrita, verdadero caldo de cultivo de los peores instintos de despojo y rapacidad, me pareció de pronto un imperativo moral. Cuando alguien puso en mis manos un manual de divulgación marxista encuadernado en cartoné con el título de la novela de Ignacio Agustí *Mariona Rebull* a fin de confundir a los eventuales curiosos, descubrí impresionado que el cuadro implacable trazado en él de la competitividad despiadada y explotación bárbara de los caballeros de la industria de la época coincidía punto por punto con el que había podi-

do observar por mi cuenta. Así, a mi precoz anticlericalismo a flor de piel se sumó el encono a la burguesía que
servía de soporte a la Iglesia: una burguesía, creía yo
entonces, condenada a morir a corto plazo víctima de sus
mismos desafueros, contradicciones y abusos.

La breve pero fecunda etapa madrileña había corre-
gido y ampliado por otra parte la limitación y estrechez
de mis perspectivas. El territorio en el que me movía de
ordinario, centrado en torno a casa y la universidad, reproducía en miniatura un mundo compacto y bien
estructurado al que los marginados y extraños no tenían
acceso. La penuria y desamparo reinantes en los barrios
de la periferia barcelonesa eran para mí totalmente irrea-
les: estampas fugitivas, casi oníricas de barracas de
madera y latón, niños mocosos y descalzos, mujeres pre-
ñadas, hacinamiento, suciedad, albañales, entrevistas
desde la ventanilla del tren que nos llevaba a Torrentbó.
Una estricta labor de saneamiento y control mantenía
alejados a sus moradores de las zonas que frecuentaba: su
presencia intrusiva, vagamente amenazadora, inquietaba
y, consciente de ello, postulaban humildemente la invi-
sibilidad. A mi regreso veía las cosas de manera distinta:
menos cohibido por la timidez, quería repetir en nuevos
lugares y escenarios la experiencia de mis correrías. Si los
campos de chabolas de las afueras me parecían difícilmente alcanzables, las zonas mestizas, hormigueantes,
abigarradas, visibles desde las esquinas inferiores de las
Ramblas o el tranvía 64 en su trayecto final a las playas y
el viejo transbordador del puerto, me infundían menos
pavor. Mis proyectos de husmear el espacio denso, efer-
vescente de la Barceloneta y Barrio Chino, de encontrar
en él un aliciente intelectual y vital que no me procuraban las áreas insípidas en las que sexo e imaginación des-

medraban, realizados primero a solas y tanteando, se
verían favorecidos a mi vuelta de París por la excarcela-
ción de mi amigo Carlos Cortés de la fortaleza de
Montjuïc. Nadie mejor que él podía introducirme en un
medio en el que ninguno de mis amigos de antes quería
siquiera internarse: su estancia en la cárcel, entre delin-
cuentes comunes, había profundizado su conocimiento
del mismo, familiarizándolo con sus costumbres y jerga.
El testimonio directo de un universo hermético muy cercano al que luego hallaría en Genet, me excitó fuertemente: su descripción de las mariconas asistiendo a la
misa maquilladas, con mantilla y peineta; de la mucha-
chita ciega, conducida allí por su madre los días de visita
para mamar la pija a los presos por un puñado de reales
no se ha desvanecido de mi memoria. En mi ignorancia
de cuanto se extendía más allá de las murallas de mi educación esterilizadora, desconocía incluso los términos
empleados por él: macarra, grifa, pincho, bujarrón, cha-
pero. Mi amigo había confeccionado un glosario del hampa que años después me cedió generosamente y del que
me serví sin rebozo al escribir *La resaca*. Solo o con
Carlos exploré cuidadosamente los bares y tugurios de
las callejuelas situadas entre Conde de Asalto y Atara-
zanas: la Criolla había desaparecido después de que el
autor del *Journal du voleur* la frecuentara, pero otros
locales de rezumante sordidez y crudeza justificaban aún
la reputación de aquella Barcelona remisa desde siempre
al ideal homogéneo, paternalista y ñoño de su pequeña
burguesía y su poder de imantación sobre escritores de la
índole de Genet o Bataille. Cerilleras, estraperlistas, tulli-
dos, vendedores de grifa, bares ruines y apenas ilumina-
dos, anuncios de lavados con permanganato, tiendas de
preservativos, esperpentos de la Bodega Bohemia, habi-

taciones por horas, prostíbulos a seis pesetas, toda la corte de milagros hispana imponían una realidad brutal que hizo estallar de un soplo la burbuja que me envolvía. Las casas públicas de Robadors y Tapies, las mujeres de formas opulentas, a veces obesas, sentadas en los bancos de espera, despatarradas, semidesnudas, absortas, en una postura de inocente bestialidad me atraían no sólo en razón de una estética baudeleriana conscientemente perversa sino de su tangible y turbadora promiscuidad. Desde Madrid, como dije, había perdido la reserva o miedo a las prostitutas: el confiar la parte oculta de mi cuerpo a unos labios, bocas, manos capaces de proporcionarme un goce superior al de mis solitarias manipulaciones justificaba también en verdad la reiteración de las visitas. Para completar el cuadro de mis aventuras añadiré que, por estas fechas, el prurito de aclarar las cosas conmigo después del lamentable episodio con Lucho, me animó a aceptar, venciendo mi zozobra y ansiedad, la propuesta de ir a la cama con homosexuales conocidos en algún bar de la zona. Pero mi torpeza y frigidez con ellos, semejantes a las que habría experimentado, imagino, con una remilgada muchacha de familia bien, me persuadieron de la inutilidad de insistir en el empeño: con una mezcla de decepción y alivio –de un alivio que no excluía una pequeña punta de tristeza– me reafirmé por un tiempo en la idea lenitiva, analgésica de una presunta y vagarosa «normalidad».

El frenesí por los barrios bajos que me acució durante años resultaba incomprensible y aun chocante a la mayoría de mis amigos. Monique me ha reprochado siempre con razón mi adaptación inmediata a situaciones y ambientes de pobreza que serían para ella insoportables sin una explícita voluntad cristiana o marxista de ponerles remedio. El cargo es hasta cierto punto cierto y en otro lugar volveré sobre él. Pero este acomodo provisional y egoísta a una realidad vivida por otros como opresiva e injusta, originado en parte por mi inagotable curiosidad a lo diferente, inasimilable y ajeno –una curiosidad testimonial a la vez literaria y política– incluye sin embargo otros elementos de autenticidad personal más allá del encanallamiento o pintoresquismo supuestos. Cuando Jaime Gil de Biedma menciona en 1955 en las páginas de su *Diario* un bureo nuestro en compañía de un limpia o ex legionario, borracho, agitanado y siniestro subrayando mi «malditismo excesivo» prescinde de un hecho esencial: mi sexualidad –salvo muy raras excepciones del lado femenino– nunca fue burguesa o de buenas maneras. Como le dije en una ocasión en el interior del automóvil en donde permanecíamos conversando de madrugada frente a la verja de casa, no me sentía atraído en absoluto por escritores, intelectuales o, sencillamente, gente educada y con corbata. Mis fantasías alógenas se desenvolvían entonces en un terreno inexistente en España: falto del modelo físico y cultural de cuerpo que se impondría naturalmente a mí años más tarde, corría a veces, por influjo del alcohol, tras una sombra triste y degradada de él, con un previsible efecto de frustración, amargura y fracaso. Este simulacro de relación a través de la grifa y el trago no pasaría nunca del simple escarceo. Pero aun en tales momentos, depresivos y humillantes para mí, no intenté engañarme a mí mismo mezclando hipócritamente los planos. El incentivo de mis callejeos y andanzas no se limitaba a contentar de un modo u otro el sexo. El ámbito urbano en el que calaba, su fantasmagoría creadora avivaban mi percepción de las cosas, me abrían a nuevas y arborescentes parcelas de realidad.

El tiempo que me dejaba la redacción apurada de la novela lo empleé aquel verano en un fértil vagabundeo del Distrito Quinto y bares del puerto. Mi manuscrito estaba casi listo y en septiembre lo hice pasar a máquina. La concesión del pasaporte –vedada antes brutalmente como a la heroína de *El cónsul* de Menotti– era desde hacía algún tiempo cuestión de paciencia: mientras corregía las copias mecanografiadas de *Juegos de manos* rellené las solicitudes y cumplí con las formalidades necesarias a su obtención. Cuando lo conseguí al fin, deposité la novela en las oficinas de la editorial Destino dentro del plazo fijado en la convocatoria del premio Nadal. Mi padre se había resignado a la idea de mi viaje a París: preparaba cartas de recomendación para unas parientas lejanas, me ponía en guardia contra las tentaciones y peligros de la ciudad. Las francesas son muy inmorales, hijo; hay que tener un temple de acero para resistirlas. Con una ayuda escasa del abuelo –cuya única fuente de ingresos, después del descalabro financiero, se reducía a su sueldo de jubilado de la Diputación– y el producto de la reventa de mis libros –las novelas prohibidas impresas en la Argentina– me fui a París en octubre, a aguardar allí, a distancia, el resultado favorable o desfavorable de mi primera incursión literaria.

Cruzar la frontera en tren sería para ti durante años una experiencia opresiva en vez de exaltarte : la sorda pero tenaz impresión de recorrer una tierra de nadie, celosamente vigilada no obstante, recrudecía conforme el convoy se vaciaba de la mayor parte de los pasajeros, dejaba atrás Figueres, inspectores de paisano controlaban severamente el pasaporte, el paisaje devenía triste y desierto, los muros se batían en ruina, edificios cercanos a Port Bou cobraban un aire adusto y conminatorio, la propia estación se convertía en un lugar destartalado e inhóspito, de clima estrictamente cuartelero : las huellas de un pasado reciente seguían allí : alambradas, garitas, fortines, cordón protector sanitario, miedo a infiltraciones del maquis, omnipresencia policial : gorras grises, galones, tricornios, oficinas siniestras, corredores con banquetas para esperar : la pieza quizás en la que el veintiséis de septiembre de 1940 un grupo de fugitivos sin patria, mujeres y hombres, habían permanecido horas y horas suplicando y llorando ante el oficial impasible que, acomodado en su despacho, invocaba rutinariamente el texto del decreto que impedía su admisión en el país, su obligación de conducirles con escolta a la frontera donde les acechaba el internamiento administrativo en un campo, la entrega a aquellos mismos de quienes escapaban : todo cuanto él, el hombre con traza de intelectual judío y vagamente trotsquista a causa de las gafas incluido en el grupo, tenía previsto desde hacía años : mejor detener el juego allí, aprovechar la tregua nocturna, absorber la dosis de morfina cuidadosamente guardada para el caso : aunque tú no sabías nada de él y nadie florecía entonces la tumba del apátrida, un residuo del viejo horror –como ese tufillo insidioso de la aireada habitación del muerto después de que han sido evacuados zapatos, corbatas, sombreros, aquel jarabe milagroso contra la tos con el que intentaba curarse, todos los signos marchitos, patéticos que le identificaban– subsistía, piensas ahora, en la sombría estación del pueblo aparentemente abandonado y yermo en el que aguardabas impaciente, con tu maleta, la salida de España.

Con la tarjeta de mi padre en el bolsillo había salido de la boca del metro en busca de ese bulevar de Beauséjour en el que vivían desde la niñez mis parientes de la familia Gil Moreno de Mora: una hermosa villa como las que abundaban en la zona, envueltas en un nimbo de musgo, amarilleces de castaño de Indias, visillos corridos, acolchado silencio, discreta senectud. El timbre casi afónico, como contagiado de la anemia reinante, provocó una pequeña agitación en la planta alta: minutos después, una de las tías, vieja, menuda, vestida de negro acudió a la puerta y, tras informarse de quién era, me escoltó por una escalera alfombrada hasta los muebles enfundados, blancos, fantasmales de sus aposentos. Acababa de visitar a su hermana, monja en un convento del barrio en donde cumplía a su vez con sus devociones diarias y se interesó por mi padre, su salud frágil, la pobre Julia, mis proyectos y estudios, la razón del viaje. Con un lápiz, había anotado cuidadosamente mi nombre y el de mis hermanos, a su edad se olvidaba de todo si no lo registraba en seguida en el cuadernito, quizá, como sospeché luego, quería tenernos presentes uno por uno en sus rosarios y plegarias ricos de indulgencias y otros beneficios espirituales. Ésta fue mi primera y única visita a su casa y barrio residencial en el que vivían. Quince años después, octogenarias y enferma una de ellas de cáncer, mis tías enviarían a uno de sus sobrinos a Italia a preguntar al famoso y carismático Padre Pío si, en caso de una invasión comunista china, estarían más seguras en París o España: la respuesta del oráculo favoreció los deseos de la familia de su mudanza a la Península en donde fallecieron, según creo, al poco de llegar con el alivio y la tranquilidad de haber escapado a los horrores y crueldades de la horda asiática.

Fuera de esa parentela anacrónica y dos muchachas francesas que habían cursado estudios en España, la única persona a quien conocía a mi llegada era un compañero de colegio de José Agustín, expulsado también de los jesuitas, con cuya familia habíamos seguido manteniendo el contacto después de la boda de una de sus hermanas con mi tío Josep Calsamiglia. Alberto Blancafort aprendía composición musical, aspiraba a ser director de orquesta y vivía con una muchacha sueca en algún hotelito o buhardilla del Barrio Latino. Gracias a él, asimilé la obra de una serie de autores que no he cesado de escuchar desde entonces: interpretaba al piano las *Gnosiennes* y *Gymnopédies* de Erik Satie, releía fervorosamente las partituras de Milhaud, Poulenc, Bela Bartok. Alberto frecuentaba a un grupo de músicos, artistas y escritores catalanes afincados en París desde hacía años, con alguno de los cuales no tardé en relacionarme. Adivinando que mis escasos fondos no me permitirían pagar mucho tiempo el hotel en donde me hospedaba, se ofreció inmediatamente a buscarme alojamiento. Conocía, dijo, a una

vieja solterona del *Septième Arrondissement* que alquila-
ba habitaciones a los estudiantes por una cifra módica: él
mismo había ocupado una de ellas antes de vivir con su
compañera y podía servirme de introductor.

El piso de Mlle. De Vitto se hallaba en la planta baja
de una calle silenciosa, sin salida, que desemboca en la
Rue de Varenne: su dueña o, con mayor exactitud, inqui-
lina era una mujer tiesa, alta, bigotuda, vestida con cierto desaliño, con un bizarro, aguerrido aspecto, sobre
todo tocada con su estrafalario sombrero, de *bersagliere*
travestido u oficiala de la tropa voluntaria de Garibaldi.
En realidad, había sido recitadora o cantante, una época
lejana de fama y esplendor que solía recordar con año-
ranza en contraposición a las angosturas del momento.
Diplomas marchitos, viejas invitaciones impresas de
alguno de sus recitales, la foto desvaída de una velada
memorable en honor de los heridos del frente presidida,
según sus sucesivas, enriquecedoras versiones, por
Clemenceau o Pershing, colgaban de los empapelados
polvorientos o reposaban en los estantes, consolas, repi-
sas atestados de figurillas, jarrones y chucherías. Varios
gatos se movían con indolencia esbelta en aquel decorado melancólico, encaramados a veces en el hombro de su
ama, soberanamente ajenos a sus mimos y besuqueos,
con la irradiación emblemática, espeluznada de una
remota estampa de magia o grabado de brujería. Mlle. De
Vitto no se resignaba a su modesta función subarren-
dadora: los huéspedes que acogía en su piso debían
compartir sus aficiones musicales, poseer una refinada
sensibilidad tocante a las artes, escuchar devotamente el
repertorio de sus triunfos pretéritos. Intentaba disfrazar
su pupilaje de puertas afuera con supuestas clases de
canto y solfeo: a menudo, se aclaraba la garganta antes de

tararear en sordina los primeros compases de un aria o
recorría el teclado del piano con un leve toqueteo de los
dedos. El Arte, el gran Arte al que se consagraban antes
los hombres y mujeres de genio estaba a punto de perecer. *Regardez autour de vous, mes pauvres amis, il n'y a
rien, mais absolument rien.* Alberto y yo asentíamos con
la cabeza mientras ella, arrebujada en la evocación de su
propia magnificencia, condescendía a hablar con nosotros, con una voz súbitamente ronca y el tic nervioso de
las mejillas que delataban su avidez e impaciencia, del
precio de la pensión. Aposentado en su casa, dócil a las
reglas del juego de una conversación diaria, a solas con
ella o en compañía de otro huésped, un pianista urugua-
yo delicado y etéreo, aguardaba la visita de Alberto para
ir a alguno de los lugares de Saint-Germain o Barrio Latino en los que acostumbraba reunirse con sus camaradas.
Al poco de llegar, mi amigo me dio la dirección del hoy
desaparecido Foyer de Sainte Geneviève, cerca del Panteón, en donde sin necesidad de presentar el carné de
estudiante, del que yo carecía, se podía almorzar por el
mismo precio que en los restaurantes universitarios. Allí,
cuando hacíamos cola para servirnos con la bandeja en
la mano, me presentó un día al poeta catalán Palau Fabre,
exiliado desde hacía años, y a sus amigos, el actor Sacha
Pitoeff y su esposa argentina. Palau Fabre, cuya visceral
rebeldía antiburguesa e intransigencia nacionalista me
recordaban las de mi tío abuelo Ramón Vives, había roto
los vínculos con su acomodada familia y prefería la existencia dura pero libre de París a aguantar un régimen
como el de Franco que, además de las múltiples razones
que me lo hacían odioso a mí, oprimía con saña su cultura y su lengua. Su actitud ética, reflejada en la parvedad y
adustez de la vida diaria, me llenaron de admiración. La

violencia de su poesía, marcada con el sello inconfundible de Rimbaud, me ayudaba a comprender el drama y frustración de aquel remoto e insumiso pariente, ignorado y malquisto en el círculo de sus propios deudos. Palau Fabre había conocido a Artaud antes de su internamiento y era un entusiasta de su obra. Recuerdo que una vez me llevó a su minúscula buhardilla de la isla de Saint Louis y me recitó unos textos suyos. Como no atravesaba aún mi esterilizadora etapa marxista –Karl Marx, *éternel voleur d'énergies,* habría escrito Rimbaud un siglo más tarde–, la lectura me conmovió. Palau Fabre era una figura original, una suerte de francotirador en un panorama cultural que tendía fatalmente a politizarse. Cuando en 1956 fijé mi residencia en París de forma definitiva, Artaud, Bataille, Breton significaban nada o muy poco para aquel joven español imbuido de marxismo y adepto a las tesis del compromiso de Sartre. Mi amistad con él hubiera podido procurarme la oportunidad de penetrar entonces en la obra de unos autores que, libre ya de mis anteojeras ideológicas, descubrí tan sólo ocho años más tarde; pero la brevedad de nuestra relación, interrumpida por mi retorno a España, malogró aquella ocasión única de acortar el camino que debería llevarme a la conquista de una escritura personal.

Los demás compañeros de Alberto solían darse cita ya en el Dupont del bulevar de Saint Michel, ya en Saint-Germain-des-Prés, en el Mabillon o el Old Navy. Este último abrigaba al atardecer a un grupo de escritores y artistas más o menos mitómanos cuya obra grandiosa, anunciada reiteradamente en el café, no cuajaría nunca: un poeta italiano con la serena belleza de un cuadro de Botticelli; un dramaturgo, autor de una obra que debía montarse en la Huchette; un vasco de opereta con aires

de Luis Mariano, supuesto amante de la hija de un gran
editor por la que en una ocasión intentó cortarse las
venas en medio de sollozos histéricos. En el Mabillon bri-
llaba el Campesino como estrella indiscutible: el ex general del ejército republicano revivía diariamente en una de
las banquetas del fondo, rodeado de un pequeño núcleo
de fieles, no sé si argentinos o chilenos, los momentos
heroicos de la guerra civil, mimaba con gran lujo de ademanes y gestos la escena de su ruptura dramática con
Stalin. Más tarde, después de tomar juntos un bocadillo
o salchicha con fritas, Alberto Blancafort me acompañaba a veces a un local de la Rue des Canettes en donde se
refugiaban los supervivientes caricaturales de la fauna
existencialista: en él, una muchacha grave, hierática,
rigurosamente vestida de negro y con la cara dibujada
como una máscara, aseguraba que vivía en una cueva
húmeda y con ratones e invitaba a los más osados a
gozarla de noche en algún cementerio. El Pouilly se llenaba hasta los topes de curiosos, drogadictos, borrachos.
Los clientes reñían a menudo a puñetazos y la llegada del
panier à salade ponía a todo el mundo en desbandada.
Para un provinciano como yo, la vida bohemia de los
cafés deparaba continuas sorpresas: al primer comunista
español de carne y hueso lo conocí en la terraza del Old
Navy, en la que pasaba las tardes absorto en la lectura de
L'Humanité, traduciendo admirativamente a sus vecinos
y subrayando luego a lápiz, como para balizar las líneas
maestras del pensamiento y la necesidad de volver a ellas
con calma, los comentarios o discursos de algún camara-
da dirigente francés o soviético. El afán de catar el fruto
vedado me movió a asistir una noche, con un periodista
noruego amigo de Alberto, a un mitin comunista presidido, recuerdo, por Auguste Lecoeur poco tiempo antes

de que le expulsaran del Partido: el despliegue aparatoso de banderas y transmisión de himnos –tan parecidos a los de los actos de afirmación falangista o patriótica de mi infancia–, la estridencia de las consignas, el ritmo disciplinado de los aplausos enfriaron al punto mi entusiasmo: una reacción similar –fruto también de mi experiencia precoz, de signo contrario, del arte de manipular a las masas– se reproduciría asimismo en Cuba durante las grandes festividades revolucionarias. Mi antipatía a este tipo de reuniones, fortalecida con los años y la pérdida de mi inocencia política, se manifestó así de forma temprana independientemente de las vicisitudes de mi militancia e ideología. Si los amigos o conocidos con quienes trataba en los años en los que fui compañero de viaje del Partido me hubieran impuesto la participación en tales actos y asambleas rituales estoy seguro de que mi colaboración un tanto reservada con ellos no habría durado mucho tiempo: los desfiles de victoria contemplados con mi padre y hermanos desde los balcones del despacho de la ABDECA me curaron para siempre de la demagogia, inspirándome una saludable desconfianza en la sinceridad de la aprobación fervorosa del pueblo.

El deslumbramiento ante París, inevitable en las circunstancias en las que me hallaba, limitaba mis correrías de turista a los barrios de tradición intelectual y zonas monumentales o artísticas. El ansia de ponerme al día, de ver, leer, realizar cuanto no era posible en España, me hacía pasar de las librerías de lance del Barrio Latino y muelles del Sena a la minúscula cinemateca de la Rue de Messine en donde me tragué, ciclo tras ciclo, los filmes de Pudovkin y Eisenstein, las películas francesas de anteguerra, un selecto muestrario del neorrealismo italiano. Descubría a la vez a Beckett y los impresionistas, a Genet y Prévert, a Schönberg y las primeras obras de Ionesco. Nunca me había sentido tan feliz como durante aquellas semanas en las que, con el estómago a veces vacío y la cabeza llena de proyectos, caminaba durante horas para domesticar la ciudad. Un deseo intenso de adaptarme a Francia, de embeberme de su cultura y su lengua me empujaba a esmerarme en mi pronunciación, borrar el estigma de mi procedencia extranjera. Si comparo mi francés descuidado y opaco de hoy –resultado en gran parte de la defensa instintiva del castellano contra el cerco diario, prolongado de otras lenguas– con el que procuraba lucir entonces en mis conversaciones con los autóctonos, llego a la triste conclusión de que aquélla fue precisamente mi época galoparlante más luminosa y espléndida y, en lugar de avanzar, he retrocedido como los cangrejos. El celo veinteañero en adueñarme del vocabulario y acento ajenos, se repetiría aún a intervalos en otras circunstancias y momentos de mi vida. El goce auditivo inherente a lo primicial, el apoderamiento súbito de lo nuevo explican quizás esta veleidad: el hecho de que el incodificado y mutable dialecto magrebí estimule hoy mi apetito de amaestrarlo mientras las lenguas aprendidas antes desmedran poco a poco en el desván de lo rutinario y conocido. En distintas etapas de mi existencia me impregnaría de lo francés y norteamericano para consagrarme luego, en la cuarentena, al asedio tardío del árabe. Reducido casi exclusivamente a instrumento de trabajo literario, el castellano conquistaría a la inversa un *status* único: ser el enemigo con quien brego en un implicante cuerpo a cuerpo cuya rijosa ferocidad me otorgó la gracia del enamoramiento.

Al cabo de unas semanas la suma de dinero que había traído de España empezó a menguar de modo inquietante. A fin de alargar mi estancia parisiense hasta enero me resolví a restringir la dieta diaria a los almuerzos en el Foyer de Sainte Geneviève. Por la noche, si no conseguía invitación a un bocadillo por parte de algún amigo o conocido, me acostaba en ayunas o me contentaba frugalmente con unas galletas. Una fotografía de este tiempo me muestra flaco, casi demacrado, envuelto en mi abrigo de niño bien un día en que dos colombianos del Colegio Guadalupe aterrizaron en París y me convidaron a un banquete que juzgué pantagruélico. Varios compañeros de Alberto recogían papeles, trapos y objetos abandonados por cuenta de un chamarilero de la Rue de Saint Jacques: el trabajo no era excesivo y bastaba para procurarse el sustento pero una mezcla de mi tenaz señoritismo, desidia y debilidad me condujo a rehuir en seguida aquella explotación del mundo estudiantil considerada por los otros un maná. Puesto en el aprieto de elegir, preferí correr un agujero más la hebilla de mi cinturón e ir a la cama con la cauta, parsimoniosa previsión de quien ha aprendido a conservar en el bolsillo desde el almuerzo un pedazo de pan untado de mostaza.

Mi lento declive físico inquietaba a Mlle. De Vitto: sospechando las causas de mi delgadez, pretendía sonsacarme la situación monetaria a fin de paliar mi eventual desaparición de la lista de sus «discípulos». ¿Aguardaba quizás un cheque de la familia? ¿Tenía esperanzas en la concesión de alguna beca? Cuando me entregaba el correo permanecía plantada frente a mí con uno de sus gatos en el hombro invitándome tácitamente a abrir la correspondencia. Como yo no cedía al chantaje y me encerraba a leerla en mi cuarto, acechaba el momento de mi salida para preguntar si había una sorpresa agradable o las noticias eran realmente buenas. Desanimada y algo molesta con mis evasivas, Mlle. De Vitto se aclaraba la garganta al recordarme que debía pagarle el alquiler antes de fin de mes si quería seguir mi supuesto aprendizaje con ella.

A primeros de diciembre había recibido una carta de Castellet: me anunciaba su intención de pasar quince días en París y requería mi ayuda para encontrarle alojamiento. Transmití su recado a Mlle. De Vitto y ésta, preocupada no sólo por el estado lamentable de mis finanzas sino también por la dramática deserción de otro de sus huéspedes, acogió la noticia como una bendición. Quería averiguar cómo era ese *signor* Castelletto: su familia, educación, aficiones artísticas, si disponía de medios. Mis respuestas parecieron satisfacerla y su llegada era aguardada con ansiedad. Recuerdo que la visita de uno de los mitómanos del Old Navy, presunto jefe del servicio quirúrgico en el Hospital Americano de Neuilly, había encandilado a mi anfitriona, convencida durante unas horas de haber topado con una gran autoridad del cuerpo médico cuya riqueza e influencia le concedían respecto a mí un papel natural de consejero y mecenas. Esfumado el portentoso galeno, Castellet sería brevemente el personaje ideal de sus ensoñaciones. Cuando se presentó al fin, Mlle. De Vitto le acogió con los brazos abiertos: el aire serio y distinguido de mi amigo colmaba sus expectativas. Con su ayuda pude pagar las semanas que debía y esperar, mientras oficiaba de guía y asesor suyo en materia de libros, películas y obras teatrales, el fallo del premio Nadal. Castellet conocía a un crítico de arte catalán que me prestó la noche de Reyes un viejo aparato de radio. Durante rato buscamos en vano la onda de la emisora barcelonesa que transmitía en directo el resultado de las votaciones: sólo la captamos para enterarnos de que mi novela, la favorita en las apuestas del público que asistía a la cena del premio según el locutor, acababa de ser eliminada en la penúltima votación. La recompensa se otorgaría minutos más tarde a la obra de una desconocida de quien, pocos meses después de la publicación de su libro, nadie volvería a oír hablar.

Días antes de mi regreso, Luis y José Agustín me informaron por carta acerca de lo ocurrido: desde el comienzo de las votaciones, había corrido el rumor entre el público de que mi obra era «izquierdista» y de «ambiente prerrevolucionario», un dato que por sí solo aclaraba su descalificación. En casa, todos habían seguido a través de la radio las incidencias del premio: Eulalia «lloraba como una desesperada» y se enfureció con la ganadora; reconciliados por un instante, mi padre y el abuelo habían acogido la noticia con abatimiento y desilusión.

De vuelta a Barcelona, los editores de Destino, a quienes me precipité a ver impaciente y esperanzado, se encargaron de recordarme de modo abrupto las restricciones y límites de la realidad: la obra les interesaba, me dijeron; pero en las circunstancias del momento les parecía de difícil publicación. Como sus relaciones con el entonces omnímodo Director General de Prensa atravesaban una etapa muy delicada, el simple hecho de presentarla ellos a censura, añadieron, sería no sólo inútil sino también contraproducente. Si yo contaba con algún valedor de peso, sería mucho mejor que recurriera a sus servicios: una vez aprobada por Juan Aparicio o el propio ministro, ellos la incluirían en su colección.

Como yo no tenía ningún amigo ni patrocinador influyentes en el Ministerio, fui a ver a Dionisio Ridruejo, a quien no conocía personalmente, pero cuya reputación de honestidad e independencia de criterio le convertían *a priori* en un intermediario ideal. Aunque situado desde hacía años al margen del sistema, Ridruejo no había roto aún definitivamente con éste y conservaba una serie de conexiones con sus antiguos camaradas de armas. A la sazón dirigía en Madrid una emisora privada de radio y allí me recibió cordialmente cuando me presenté en su despacho con el manuscrito de la novela. Me prometió leerla a fin de formarse una opinión sobre ella y poder argumentar su defensa ante el ministro en cuanto tuviera una oportunidad de hacerlo. Unas semanas más tarde, después de formularme algunos reparos estrictamente literarios sobre el libro, Ridruejo me refirió con una sonrisa su conversación con Arias Salgado. El ministro de Información y Turismo, famoso por su teoría según la cual, merced a su gestión providente, España era el país del mundo con menor proporción de condenados a los suplicios eternos del infierno, había expuesto a mi intercesor sus notabilísimos criterios respecto a la materia: conforme a ellos, una novela sólo era digna de publicarse «si marido y mujer, en un matrimonio legítimamente constituido, podían leérsela el uno al otro sin ruborizarse mutuamente y, sobre todo, había insistido, *sin excitarse*». Ignoro si la lectura a dúo de *Juegos de manos* ocasionó rubor o excitación en la ministerial pareja o, absorto en sus múltiples y beneméritas ocupaciones, Arias

Salgado tuvo el ocio o curiosidad de recorrerla; lo cierto es que, pese a los buenos oficios de Ridruejo, la novela permaneció estancada varios meses en el Ministerio y allí habría dormido probablemente hasta la remota liquidación del Régimen si no hubiera mediado entre tanto una nueva y más directa intervención.

Por consejo de Fernando Gutiérrez, había expuesto el problema a José Manuel Lara. El editor de Planeta, gracias a sus conocidas simpatías a la persona y obra de Franco, se hallaba en mejor posición que Ridruejo para sostener eficazmente mi libro: enterado por Gutiérrez de que preparaba otro, se obligó a interceder y sacarme del atolladero a cambio de mi promesa verbal de entregarle en prioridad el manuscrito de *Duelo en el paraíso*. Así lo hice y, con gran alivio mío, la novela fue autorizada al cabo de poco tiempo con algunos cortes, por fortuna no esenciales. Con el *nihil obstat* de la censura volví a Destino y firmé el contrato de publicación durante el verano del cincuenta y cuatro si bien, por razones de programación, el libro no apareció sino a comienzos del año siguiente.

Fuera de la redacción en la novela comprometida con Planeta, mi reinserción en la vida barcelonesa se realizó a vaivén de mi descubrimiento del chamizo flotante del Varadero y la asistencia a los seminarios de literatura de Castellet. Tras la clausura de *Laye* y el fracaso de nuestras tentativas de crear una nueva revista, el núcleo original de los fundadores de aquélla se dispersó: Sacristán había ido a completar sus estudios a Alemania; Gabriel Ferrater viajaba por Europa; Barral, a punto de contraer matrimonio, cumplía de buen grado con las exigencias de su apellido industrial. Valiéndose de su amistad con el director del Instituto de Estudios Hispánicos en Barcelona, Castellet había organizado un cursillo sobre crítica y novela en torno al cual se aglutinó un grupo de jóvenes que habían ingresado en la universidad después de mi abandono prematuro de la misma: mi hermano Luis, Joaquín Jordá, Salvador Giner, Jordi Maluquer, Nissa Torrents, Octavio Pellissa, Sergio Beser y otros cuyo nombre no recuerdo se reunían en uno de los salones del viejo piso de la calle de Valencia a discutir de realismo crítico, compromiso y marxismo. Durante mi estancia en París, el ambiente en el que me movía se había politizado de golpe. Octavio Pellissa, miembro de una familia que pertenecía o había pertenecido al Partido en tiempos de la República, no recataba siquiera en público sus ideas comunistas. No sé si a través de él o algún otro amigo de Castellet, revistas como *Europe* y *La nouvelle critique* empezaban a circular bajo mano. Términos como plusvalía, condiciones objetivas, línea correcta, libertades formales, centralismo democrático entraron así poco a poco en nuestro vocabulario. Pertrechados con una sólida red de argumentos, sometíamos la realidad cotidiana al proceso reestructurador de la flamante doctrina. Las canciones de Yves Montand, Léo Ferré, Atahualpa Yupanqui, escuchadas a menudo en común, con gravedad litúrgica, despertaban asimismo nuestro entusiasmo. Con un celo de neófito, aproveché unas breves vacaciones para difundir las ideas recién adquiridas entre los masoveros y payeses de Torrentbó: horrorizado por mis privilegios de señorito, les anunciaba el comienzo de una lucha revolucionaria que acabaría pronto con su avasallamiento y explotación. Alfredo y sus amigos debían de escuchar, me figuro, con escepticismo y condescendencia aquellos atropellados discursos míos cuyo voluntarismo ingenuo se compadecía difícilmente con los demás ele-

mentos de su experiencia diaria. Mi adhesión sentimental al marxismo, dictada en gran parte por el deseo de
hacerme perdonar la mancha original de mi clase y pasado infamante de la familia, iba a tropezar no obstante
desde el principio con dificultades y obstáculos insalva-
bles. Recuerdo muy bien el día en que alguien me pasó
un paquete de ejemplares atrasados de la revista cultural
del PCE clandestino: con el delicioso cosquilleo de quien
se dispone a catar del fruto prohibido, me lancé ávidamente a su lectura pero el contenido de ésta me sumió en
una profunda consternación. Eran los tiempos de la guerra fría y el deshielo subsiguiente a la muerte de Stalin no
había llegado aún. Un lenguaje violento, plagado de
invectivas e insultos, estigmatizaba no sólo la conducta e
ideas de los autores conocidos por sus simpatías franquistas sino también las de algunos de los escritores e
intelectuales extranjeros que más admiraba: Gide,
Camus, Malraux, el propio Sartre, eran tildados de hie-
nas y chacales, agentes del Pentágono, fieles lacayos de la
burguesía moribunda. Esta retahíla de acusaciones
infundadas, trabadas entre sí como cerezas, evocaba en
su esquematismo y pobreza la ensartada en el catecismo
del padre Ripalda y otros manuales semejantes contra
librepensadores, masones, judíos. Una sensación de *déjà
vu* me hizo interrumpir la leída con un sentimiento de
amargura y desagrado. Pero convencido de que se trataba de un error subsanable y resuelto a no permitir que los
árboles me impidieran ver el bosque, me limité a comentar con Castellet y mis amigos –tan sorprendidos y
molestos como yo– mi total desacuerdo con los editoriales de la revista y su absurda acumulación de improperios. La conciencia de la necesidad de un cambio radical
de la sociedad española tanto político como social y del

deber moral de participar en el mismo mantenía intactas nuestras ilusiones.

Paralelamente al seminario de literatura del Instituto, nos reuníamos de forma periódica, unas manzanas más lejos, en un local denominado el Bar Club. Las discusiones y charlas allí eran de matiz predominantemente político. Los comentarios a la situación internacional –últimos coletazos del macarthysmo, Guatemala, la derrota francesa en Indochina– acaparaban la mayor parte de las tertulias. Octavio Pellissa aprovechaba la ocasión para subrayar la manifiesta superioridad material y moral de los regímenes socialistas: minado por sus contradicciones y luchas internas, el mundo capitalista acabaría por derrumbarse por sí solo frente a la firmeza y solidaridad inquebrantables de China y la Unión Soviética. Un día, emocionados, recibimos la visita de un misterioso personaje venido de Pekín: el convidado en cuestión, cuyo nombre no se nos reveló por razones de elemental prudencia, nos explicó algunos sucesos y anécdotas de su viaje sin incurrir en alardes propagandísticos. Aunque decepcionados por su frialdad, le escuchamos devotamente sin saber que su anonimato ocultaba al futuro fundador de los *felipes,* el diplomático Julio Cerón: cuando le volví a ver a su salida de la cárcel unos diez años más tarde vivía confinado en un pueblo de Murcia adonde acudí a saludarle, recuerdo, en compañía de Ricardo Bofill.

Por medio de amistades comunes, nuestro grupo había entrado en contacto con dos escritores jóvenes afincados en Madrid: Rafael Sánchez Ferlosio y Carmen Martín Gaite. El primero había publicado una novela insólita, *Industrias y andanzas de Alfanhuí,* cuya lectura me exaltó: dueño a los veinte y pico de años de una escritura rica, de infinitas sugestiones y matices, había alcan-

zado sin dificultad aparente esa densidad expresiva que
me fijaría tan sólo por meta, después de penosos force-
jeos y luchas, en el momento de componer *Don Julián*.
Ferlosio y su mujer acababan de regresar de un viaje a
Italia y aceptaron de buena gana mi invitación a descansar en Torrentbó. Aquélla fue la primera de una serie de
visitas recíprocas que se sucederían por espacio de dos
años. Mientras yo consagraba mis energías a la novela
apalabrada con Lara –con cuyo adelanto contaba para
retornar a París–, Ferlosio me confió el manuscrito de
una obra suya, de concepción un tanto kafkiana, que
quería someter asimismo a la consideración de Planeta.
El fontanero –así se titulaba la novela– era probablemente un simple hito en el camino que debía conducir de
Alfanhuí a la aventura portentosa de *El Jarama;* pero, aun
teniendo en cuenta su índole de obra menor, despuntaba
por su agudeza, rigor e ironía en el baldío panorama
español del momento. Meses después, cuando Ferlosio
había dado carpetazo a su idea de publicarla, los dos
intercambiamos confidencias sobre nuestras respectivas
entrevistas con el editor. En el caso de *Duelo en el paraíso,* aquél me había prevenido con su sevillanísimo acento
de que el tema de los niños no era comercial; con todo,
me aconsejó que la presentara a su premio y se compro-
metió gallardamente a publicarla. La plática con Ferlosio, referida por éste, fue más sabrosa y coloreada: Lara
le acogió con un solemne «usté escribe bien; pero que
muy bien; ¡hasta que demasiado bien!» y, tras darle unos
buenos consejos en achaque de picardía novelesca, le
había asegurado que con ellos podría convertirse algún
día en un émulo digno de Pombo Angulo.

   El trato con Ferlosio, interrumpido luego por mi exilio
voluntario a París, tuvo para mí aquellos tiempos un valor

y significado importantes: en ameno contraste con la suficiencia, vanidad y exhibicionismo de la mayoría de sus
colegas, mostraba con el ejemplo que uno podía ser un
escritor serio sin necesidad de tomarse en serio a sí
mismo. Solitario, excéntrico, lleno de humor e ironía, profesaba un desprecio absoluto al énfasis teatral o ampulosa
gravedad de los figurones de turno. Sus opiniones literarias, siempre sinceras y descondicionadas, no dudaban en
impugnar las ideas corrientemente admitidas: me acuerdo
muy bien del día en que, al oírnos citar a Castellet y a mí
La colmena como paradigma de novela objetiva, explotó
de repente para decir que Cela era un autor tiránico que no
concedía a sus personajes ni siquiera el derecho de respirar. Su análisis no era hipotético e impropio como el nuestro: con *El Jarama* ya en marcha, sabía muy bien lo que se
decía. Por encima de todo, Ferlosio encarnaría para mí al
creador resuelto a vivir la literatura como una condena o
gracia y no como un ganapán o medio de hacer fortuna.
Su mudez posterior –tan parecida a la que afectaría a su
vez a Genet– confirmaría esta concepción suya de la escritura como un acaecimiento extremadamente aleatorio y
grave –bello e imprevisto como el hecho de enamorarse–,
algo cuya experiencia impone a quien la vive la obligación
de callarse si, abandonado súbitamente por el don, no
quiere incurrir en el imperdonable delito común de la
grafomanía. Frente a la polución verbal de la producción
editorial ordinaria, la fuerza moral de candar el pico y tragarse las propias palabras es y será una conmovedora
manifestación de fidelidad personal a una vivencia, goza-
da y sufrida por el escritor como una lenta y suave devoración: nuevo y desgarrado Prometeo que, a la porfía obsti-
nada del águila, no puede ofrecerle ya la carnada de su
hígado milagrosamente rehecho.

El lugar era uno de esos escenarios privilegiados que, como la plaza de Marraquech o el Zoco Chico de Tánger, se imponen a la imaginación de inmediato y misteriosamente se transforman en espacio de la escritura: un pontón de forma rectangular de una cincuentena de metros de largo, con una caseta de techo de dos aguas a la que se accedía por un puentecillo. El visitante que llegaba a él procedente de la terminal de tranvías de la Barceloneta debía caminar más de un kilómetro bordeando los muelles y tinglados del puerto situados al pie de la escollera: un trayecto frecuentado casi sólo por pescadores, mejilloneros o propietarios de alguna de las barcas en curso de carenadura o revisión. Cuando la benignidad del tiempo lo permitía, los clientes del Varadero se acomodaban al aire libre, en las mesas dispuestas por el dueño junto a los rollos de cuerdas, palangres y puntales de escora. Desde allí, mientras consumían un carajillo o una cerveza, contemplaban el movimiento general de los barcos, gabarras, remolcadores, golondrinas y embarcaciones de pesca; los malecones y dársenas de la estación marítima; las torres herrumbrosas del transbordador aéreo; el vuelo tornadizo de las gaviotas, a veces como suspendido e inmóvil, a punto de calar en picado sobre la presa. El pontón se mecía con suavidad al paso de las lanchas de los carabineros o fuerabordas de los americanos y las maromas sujetas a los amarraderos crujían entonces lastimeramente, con quejido casi animal. Presentes en la escena del recuerdo, como actores de un cuadro vivo, los asiduos serán siempre los mismos: Alonso, el amo, regordete, pequeño, de ojos azules y melancólicos de ordinario entornados, aspecto seráfico, timbre de eunuco; Amadeus, boina ladeada y sonrisa franca, gran bebedor y aficionado a entonar habaneras; la señorita Rosi, cuarentona, gruesa, fumadora empedernida de Bisontes, con su bolso encima de la mesa, ella misma lo dice con picardía, «igual que las fulanas». Mejilloneros y marinos juegan una partida de cartas, intercambian bromas y juramentos, vigilan de soslayo los quehaceres diarios del calafateo. Moviéndose entre ellos, cargado con baldes de agua o listo para tapar las junturas del casco de un bote con brea y estopa, un hombre que camina descalzo, cubierto con unos simples calzones rotos, moviliza imperiosamente tu atención.

Desde la primera visita al Varadero te sientes atraído por él. Raimundo es de mediana altura, complexión atlética, piernas y brazos musculosos, pelo castaño áspero y erizado, pecho velludo, mostacho silvestre. Su rostro es rudo, pero enérgico; sus ojos centelleantes y oscuros, el conjunto de su persona y figura irradia un poderoso magnetismo animal. A estas características físicas –que por primera y única vez en la vida apreciaras en uno de tus paisanos–, el gañán al servicio de Alonso agrega otras que al cabo de los años aprenderás a discernir en los nati-

vos de esa Zona Sotádica descrita por sir Richard Burton,
cuyas fronteras se extienden de Tánger al Pakistán: una
cierta tosquedad de formas que no excluye la gracia; dis-
ponibilidad y calor instintivos; rechazo soberbio de los
modales y mecanismos que abren las puertas de la ascensión social en los países industrializados. Aunque no
pertenece en apariencia a una comunidad foránea o me-
teca como los inmigrantes parisienses originarios de la
Zona, Raimundo encarna no obstante la absoluta margi-
nalidad: no sabe leer ni escribir, carece de familia regular
y domicilio fijo, su pasado permanece envuelto en una
sombra que, pese a tus esfuerzos, no lograrás aclarar: se
casó o amancebó con una mujer de la que tuvo una hija;
vivió durante un período en Fernando Poo; fue marino y
fogonero en un buque mercante; por una razón no aclarada, pasó una temporada en prisión. Sus explicaciones
varían según las circunstancias, como obedeciendo a los
imperativos y exigencias artísticos de la narración: a
veces será viudo y otras no; la suegra que le acusó falsa-
mente de incesto con la hija aún menor se transformará
luego en la propia madre; el hecho que le llevó a la cárcel
muda de color, naturaleza y escamas con la maleabilidad
de un camaleón. Si bien ha nacido en la Costa Brava, su
apellido no es catalán y de probable ascendencia gitana.
Su desconfianza ancestral del payo explicaría en este caso
su actitud defensiva ante la vida, su individualismo arrai-
gado y tenaz. Sea cual fuere el origen, lo cierto es que vive
solo, duerme sobre unos sacos en un cuchitril de su palacio flotante, no recibe visitas ni abandona el área del
puerto, ha perdido o le han robado sus documentos de
identidad. Cuando te percatas de su violencia coercitiva e
imantadora no se te ocurre siquiera la idea de resistirla y,
por primera vez en tu vida, asumes tu adicción impreci-

sa con una limpia sensación de felicidad. El abismo cultural y social existente entre vosotros cumple, cumplirá en lo futuro, ese papel diferencial, de aproximación fascinada a lo desconocido y ajeno que corresponde usualmente a la disimilitud complementaria de los dos sexos. El mundo de tu amigo, a mil leguas del que has vivido hasta entonces, se convierte para ti en una especie de droga: durante meses, vivirás encadenado a él. La visión montaraz de Raimundo, del destartalado palafito que es su hogar y querencia justifican tus visitas diarias al Varadero desde el otro extremo de la ciudad: su llameante sonrisa sobre la faz curtida cuando te divisa de lejos, el ademán embarazado y agreste con el que acoge tus modestos obsequios serán tu recompensa. Aunque él no sospecha la índole real de tus sentimientos, se siente visiblemente halagado por tu interés y, según puedes comprobar con placer, procura a su vez mantenerlo despierto: el impacto del exotismo es recíproco y si él cifra para ti lo elemental y vedado, tu educación e involuntario señoritismo también le cautiva. Al caer la noche, cuando concluye su faena y las bombillas del chiringuito se reflejan y oscilan en la lumbre aceitosa y oscura del agua, los dos bebéis coñac y cerveza en un rincón bajo la búdica, impenetrable mirada del dueño. La extraña pareja que formáis no despierta allí la atención. Los asiduos al Varadero se han habituado ya a tu presencia: la señorita Rosi coquetea hasta muy tarde con los mejilloneros y pescadores y un día en que se siente ofendida por un comentario picante y amaga retirarse del local súbitamente arropada con un manto de dignidad, Alonso interviene con voz quebrada por la emoción para asegurarle que allí «se le aprecia, se le quiere, se le respeta, se le distingue y se le considera» –una frase que divulgada por ti en el Bar Club, se convertirá en la fórmula habitual de despedida de los miembros de la tertulia cuando meses más tarde te escriban a París–. Los clientes nocturnos del bar flotante suelen venir en taxi: propietarios de las barcas en carena, parejas, alguno que otro burgués fugitivo de la domesticidad. Desde Madrid has aprendido a aguantar el alcohol o lo cortas con grifa adquirida en el puerto. A Raimundo se le suelta la lengua conforme aumenta el número de tragos y, vagamente achispados, os despedís en la pasadera de tablas cuando llega la hora de cerrar. Tu largo trayecto solitario al pie de la escollera, hacia los baños de San Sebastián y parada de tranvías de la Barceloneta, te ayudará a despejar la cabeza y adecentar tu aspecto en el caso probable de que tu padre aceche tu llegada despierto en su sombrío dormitorio de Pablo Alcover.

Una noche en la que has fingido sentirte más borracho de lo que estás realmente, volverás pies atrás camino del muelle y treparás al zaquizamí en donde se acuesta tu amigo: tus deseos de tumbarte a su lado, de sentir el cercano calor de su cuerpo han sido más fuertes que tu timidez e inhibición física. Pero el gesto liberador que esperas de él –genuinamente sorprendido de verte reaparecer– no se produce: la intimidad que en secreto anhelas le resulta a todas luces ajena. La ostentosa y agresiva virilidad de tu compañero no es, como descubrirás luego con los hijos de la Zona Sotádica, una señal de connivencia dirigida primordialmente a su sexo: a Raimundo no le roza tan sólo la idea de que la atracción que sientes por él sea ante todo física. Cariñosamente, se limitará a arroparte con su única manta y, después de cerciorarse de que estás cómodo, se tenderá a dormir a un metro escaso de ti en su mísera e inhospitalaria yacija. Mientras ronca de modo fiero, meditarás lúcidamente en el hecho de que vives una pasión imposible y sin nombre; de que la falta de correspondencia entre tus impulsos y el modelo de cuerpo que los convoca te condena y condenará, crees entonces, a una inexorable y cruel soledad. Un ademán o iniciativa tuyos te parecen sacrílegos. ¿Cuál sería la reacción de tu amigo? ¿No corres acaso el riesgo de un duro, humillante rechazo? El tejido sutil del vínculo incierto que os une puede desbaratarse, lo sabes, con un simple, inconsiderado desliz. La repulsión que suscita el término infame de maricón, el pesado lastre familiar que llevas a cuestas te inducen a la resignación y prudencia. La dicha que pese a todo barruntas te ha sido acotada por decreto: mejor dejar las cosas así y prolongar impunemente tu emoción en un anonimato cobarde, discreto.

El terror casi sagrado que te imponía en la pubertad la foto de los dos mozallones trabados en el abrazo, casi coyunda, de la lucha turca te abruma de nuevo en el duermevela de tu noche en el Varadero con esa fuerza impregnadora que, aun discontinua y sosterrada, aflorará un día a la superficie y arramblará con defensas y diques en virtud de la ley ineludible que, según dice bellamente Ibn Hazm, «destruye lo más recio, desata lo más consistente, derriba lo más sólido, disloca lo más firme, se aposenta en lo más hondo del corazón y torna lícito lo vedado». Pues lo que más te impresiona al evocar el episodio en Marraquech, desde una atalaya de casi treinta años, es la increíble fidelidad de tu escenografía mental tanto a un determinado marco espacial como a unas cualidades, rasgos y partes del cuerpo humano que, más allá de paréntesis, desvanecimientos u olvidos, independientemente de tu amor y sus sentimientos contiguos, serán no obstante para ti, como captó el andalusí,

«colmo de tus deseos y ápice de tus gustos». Tu impotencia de entonces con Raimundo la contemplas ahora como
el obligado tributo a tu nacimiento en un medio social y
cultural impropios. El desvío que marcaría luego tu vida
se llevaría a cabo a distancia y a contrapelo de tus coordenadas iniciales cuando, afincado en París y feliz en tu
relación con Monique, volviste a sufrir los embates y
acoso de aquella antigua y turbadora imagen: la sucesiva
reencarnación del patrón ensoñado en otros cuerpos
bruscos, instintivos, hospitalarios cuya invasión íntima
saludarías al reivindicar gozosamente la figura del mítico
don Julián.

El fracaso de tu tentativa nocturna no interrumpe
vuestra amistad: Raimundo será durante el año cincuenta y cuatro el centro ígneo, irradiante, en torno al cual tu
existencia gravita. Diariamente acudes a verle, a solas o
con tus amigos: Carlos Cortés, los asiduos a la tertulia de
Castellet pasarán muchas tardes contigo en el Varadero
acunados con el crujido de las sogas de amarre y el gol-
peteo intermitente del agua alborotada por el cruce de
alguna lancha. Mientras bebéis, discutís de literatura o
conjeturáis sobre la irreversible y cercana caída del Régimen, tú vigilas de modo furtivo sus movimientos, el
ritmo pausado de su tarea diaria: la complicidad existente entre los dos es un secreto celosamente guardado y
nadie captará sino tú sus bromas y alusiones crípticas.
De vez en cuando, él te acompaña al anochecer a las
tabernas y merenderos de la Barceloneta: el universo pintado más tarde en *Fiestas* cobra de pronto para ti, gracias
a su presencia, una hiriente y brutal realidad. La contagiosa energía física de tu amigo imanta alrededor de él a
un séquito abigarrado de mujerucas, gitanos, borrachos,
mendigos. Él es el rey indiscutible de aquella corte de

milagros seducida también por su magnetismo e inagotable vitalidad.

Antes y después de tu segundo viaje a París, recorrerás con Raimundo los tugurios y burdeles del Barrio Chino, le presentarás a una de las prostitutas que salen contigo y pasearéis los tres del brazo, con la mujer pintada y obesa entre ambos, hasta el momento de despedir la noche a la entrada sórdida de un *meublé*. Del mismo modo imperceptible que Lucho, tu amigo, se ha ido convirtiendo poco a poco en un personaje literario con el que contiendes a diario en la página en blanco independientemente del modelo real. Este cambio de *status* implica un distanciamiento tácito, el cese de tu anterior subordinación a su apremiante, avasalladora personalidad. El día en el que, por una razón oscura, se pique con el Alonso, desertarás con él de la escena del Varadero y le seguirás a los lugares en donde ejercerá sucesivamente, por breve tiempo, oficios de bañero, pescador, salvavidas. Su hosca existencia de marginal –desamparada, escueta, desprovista de bienes– te atrae y conmueve; pero el resorte de su poder liminar sobre ti se ha roto. Raimundo ha pasado a ser al cabo de un año un testimonio vivo de la verdad escrita en tu novela: alguien a quien se muestra a los amigos como prueba suplementaria de autenticidad. Cuando Monique vaya por primera vez a Barcelona incluirás en el programa de su estancia una obligada visita al puerto: Raimundo parece contento de verte acompañado y os fotografiaréis los tres sonrientes en el marco de su antiguo trabajo. Más tarde, al examinar cuidadosamente las fotos, advertirás en su rostro las señales de un súbito envejecimiento y cansancio, las huellas de la enfermedad que interiormente le mina. Pero absorto en Monique y su inmediatez cálida, no supiste prestar la atención necesaria, desatendiste los signos de su cercana partida. Con esa indiferencia inherente a la pérdida o disminución del interés físico por las personas a las que una vez deseamos, viviste las incidencias de tu dicha amorosa lejos de Raimundo y su cohorte de parias. Sólo al enterarte con diez días de retraso de la noticia de su muerte, de su agonía atroz, solitario, borracho, en las tabernas y cafetines del muelle, derramaste unas lágrimas tardías e inútiles. Tu carta a Monique refiriéndole el hecho, poco antes de concluir en 1956 el servicio militar, trasluce más allá de un dolor real, el remordimiento y culpabilidad que te aplastan: una vergüenza retrospectiva de haber trocado a tu amigo en héroe de novela para abandonarlo después a su horrible destino; una conciencia dolorosa y aguda de tu condición egoísta y aventajada. La referencia a sus manos callosas, convertidas en útiles de trabajo, no se acompaña en cambio de una mención al pasado esplendor de su cuerpo y la embriaguez que suscitara en ti: esplendor y embriaguez que, revividos ahora en el recuerdo, redimen la crudeza y mezquindad de su sino, abrogan tu versatilidad y, como en los tiempos en que acudías al Varadero para obtener la gracia de verle, confieren a la sonrisa con que te acogía, sombreada por su mostacho fiero, una dulce y consoladora impresión de perennidad.

Lenta cognición y aprendizaje del cuerpo asumidos con esa tardanza consubstancial en ti a todo lo profundo : vértigo, inmersión, remolino cuyo secreto vórtice se halla en tu adentro : mudo descenso al abismo, gravitación animal : afán de aniquilación, misterios de gozo y dolor, crudo, exaltador Vía Crucis : apropiación gradual, paso a paso, de la escatología mental presentida : imágenes marciales de fuerza y vasallaje, miembros duramente trabados, nítidos fucilazos, sutilizada dicha : sufrimiento, beatitud, entrega afines a la experiencia mística del poeta que confieren a la busca del núcleo germinal, infusible, una discreta aureola de santidad.

Abrupto descubrimiento : ser sólo corteza, desconocer la ignita realidad del centro : sondear cautamente la entraña de la que brota a borbollones el magma de escorias, materias abrasadas : cráter orgiástico, de lava seminal, escurridiza : plétora, sed inexhausta, densidad esencial : mera indicación de lo oculto, de la ardiente pulsión abrigada en

la sima : ahondar su conocimiento, pulirlo, acendrarlo,
establecer las leyes recónditas de una íntima, personal vul-
canología : relación enigmática de la imagen causal induc-
tora, de la cala tenaz en la pena gloriosa con el súbito,
sincopado deliquio : derrumbadero, precipicio de fauces
abiertas en el interior de ti mismo, contumaz y reacio no
obstante a su iluminativa, esclarecedora aprehensión.

En una charla de sobremesa, en la época en que
Monique y tú frecuentabais la Rue Saint-Benoît, la con-
versación había girado en torno a las rarezas sexuales
analizadas en un libro de Stekel u otro autor semejante
especialista en el tema : la historia de un asiduo a un pros-
tíbulo al que acudía siempre con un maletín cargado de
veintitrés kilos de cadenas : algunos comensales sonreíais o
gastabais bromas fáciles sobre el sujeto cuando Marguerite
Duras os interrumpió con la voz grave e intensa que ha
seducido y seduce a cuantos la rodean.

Yo encuentro admirable, *dijo,* poseer un conocimiento tan perfecto de sí mismo como para determinar el peso exacto de las cadenas, llegar a este
veintitrés precisamente y no veintidós o veinticuatro, pues un saber casi de miligramos requiere un
largo y penoso noviciado que sólo las personas
más puras tienen el valor de afrontar.

En los meses que precedieron al nuevo viaje a París mi amistad con Luis se afianzó: el adolescente reservado y secreto con quien antes me cruzaba en casa, se había transformado a su entrada en la universidad en un joven serio, curioso e inteligente, apasionado como yo por la política y la literatura. El intercambio diario de ideas y opiniones, los descubrimientos respectivos en el campo de la lectura sentaron las bases de una relación que, con el tiempo, se revelaría indispensable y fecunda para ambos. Luis escribía también, con una madurez sorprendente y como adquirida de golpe: desde la aparición de su primer cuento en una revista barcelonesa, cualquier lector atento del mismo adquiría al punto la certeza de habérselas con un verdadero autor. Nuestras trayectorias narrativas, emprendidas con dos o tres años de diferencia en la década de los cincuenta, muestran en sus similitudes y divergencias el amplio margen de libertad del artista tocante a sus condicionamientos y orígenes: la existencia de una voluntad correctora y activa opuesta al fatalismo e inercia de la necesidad.

En un conocido texto de Freud*, el autor de *Moisés y el monoteísmo* formula una hipótesis según la cual, cuando un niño descubre que sus padres son seres normales y corrientes, se forja una «novela familiar» a fin de compensar de algún modo con la imaginación la cruel decepción que acompaña su ingreso en la vida: inventa a sus anchas una familia fuera de lo común, lo mismo en sus virtudes que en sus defectos, en la que poder guarecerse de la intemperie de su descubrimiento y amortiguar así el choque producido por la irrupción deprimente de lo real. Esta «novela familiar» elaborada en un entorno inhospitalario e ingrato sería el germen de todas las ficciones desenvueltas más tarde por el escritor: la almendra de la que brotaría el árbol de su obra futura. Si la literatura, como dijo Pavese, es «una defensa contra las ofensas de la vida», el primer acto defensivo del niño neurótico prefiguraría la totalidad de su constelación novelesca: una especie de clave recóndita de su herida y la tentación de bregar con ella de cara a su eventual curación.

Si bien no todos los niños neuróticos devienen escritores ni la ficción de todos los escritores es fruto de una precoz fantasía compensatoria, no cabe la menor duda de que, como ha señalado Marthe Robert tocante a Flaubert, el impulso inicial que genera, articula y ramifica la obra de algunos creadores procede de un *Familienroman* concebido para paliar un desengaño o resguardarse de una agresión. La vocación literaria, mía y de mis hermanos, criados en un medio social y educativo muy poco propicio *a priori* al cultivo de las letras no puede explicarse tal vez sin la existencia de una necesidad angustio-

---

*   Este párrafo y los dos que le siguen figuran en mi ensayo «Lectura familiar de *Antagonía*», publicado en *Quimera*, 32.

sa de resarcirse de un trauma y decepción tempranos. La primitiva «novela familiar» que nos fraguamos podría haber permanecido latente, en un mero estadio de compulsiva mitomanía: ésa fue mi primera e irresistible tentación de los años de niñez y adolescencia, de la que sólo pude desprenderme redactando con obsesiva porfía docenas y docenas de patrañas novelescas. Mi decisión veinteañera de ser escritor a secas y entrega posterior a la literatura fue en cierto modo resultado de una ardua y compleja negociación: el trato cuidadosamente cerrado entre la conciencia agobiadora de la realidad y el contrapeso nivelador de la mitomanía. Lento y difícil proceso que, de *Juegos de manos* a *Señas de identidad*, iba a purgarme paulatinamente del segundo para conducirme a una escritura despojada de todo ropaje «novelero»: conquista penosa de mi propia voz, liquidación del *Familienroman* en aras de la honestidad personal y autenticidad subjetiva.

Que un mismo estímulo y situación primordial –declive paulatino del *status* social de la familia, rechazo de la figura paterna, desaparición súbita y brutal de la madre– operen o hayan operado de forma tan dispar en mi caso y el de mi hermano menor merecería ser objeto de reflexión por parte de algunos apresurados y a menudo tajantes adeptos al sicoanálisis. Arrancando de raíces y coordenadas idénticas –aversión a los valores tradicionales de nuestra clase, alejamiento del idioma catalán de la rama materna, indiferencia patriótica y religiosa, busca de un sustituto laico del catolicismo en la ideología que vertebraba la lucha clandestina antifranquista, concepción precoz de la literatura como único valor seguro–, el derrotero seguido posteriormente por ambos difiere notablemente: pues si sería fácil comprobar la existencia de numerosas claves comunes a obras como *Duelo en el paraíso, Fin de fiesta* y *Las afueras* o trazar incluso un paralelo entre algún capítulo de *Señas de identidad* y determinados pasajes de *Recuento,* el rumbo emprendido por uno y otro en los últimos quince años será de signo radicalmente opuesto: mientras el cuadro de mi infancia desertaba poco a poco de mi escritura reemplazado con otras escenas mentales, mitos y fantasmas, la labor creadora de Luis permanecía anclada en aquél. Ruptura no sólo interior sino física, en mi caso, con el ambiente familiar en el que crecí, mi ciudad natal, la Cataluña en la que siempre viví como un extraño, la España opresora y oprimida por Franco, para forjar mi obra y morada vital lejos y en contraposición a todo esto, inmerso en un medio francés, árabe o norteamericano sin integrarme no obstante en ninguno de ellos, apátrida moral y espacial, pero unido fatalmente al idioma en el que expresé mi primer sentimiento de «diferencia» y a través del cual pude salvarme. Fidelidad testimonial en el de mi hermano, voluntad inconmovible de dejar constancia de lo pasado, de atemperar su pronta decepción e impulsos destructivos con una inmensa y feraz piedad creadora. Pues *Antagonía* puede leerse, al menos en algunos niveles de la obra, como una crónica lúcida de la burguesía más o menos castellanizada o independentista de Barcelona, de sus contradicciones, felonías, nostalgias, miserias reales, anhelos imposibles; o de un paisaje cultural e histórico de Cataluña que, ya se trate del Empordà o campo de Tarragona, ya del antiguo casco barcelonés o el delirio genial de la Sagrada Familia nadie había recreado antes con tanta fuerza y talento, penetración y objetividad.

Esta conciencia temprana de nuestra vocación así como el presentimiento de nuestros campos de acción respectivos aparece ya claramente en las escasas cartas de Luis que conservo de la correspondencia entrecortada que mantuvimos. Mientras sus gustos narrativos del momento se centraban en Conrad, los míos reflejaban la influencia de Faulkner y sus jóvenes seguidores sureños. En aquel otoño de 1954 en el que concluí la redacción de *Duelo en el paraíso*, mi hermano no había entrado aún en el PC clandestino, pero el grupo de sus amigos empezaba a orbitar en torno a él. Las noches en que no iba al Varadero salía con ellos y explorábamos juntos las calle-juelas cercanas al Arco del Teatro y travesías promiscuas de Escudillers. La excitación de entonces por apurar los límites y posibilidades de la noche, la ingestión regular, generosa de cubalibres de ron o ginebra formaban parte de nuestro rechazo vital del franquismo y las formas de vida burguesas. No sé si por iniciativa propia o contagia-dos por mi influencia, los compañeros de Luis habían descubierto también los encantos del bajo vientre de la ciudad y, por espacio de varios años –hasta la aparición de la *gauche divine* y sus elegantes refugios de la zona alta a principios de los sesenta–, las nociones de noche y alco-hol se asociarían casi exclusivamente en nosotros a la fre-cuentación de una serie de establecimientos más o menos mezclados y sórdidos situados entre las Ramblas y el Paralelo. Nuestros locales predilectos serían por un tiempo el Pastís –con su clientela *progre* imantada por el fondo musical de Piaf y el exotismo marsellés de la pare-ja que lo llevaba– y el cercano bar Cádiz –concurrido por prostitutas y negros norteamericanos– cuyo encanalla-miento y bullicio evocaban en nuestra memoria imáge-nes hollywoodenses de Hamburgo, Singapur o Tampico. Más tarde, hastiados ya del Gambrinus, Bodega Bohemia y demás puntales del Distrito Quinto, mudaríamos nuestros cuarteles a la Venta Andaluza y otros bares próximos al hotel Cosmos, en el que pronto me alojaría con Monique.

Por esas fechas había aparecido un breve y ya antiguo relato mío en la revista *Destino* y su ilustración fue encomendada por el editor de la misma a una prima lejana nuestra. María Antonia Gil era sobrina de la dama piadosa y católica a quien saludé por mandado paterno en su mansión del Bois de Boulogne: probablemente la había conocido años atrás, con ocasión del fallecimiento de su madre; pero su llamada telefónica, anunciándome el encargo del semanario, me pilló de sorpresa. No sólo ignoraba sus aficiones artísticas sino que en la rígida estratificación barcelonesa de la época, en la que su aristocrática y rica familia se superponía horizontalmente a la nuestra, semejante forma de comunicación se salía del cauce dispuesto. Desde su orfandad, María Antonia compartía con sus dos hermanas el piso familiar de la calle de Balmes y allí me invitó a cenar con gran satisfacción de mi padre, halagado por mi nueva e inesperada vinculación a la rama más prestigiosa de sus deudos. La futura mujer de Luis simpatizó en seguida conmigo: manifiestamente agobiada por el medio tradicional y conservador en el que se movía, aceptó mi propuesta de salir a tomar unas copas de noche y se unió alegremente al cenobio de los devotos del Barrio Chino.

Nuestra topografía nocturna tejía una especie de telaraña desde el puerto y tugurios de la Barceloneta a los prostíbulos y bares de la calle Tapies. Con María Antonia, Cortés, los amigos de Luis seguíamos un itinerario regular, jalonado de visitas a diferentes locales, como estaciones de un profano y risueño Vía Crucis. A raíz del premio Planeta, otorgado aquel año a Ana María Matute, había conocido en un acto público a Ignacio Aldecoa y a una muchacha de mi edad, Josefina Dalmau, autora de una novela que, por razones que ignoro, permaneció inédita. Los dos admiraron conmigo la vista nocturna del Varadero y, cuando el primero regresó a Madrid, ella no tardó en ganar mi amistad y se integró paulatinamente en el grupo. La oscilación entre literatura y alcohol, fervor barriobajero y compromiso político reflejaba muy bien, al menos en mi caso, la acción de las corrientes heterogéneas y opuestas que confluían en nuestra vida. Rastrear las zonas urbanas más sucias y miserables, codearse con el hampa y prostitución, fumar petardos de grifa se transmutaban en una forma de militancia. La aversión visceral, instintiva al mundo del que provenía, hallaba la desembocadura oportuna en unos ambientes que eran para mí el reverso lenitivo de la medalla. Dicha actitud, común al pequeño núcleo burgués de nuestra incipiente «progresía», resultaba ciertamente muy poco ortodoxa desde una perspectiva marxista. El retorno de Manuel Sacristán de Alemania, con su impecable bagaje doctrinal y razonamiento de geómetra, no tardaría en poner en tela de juicio esa muestra confusa y perturbadora de decadentismo y depravación.

Cuando volví a París en enero del cincuenta y cinco no caminaba a tientas como la primera vez sino con un plan de acción muy preciso: mientras mi propósito de vivir fuera de España seguía vigente –y para ello debía resolver de alguna manera la exigencia de un *modus vivendi* compatible con la escritura–, la idea de establecer un contacto regular con los medios intelectuales de izquierda franceses, de recabar su apoyo material y moral a nuestra lucha en cierne contra el franquismo –acariciada a menudo en la tertulia del Bar Club con Castellet y sus amigos–, infundía un apremio e interés no estrictamente egoístas ni individuales a mi demorado y obsesivo viaje. Una vez resuelto el problema del alojamiento en un inmueble burgués de la Rue de l'Université contiguo a la editorial Gallimard, busqué la forma de enlazar con alguna de las revistas y publicaciones que satisfacían desde hacía unos meses nuestro apetito cultural y político, estimulado ferozmente por la dieta a que nos sometían los servicios de censura del inexorable Juan Aparicio. Alguien, creo que Palau Fabre, me había facili-

tado las señas de Elena de la Souchère que cubría entonces en la prensa de izquierda con tenacidad solitaria las
escasas informaciones y crónicas tocante a España y me
presenté a verla en las oficinas de *France-Observateur,*
instaladas en el último piso del edificio que luego ocuparía *L'Humanité.* Elena era por aquellas fechas una mujer
de unos cuarenta años, pálida, enjuta, angulosa, con un
sobrio pero elegante perfil de medalla, vestida de un ajustado y adusto traje sastre con camisa y corbata, que se
expresaba en un castellano correcto, de erres crujientes,
como a la defensiva del gangueo común a tantos franceses y afrancesados. Según descubrí en seguida, vivía
muy modestamente en un pequeño hotel del barrio, no
militaba en partido alguno y se oponía con la misma
convicción visceral al estalinismo que a Franco. Sus
fuentes de información en la península eran fortuitas y
esporádicas: así, acogió muy favorablemente la idea de
que la pusiéramos al corriente de los cambios y acontecimientos que en mi opinión se fraguaban. Me pidió que
escribiera un artículo sobre la censura y sus consecuencias en la vida artística y literaria para la revista de
Maurice Nadeau*, me alentó a publicar crónicas con seu-
dónimo en *Les Temps Modernes,* y deseosa de dar a conocer mis puntos de vista de joven intelectual *de dentro,* me
invitó a exponerlos ante Claude Bourdet, don Julio Álva-
rez del Vayo y el embajador de Yugoslavia. Este apoyo
generoso y desinteresado suyo a la causa republicana
–motivado sin duda por sus orígenes familiares– tropezaría no obstante desde el comienzo, como suele acaecer
en España, con la reserva, desconfianza e incomprensión

---

* «La littérature espagnole en vas clos» apareció meses después en
Les Lettres Nouvelles firmado solamente con mis iniciales.

de sus inmediatos beneficiarios. Nadie que yo sepa –con
nuestra izquierda oficialmente en el poder– ha reconocido aún a Elena de la Souchère su abnegada labor perio-
dística de años en favor de la actual democracia ni ha
tenido la idea de invitarla al país para rendirle un merecido homenaje. El agradecimiento no ha sido nunca virtud española y la saña, silencio y olvido suelen ser la
recompensa habitual nuestra a toda acción emprendida
sin ansias de promoción ni deseos de fama. Mi experiencia de la lucha política antifranquista me ha mostrado
que quienes de un modo u otro intervinieron en ella y
quienes cosecharon oportunamente sus beneficios no
fueron de ordinario los mismos: por un lado, los Cerón,
Amat o Porqueras; por otro, los antiguos tecnócratas
asentados hoy en los despachos o antesalas del Gobierno.
Mientras unos daban la cara y pagaban un precio a veces
muy alto por actuar o decir las verdades a destiempo,
cuando era inconveniente y peligroso expresarse, otros
aguardaban pacientemente en silencio, desde posiciones
rentables y cómodas, el momento de adelantar sus peones. Actuando, como actuaba, al margen de los partidos,
una persona independiente como Elena suscitaba a derecha
e izquierda recelo y hostilidad: vigilada estrechamente
por la policía española como tuve ocasión de verificar
más tarde, era objeto de absurdos infundios por parte de
mis compañeros comunistas. Recuerdo muy bien el día
en que uno de ellos, al que me unía entonces una gran
amistad, me afirmó saber de muy buena tinta, con la
mayor seriedad, que trabajaba al servicio de la CIA.
Dicha acusación, a todas luces falsa, fue la primera de
una larga lista de ellas, susurradas confidencialmente al
oído en los años en que fui un compañero de viaje disciplinado y leal. Con una regularidad que me inquietaba y

confundía, alguno de los «cuadros» o intelectuales menores con quienes estaba en contacto proferiría las mismas o parecidas denuncias sobre Pallach, Miguel Sánchez Mazas, los militantes trotsquistas. Los escritores franceses de izquierda que yo frecuentaba no merecían en privado un trato mejor; pero, con un pragmatismo que evidenciaba el doble lenguaje de su moral, los mismos que colgaban las etiquetas mortíferas con fines de intimidación me pedían que recurriera a los servicios de aquellos a quienes desacreditaban y obtuviese su firma o sostén para alguna campaña de prensa en los vilipendiados medios de información burgueses contra la represión franquista o en favor de la amnistía de los presos políticos de Burgos o Carabanchel. Cuando, al producirse la ruptura de Claudín y Semprún con sus camaradas de la dirección del Partido llovieron sobre ellos e indirectamente sobre mí los mismos bulos, me acordé de aquel amigo sencillo, bondadoso y tierno que me «reveló» con inefable sonrisa las conexiones secretas de Elena con los servicios de espionaje norteamericanos: una imagen innoble y seráfica, desde entonces difícil de despintar.

La obsesión de los partidos comunistas y grupos revolucionarios en motejar a quienes difieren de ellos de «lacayos del imperialismo» o «agentes del Pentágono» no se remonta, como creí por un tiempo, a las peculiares condiciones históricas en que se gestó y vertebró el movimiento obrero marxista y no marxista con anterioridad a la victoria de la revolución bolchevique: responde a un conjunto de factores sicológicos y sociales que, como me enseñó la lectura de Blanco White, entroncan a lo largo de los siglos con unas nociones de ortodoxia, absolutismo e infalibilidad –cosecha de San Pablo más que de Marx–, profundamente ancladas en la naturaleza del

hombre. «Los individuos organizados en una corpora-
ción profesional de ortodoxia resistirán y sancionarán
por todos los medios cualquier tentativa de disolver el
principio vital de su unión. Y como un organismo político consecuente, una Iglesia ortodoxa advertirá fácilmente que nada aglutina mejor a las agrupaciones humanas
que su oposición a las demás. [...] De ahí el hecho de que
la condena de éstas sea la esencia verdadera de la ortodoxia*». Un partido rígidamente estructurado y jerarquizado recurrirá así, conforme profetiza Blanco, al cómodo
expediente de marcar a los que no comulgan con él con
algún epíteto infame o sectario, destinado a aturdirles y
agotarles, obligándoles a descuidar las causas reales de su
desacuerdo para refutar de modo crispado y en apariencia culpable su presunta identificación de conducta o
palabra con el peor y más implacable enemigo. La futura
calificación de «señores intelectuales burgueses», «seu-
doizquierdistas descarados» y «agentillos del colonialis-
mo», adjudicada en 1971 a Sartre y un núcleo de escritores políticamente afines al mismo por el máximo líder
cubano, confirmaría aún la raigambre del viejo hábito,
pero sin perturbarme ni dolerme ya. Mi cercanía al
mundo político en mis primeros años de autoexilio aguerrido me había revelado hasta la saciedad los abusos de
tal mecanismo y estaba al fin, por así decirlo, enteramente curado de espantos.

El interés despertado por mis gestiones en los medios
políticos y periodísticos hostiles a Franco me había inspirado la ingenua convicción de que no sólo nuestra
lucha intelectual iba por buen camino sino también de

* Véase mi edición de la *Obra inglesa de Blanco White*, Buenos
Aires, 1972, págs. 256-263.

que, como oía repetir a mis compañeros comunistas, el derrumbe del Régimen se avecinaba. En pleno *wishful thinking,* envié una carta cifrada a los contertulios del Bar Club, poniéndoles al día de mis contactos y actividades; pero la clave debía resultar transparente según deduzco de la respuesta inquieta que recibí de ellos. Sea como fuere, las primeras notas y artículos de Elena de la Souchère sobre la oposición cultural al franquismo, elaborados en parte con datos y elementos que le había suministrado, me llenaron de optimismo y satisfacción. La creencia de que no estábamos solos, de que nuestra guerrilla contra la censura contaba con apoyos y simpatías en el extranjero me animaba a proseguir los esfuerzos. Durante mi estancia en París, el texto censurado de *Juegos de manos* había salido a la calle y la reseña de Castellet sobre la novela, subrayando su índole inquieta e inconformista, favoreció sin duda su contacto inmediato con los lectores avezados a leer entre líneas. Por las mismas razones, menos literarias que políticas, Elena de la Souchère y Palau Fabre iniciaron gestiones amistosas en diferentes editoriales con miras a una eventual traducción.

Ocupado en mis actividades antifranquistas, mi afrancesamiento provinciano inicial cedió un tanto. La idea de naturalizarme francés, de mudar de nación y de lengua abandonó poco a poco la esfera de mis consideraciones sacrificada al nuevo proyecto de apoyar y difundir más allá de nuestras fronteras la modesta lucha cotidiana de mis amigos por una cultura abierta y sin trabas. A mi tímida y primeriza actitud de despego frente al cliché oficial de París y sus valores consagrados, contribuyó quizá mi conocimiento casual, no sé cómo ni dónde, de una pareja de intelectuales muy jóvenes: Guy Debord y su compañera de entonces Michèle Bernstein vivían en un hotel de la Rue de Racine contiguo al bulevar Saint-Michel y editaban una revista titulada *Potlatch,* órgano de su minúscula Internacional Situacionista. Enemigos mordaces e implacables de todo el *establishment* literario, envueltos en querellas intestinas y exclusiones feroces que remedaban a veces con humor el lenguaje terrorista de Breton y los procesos estalinianos, poseían una curiosidad omnívora y una visión de las cosas desmitificadora y aguda. Su admiración por el Palacio Ideal del Facteur Cheval, la afición a pasear por lugares y escenarios en los antípodas de los circuitos turísticos y monumentos o vistas celebrados, se avenían con mi incipiente experiencia y le procuraban una justificación intelectual de la que carecía. En su consecuente y saludable desprecio a todo lo burgués y acomodado, Debord y su amiga solían visitar los cafetines árabes existentes entonces en la Rue Mouffetard y callejuelas de Maubert-Mutualité adyacentes al Sena y me llevaron un día en autobús, desde la Gare de l'Est, al arrabal proletario de Aubervilliers, a un tugurio frecuentado por viejos exiliados republicanos españoles cuyo dueño y muros fueron filmados, si mal no recuerdo, en la hermosa película de Carné y Prévert sobre los niños miserables del barrio. La adecuación sutil de mis gustos a los suyos, reafirmada con el paso de los años, concede un valor bautismal, premonitorio, iniciático, a aquel primer recorrido con ellos por unos distritos que pronto rastrearía por mi cuenta con asiduidad: ese París compacto, vetusto y destartalado, surcado por canales, viaductos, ferrocarriles y arcadas de metro herrumbrosas que, de Belleville a Barbès, se condensa en escorzo como la lámina ilustrativa de un «Paisaje Fabril» de un viejo y sobado manual infantil de Lecciones de Cosas. La metrópoli armoniosa, cosmopolita, elegante que me deslumbró en mi primera visita –la famosa segunda patria de todos los artistas, cantada tanto por la «generación perdida» como por sus discípulos latinoamericanos–, perdió poco a poco su seducción primitiva ante un ámbito urbano bastardo y alógeno, contaminado y fecundado por el choque e imbricación de diferentes culturas y sociedades. Cuando, ya de noche, atravesaba con Debord y su compañera la Rue d'Aubervilliers y bordeaba el mecano gigante del Boulevard de la Chapelle, distaba mucho de pensar que algún día la mera idea de cruzar el Sena para acudir a alguna cita a los barrios intelectuales de la Rive Gauche en los que entonces vivía, me resultaría tan enojosa y remota, digamos, como la de emprender un safari en Kenya: mi querencia casi animal al Sentier y su continua improvisación creadora no admitiría después otras escapadas que a aquellas áreas frondosas, abigarradas también y llenas de estímulo en donde, guiado por el instinto zahorí de mi iniciador, rompía precisamente las suelas.

Cortezas, hollejos, mudas de piel desprendidas a lo largo del camino de tu futura y extinta carrera de intelectual de servicio : entregada a qué? : a la promoción del mañana radiante o el mezquino, personal interés? : ambigüedad mantenida por años y observada después, desde la barrera, en los heraldos risueños del progresismo : bizquera moral, dividendos rentables, aplicación de medios bastardos a la noble consecución de los fines : posibilidad de desdoblarte como si fueras otro y examinar sin indulgencia la insidiosa, larval simonía : medrar, como tantos, en el cultivo de las desdichas históricas, engrandecer tu figura a la sombra de una causa movilizadora, atractiva : mítica guerra civil, célebre millón de muertos, remoto, desvanecido heroísmo : asistir, peldaño a peldaño, a la lenta, contaminadora ascensión : trayecto plagado de daltonismo, crisis súbitas de mudez, cegueras oportunas, ofuscamientos : cálculo, estrategia, provecho felizmente atajados a tiempo en guerra porfiada contra ti mismo : ademanes sincopados, sonrisas huecas, balanceo de brazos alzados del doble o robot que, *encaramado en la tribuna de una gloria harapienta, cifraría más tarde a tus ojos el escarnio y miseria del simulador.*

Como bañado en el sol lisonjero del atardecer y su ilusoria prestancia, volvía a España orgulloso y contento de
mi misión. La certidumbre de haber tendido un primer
puente entre nuestro grupo y la *intelligentzia* europea, de
haber sentado las bases de una estrecha y fructuosa coor-
dinación, confería a mi escapada parisiense, creía, una
trascendencia colectiva y me transformaba por así decirlo en una especie de embajador. Mi aproximación a la
izquierda francesa no comunista –aglutinada en torno a
Sartre y el *France-Observateur*– partía del supuesto de
que nuestro compromiso iba a desenvolverse al margen
de los partidos, en un espacio discursivo abierto y plural.
Como no tardaría en advertir, dicho planteamiento pecaba de ingenuo y no tomaba en cuenta las circunstancias
del momento ni la inercia poderosa de lo real. Cuando
alguien rompe con un orden coherente y compacto de
implicaciones tanto religiosas y metafísicas como sociales, políticas y morales, su primera y casi irresistible
tentación será buscar refugio en un sistema de características intrínsecamente semejantes aunque reñidas y

opuestas en lo exterior. En virtud de una serie de esquemas y hábitos arraigados en su fuero interno, el tránsfu-
ga de una Iglesia se sentirá muy a menudo atraído por el
lenguaje, contextura, modelo jerárquico de la Iglesia rival. Amamantado desde la niñez en la creencia de una
clave explicativa del mundo única y totalizadora, de un
conjunto de referencias autosuficiente y cerrado, de una
verdad infalible, dogmática, desertará de las filas de la
doctrina inculcada para abrazar con el mismo fervor y
ausencia de espíritu crítico la del adversario irreductible
pero simétrico de su primitivo credo oficial. En un país
como España en donde el debate y libre confrontación de
ideas habían desaparecido con la guerra civil y sus feroces ajustes de cuentas, el ejido político inherente a la
democracia resultaba difícil de implantar y carecía de
poder imantador respecto a la nueva generación de universitarios e intelectuales. Diezmada por la represión
franquista, la izquierda socialista y republicana vegetaba
en el terreno de los desiderata y no tenía incidencia práctica en la evolución del país. A ojos de una juventud ten-
tada por la acción y radicalismo, agrupaciones como la
de Reventós y Pallach adolecían de reformismo y pusilanimidad. En tales circunstancias, el Partido Comunista,
con su estructura férrea y bien disciplinada, cohesión
ideológica y admirable y heroica resistencia a las redadas
y persecución de la policía, aparecía a muchos como la
única alternativa viable. Las fluctuaciones políticas y
confusiones doctrinales de los contertulios del Bar Club
eran desdichadamente ciertas: enemigos del nacional
catolicismo autoritario del Régimen por razones éticas e
ideológicas, no disponíamos en cambio de programa ni
estrategia propios más allá de nuestros sentimientos de
rebeldía y desafección. Las simpatías a un marxismo

revisado e interpretado por Sartre no se traducían en acciones concretas: totalmente desvinculados de la clase obrera y sus luchas, no integrábamos aún la ennoblecedora categoría gramsciana de los intelectuales orgánicos. A su vuelta de Alemania, Sacristán iba a encontrar así un campo abonado: un grupo de jóvenes afines a su doctrina y deseosos de engarzar ésta en una acción común a todas las fuerzas insertas en el proyecto revolucionario.

En los meses que siguieron a mi segundo viaje a París, Luis, Joaquín Jordá, Pellissa y otros miembros del seminario y tertulia de Castellet se relacionaron con Sacristán y formaron bajo su dirección la primera célula universitaria barcelonesa del Partido Comunista. Aunque yo no fui informado personalmente de esta adhesión colectiva –mi vida «bohemia» y afición inveterada al Barrio Chino promovían sin duda el recelo y hostilidad de su concienzudo mentor–, no tardé en darme cuenta de lo que ocurría a través de mi convivencia diaria con Luis. Recuerdo muy bien el día en que Sacristán y demás miembros del grupo acudieron por separado a casa a celebrar una de sus reuniones de célula y, al completarse el número de los asistentes, el primero me hizo comprender con una sonrisa que no tenía vela en el entierro. Estas citas de Pablo Alcover, repetidas en dos o tres ocasiones, habían suscitado en mi padre sospecha y desasosiego. La afabilidad rígida y un tanto prusiana de Sacristán, el misterio que envolvía a unos conciliábulos oficialmente consagrados a temas relativos a la carrera, le infundían un presentimiento oscuro pero certero de que allí había oso encerrado. Varias veces, a lo largo de aquellas tardes, se había asomado a la habitación en la que yo trabajaba en el manuscrito de *Fiestas* para transmitirme sus inquietudes: me parece verlo aún, flaco, afilado, con ese quebradizo perfil de pájaro que adquirió en sus últimos años, ceñido con su bata mugrienta y el sempiterno rosario en la mano. ¿Qué opinaba yo de tales reuniones? ¿De qué discutían durante horas y horas con el extraño profesor de las gafas? Mis respuestas tranquilizadoras no lograban con todo aliviar su suspicacia. La política no trae más que desdichas, hijo, decía de repente, interrumpiendo la conversación; acuérdate de la República y lo que padecimos con ella tu pobre madre y yo. Y de nuevo, al retirarse del cuarto, le oía errar por la penumbra del pasillo, intercambiar susurros con Eulalia, exigir secamente el diario al abuelo, volver por enésima vez a la carga: si hablaban, como decían, de asuntos del curso, ¿por qué cerraban la puerta del comedor e interrumpían la conversación cuando él entraba a buscar la cucharilla del yogur o preguntar si necesitaban algo? Comprendiendo sin duda los riesgos de una posible indiscreción suya, los afiliados a la célula dejaron poco después de citarse en casa.

Desde esta época hasta su fallecimiento, mi padre vivió preocupado y ansioso por nuestras ideas políticas. Aunque mis hermanos y yo evitábamos toda discusión sobre la materia, su barrunto de que las cosas no iban como debían y profesábamos en secreto doctrinas nocivas y expuestas no le dejó un día de reposo. Ni el acatamiento formal y exterior al dogma católico ni las piadosas mentiras en las que envolvíamos todo lo tocante a nuestras ideas y vida privada consiguieron barrer su tenaz y sombría corazonada. Con un despiste y simpleza que entonces nos incitaban a risa, intervenía para comentar los acontecimientos políticos internacionales a partir de unos principios de sentido común pedestre y casero, ayunos de la dialéctica rigurosa e indefectible que entonces sustentaba los nuestros: la amistad entre chinos

y rusos, pretendía, no iba a durar mucho tiempo; ya en la
era de Gengis Kan, los últimos habían luchado contra el
peligro amarillo y, tarde o temprano, se percatarían de
éste pues, por muy comunistas que fuesen, al fin y al cabo
no dejaban de ser europeos. Mientras le escuchábamos
con altiva condescendencia, estábamos muy lejos de pensar que pocos años después los hechos le darían razón y,
pese a nuestras supuestas leyes científicas y argumenta-
ción perentoria, se produciría la ruptura prevista por él y
el bardo oficial Yevtuchenko publicaría en la *Pravda* un
poema evocador de los heroicos caballeros de Moscovia,
odiados a causa de su tez blanca y ojos azules por el
enjambre amenazador de la horda asiática, cuya lectura
nos llenaría de desconsuelo. Hoy, al volver la vista atrás y
rememorar esa ceguera nuestra frente a realidades y condicionamientos históricos, étnicos y geográficos capta-
dos por un burgués excéntrico como mi padre, tal petulancia me hace sonreír: someter la riqueza y complejidad
del mundo al rigor de una lectura unívoca, excluir del
análisis de lo real los sueños, sentimientos, defectos, pul-
siones secretas del ser humano me parecen no sólo una
reducción monstruosa de éste sino también una increíble
puerilidad. Los jíbaros de la ideología única y oficial, al
prescindir en sus previsiones y análisis de los ingredientes irracionales del hombre contagian sin saberlo de una
irracionalidad delirante el conjunto de sus esquemas: lo
expulsado por la puerta se les cuela al punto por la ventana y les infecta hasta la médula de los huesos; apenas
edificada la muralla protectora y aséptica de la ciudad
ideal en la que se albergará el hombre nuevo, verán sur-
gir dentro de ella las crueldades, miserias, locuras, extra-
vagancias del bárbaro viejo contra las que inicialmente se
alzaron.

Los presentimientos de mi padre sobre el riesgo de las nuevas y para él odiosas ideas que defendíamos se verían confirmados tristemente antes de su muerte por la campaña de los medios informativos del Régimen contra mis «actividades antiespañolas» en Francia y, sobre todo, con la previsible detención de Luis. Inmerso en un ambiente familiar y social conservador en el que nuestra conducta y opiniones causaban escándalo, se hallaría singularmente mal pertrechado para sostenernos de puertas afuera frente al aluvión de improperios, juicios, condenas que llovía sobre nosotros, haciéndolo como lo hacía a contrapelo de sus convicciones más íntimas y enraizadas. Su bienintencionada misiva a Franco, escrita durante el encarcelamiento de Luis –rememorando su historial y creencias de hombre católico y de derechas, la viudez y desgracias ocasionadas por la guerra, el sistema tradicional y religioso en el que nos había instruido–, cuya revelación por José Agustín me haría sonrojar de vergüenza, me parece hoy, al cabo de los años, conmovedora y patética en la medida en que refleja su soledad y el doloroso conflicto de sus ideas y sentimientos. La incomprensión recíproca existente entre nosotros –imputable no sólo a él–, no me permitiría compadecer sino más tarde el aislamiento en el que vivió y la dureza correosa de su destino. Su recurso a ese otro Padre castrador y tiránico, cuya presencia ubicua y omnímoda se extendía sobre nosotros eclipsando la suya, revela de forma cruda y escueta la correlación de fuerzas de ambos y el carácter débil, vicario de su autoridad parental: impotencia, senectud, frustración de un progenitor nominal sumiso al que en realidad, desde las cimas del poder absoluto, regía y modelaba nuestras vidas. Mi odio al Otro, al destinatario de la humillante misiva, se transmutaría a par-

tir de entonces en una verdadera manía: deseos compul-
sivos de estampillar, casi machacar como un enérgico,
puntilloso y feroz empleado de Correos la pila de cartas
con su grotesca efigie reproducida infinitamente en los
sellos; esperanzas de asistir algún día, como acaecería con
quince años de retraso y en tierras norteamericanas, a los
estertores de una agonía cruel, sórdida y prolongada.

Las razones o, por mejor decir, las dudas que me
impidieron seguir el ejemplo de Luis y pedir el ingreso en
el Partido, serían difíciles de especificar. Intelectualmente, me hallaba maduro para ello: con simultaneidad
a otros amigos barceloneses, había leído el artículo de
Dionys Mascolo en el número especial de *Les Temps
Modernes* sobre la izquierda y su planteamiento nítido y
persuasivo de que la operación de extraer el mínimo
común múltiplo de todas las posiciones y actitudes
inconformistas y rebeldes debía desembocar fatalmente
en la asunción de la «universal exigencia comunista» me
había impresionado fuertemente. Tanto Castellet como
yo nos sentíamos tentados a dar el paso y Jaime Gil de
Biedma llegó a plantear más tarde una solicitud de entrada
que le fue denegada por los mismos criterios de intole-
rancia que motivaron en tiempos de guerra la persecución de Cernuda. En mi caso, algunas lecturas antisoviéti-
cas de la adolescencia sobre los procesos de Moscú y
una experiencia a menudo desdichada con militantes
comunistas defensores a ultranza del dogma del realismo
socialista, contribuyeron de modo probable a mi inhibición. Huyendo como huía de un mundo en el que me
sentía marginado y extraño, temía inconscientemente
internarme en otro en el que dichos sentimientos de diferencia y desacuerdo pudieran reproducirse. Pero la causa
fortuita y tal vez decisiva fue, cuando menos en lo exte-

rior, el encuentro, agenciado para mí y Castellet con la
persona que debía iniciarnos y guiar virgilianamente
nuestros pasos al cogollo de la organización. El enlace
escogido por el PC resultó ser Juan José Mira, un escritor
de una cuarentena y pico de años, que había obtenido, si
mal no recuerdo, el primer premio Planeta con una novela de ambiente detectivesco. Mira vivía, creo que realqui-
lado, en uno de esos pisos oscuros y opresivos del Ensanche amueblados aposta, diríase, para imbuir en sus
visitantes una insidiosa impresión de malestar u ocasio-
narles pesadillas nocturnas. Nos acogió en bata, de manera campechana y, tras un breve intercambio de saludos
y frases amables, pasó directamente al grano. Estaba al
corriente, dijo, de nuestra buena disposición hacia el
Partido y había recibido el encargo de éste de reunirse
con nosotros de forma periódica, a fin de allanar nuestros problemas e incertidumbres. Después de tan alarmante proemio, abriendo un armario atestado de prensa
clandestina que, negligentemente dispuesta, se desparra-
mó con brusquedad y ruido sobre la alfombra, buscó
entre las publicaciones dispersas y nos entregó a cada
cual un ejemplar de *Mundo Obrero.* Señaló a nuestra consideración un extenso, apretado discurso de Bulganin
ilustrado con su foto y nos invitó a leerlo y meditarlo con
calma, para discutir con él, en un próximo encuentro, de
su contenido «político y filosófico». Pero, para desdicha
de nuestro guía, no hubo reencuentro alguno: apenas
habían abandonado el piso en un estado de vagaroso
sonambulismo, los maravillados catecúmenos arrojaron
la prosa amazacotada del enmedallado mariscal a la boca
de alcantarilla más próxima y desaparecieron para siempre de su vista. Poco después, el portentoso Bulganin
cayó en «el muladar de la historia» y, desde entonces, ni

uno ni otro –ni probablemente el propio Mira– volvieron a oír hablar de él.

Como era de prever, aun antes del cambio introducido por la llegada de Sacristán, las discusiones políticas del Bar Club y mis contactos franceses habían llamado la atención de la policía. Al poco de mi nuevo viaje a París y la primera estancia de Monique en Barcelona, recibí la llamada telefónica de un inspector de la Brigada Político Social famoso en aquellos tiempos por su persecución inexorable del comunismo. Antonio Juan Creix desempeñaba, con su hermano Vicente, un papel destacado en el aparato represivo del Régimen y su dureza y olfato eran temidos con motivo por las diferentes familias de la oposición clandestina. Dijo que deseaba tratar de un asunto personal conmigo y, aunque el objeto de su comunicación era perfectamente claro, fingí una entonación de sorpresa y, con desenvoltura algo provocadora y temeraria, lo cité el día siguiente en el Pastís. Cuando llegué a la hora fijada, él me aguardaba ya y, por el rostro impasible y cerrado de la patrona, deduje que la había interrogado sobre mí. Antonio Creix era un hombre recio y de estatura media, vestía impermeable bogartiano, gastaba uno de esos bigotes característicos de su oficio retratados con arte y precisión por Arroyo en su reciente y polémico cuadro. Nuestra conversación, referida en una carta que mandé a Monique a través de un intermediario, se centró en seguida en mi frecuentación de Elena de la Souchère: desde París, alguien le había informado de nuestras entrevistas y mis visitas a la redacción de *France-Observateur*. Creix manejaba sus datos con naturalidad y desparpajo, contento de mostrar que ningún paso, ni siquiera en el extranjero, escapaba al ojo avizor de la policía. Según comprobé, le interesaba sobre todo locali-

zar las fuentes en las que obtenía sus noticias mi amiga:
¿sabía que mi relación con ella podía acarrearme consecuencias molestas? ¿Estaba al corriente de si planeaba
alguna visita a España? Aunque yo protestaba de mi inocencia y pretendía no haber charlado con ella sino de literatura, él insistió en que debía avisarles si se presentaba a
verme en Barcelona, tal vez con una identidad falsa. Su
objeto no era detenerla ni causarle daño alguno, precisó,
sino charlar con ella, mostrarle el país real que desconocía, hacerle caer en la cuenta de que sus artículos adolecían de graves prejuicios, de una absoluta falta de rigor.
En el campo de la anti-España que le obsesionaba, Creix
se expresaba con perfecto desprecio de la oposición burguesa y catalanista mientras su odio a los comunistas
traslucía una indudable, enfermiza fascinación: su rostro
de cemento parecía iluminarse de súbito al hablar de
ellos y adquiría una expresión más humana. Luego, cambiando de tema, me habló del mundo cultural y literario,
de lo expuestos que estábamos los escritores con alguna
debilidad o defecto –no precisó cuáles– a ser chantajea-
dos, a convertirnos sin darnos cuenta en agentes del enemigo. Mientras subíamos a pie por las Ramblas, me pidió
que le firmara un ejemplar de *Duelo en el paraíso;* después se despidió de mí con la amable pero seca adverten-
cia de que nuestro trato podía ser muy distinto en caso de
que me diera por volver a las andadas.

A aquel primer timbre de aviso de la policía, segui-
rían otros por fortuna tampoco graves. A raíz del pateo
organizado por nuestro grupo en el teatro Comedia de
un drama de Calvo Sotelo en el que un comunista desal-
mado y sin entrañas fusilado al final de la obra a causa de
sus múltiples crímenes caía gritando ¡Muera España! en
medio de los aplausos del público burgués aficionado a

esa clase de engendros, Luis, Castellet y una docena de amigos que se habían presentado espontáneamente en comisaría a acompañar a uno de los reventadores detenidos por un inspector de paisano fueron apresados después en sus domicilios y liberados horas más tarde tras prestar declaración sobre el hecho. Prevenido como estaba por Creix, no seguí a los demás fuera del teatro si bien, como supe pronto por Castellet, aquél le preguntó en el curso de su interrogatorio por mis hábitos noctívagos e inclinaciones sexuales. Mis reiterados, angustiosos sueños de persecución tocante a España, se remontan a esta época: una escenografía mental de denuncias, ocultamientos, acosos, huidas frenéticas a causa de un delito oscuro y vagamente deshonroso, escenografía que no terminó con mi desarraigo del país ni siquiera la muerte de Franco. La secuencia del Reverendo Charles Lutwidge Dodgson en la Jefatura de Policía que figura en mi novela *Paisajes después de la batalla* es la fiel transcripción de una de sus versiones en la que sexo y política, exhibicionismo y militancia revolucionaria son objeto de burla y coerción por un coro de inspectores cuyo atuendo, traza y talante recuerdan a los de quien, con fina y sabuesa intuición, sacó a relucir *avant la lettre* la perversa eventualidad de mis *defectos* y *puntos flacos*.

La cadena de acontecimientos que inesperadamente favorecerían mis planes de alejarme de España –al menos de aquella España sometida a un régimen anacrónico, esterilizador y arbitrario que aborrecía con todas mis fuerzas– comenzó a trabarse a lo largo del verano de 1955, en el período de frustración personal y dudas políticas en el que a horcajadas del Bar Club y el Varadero consagraba mi tiempo libre y energías a la escritura de *Fiestas*. Poco tiempo después de la publicación de mis primeros libros, recibí una breve nota del hispanista norteamericano John B. Rust en la que, tras expresarme su aprecio a los mismos, se ofrecía a gestionar una eventual traducción de *Juegos de manos* con alguna de las editoriales neoyorquinas abiertas a la narrativa europea; añadía que había pasado mis novelas a su amigo Maurice Edgard Coindreau, durante una visita de éste a Sweet Briar y el traductor francés compartía totalmente sus puntos de vista. La referencia elogiosa de Coindreau me llenó de sorpresa: aunque conocía sus excelentes versiones de los grandes novelistas norteamericanos –Dos

Passos, Hemingway, Faulkner, Steinbeck, Caldwell–ignoraba que leía el castellano y se interesaba desde su juventud por nuestra literatura. Rust me había mandado anteriormente un cuestionario sobre mis gustos e influencias novelescas y en mis respuestas figuraban una serie de autores que, empezando por Faulkner, había leído a menudo en las traducciones de Coindreau. Unos días más tarde me llegó una carta del último, cuya magnanimidad y estima generosa de mi trabajo me colmaron de dicha. Corroborando los juicios adelantados por Rust, Coindreau no sólo me abrumaba con elogios sin duda sinceros por más que abultados, sino que se ofrecía también a traducir mis novelas y proponerlas a Gallimard. Para un escritor bisoño y provinciano como yo, deslumbrado a la vez por los novelistas que traducía y el prestigio de la editorial a la que asesoraba, la carta parecía delusoria y mirífica, demasiado hermosa para ser real. Por un azar singularmente propicio, mi entusiasmo de entonces por Faulkner y los jóvenes narradores sureños como Carson McCullers, Capote o Goyen, coincidía con los gustos y aficiones de Coindreau. Éste enseñaba todavía literatura francesa en el Departamento de Lenguas Románicas de Princeton, pero viajaba a Europa todos los años y me sugirió la conveniencia de un encuentro en París, en donde pensaba detenerse unos días a primeros de octubre y podría presentarme a su editor.

En nuestra correspondencia de aquellos meses, que desdichadamente no conservo, Coindreau manifestaba su viva satisfacción de descubrir en las novelas de un joven español formado bajo el franquismo el impacto de un autor como Faulkner, cuya obra había defendido en sus orígenes frente a la hostilidad e incomprensión de la mayoría de sus colegas. Sus prólogos y estudios sobre él habían desbrozado el camino para que, primero un puñado de discípulos y luego una cáfila de imitadores siguieran las huellas de aquél y se lanzaran a la elaboración de unos territorios geográficos imaginarios directa o indirectamente inspirados de su visión a un tiempo realista y fantástica de la decrépita sociedad sudista. Hoy, cuando pese a mi intacta admiración por Faulkner llevo casi veinte años sin leerle, pienso que por fortuna su influencia en mí fue sólo temporal y epidémica –y actuó sobre todo por conducto de la obra de Capote y McCullers, con anterioridad a mi descubrimiento de la realidad mucho más próxima del arte comprometido de Pavese y Vittorini–. Como muestra el ejemplo de lo ocurrido en Latinoamérica en los últimos veinte años, la avasalladora fascinación ejercida por su universo no ha tenido únicamente efectos positivos: si por un lado ha permitido la creación de ámbitos novelísticos tan seductores y atractivos como el de García Márquez, el éxito instantáneo y devastador de este último ha suscitado por otro con la afortunada pero dudosa receta del «realismo mágico», una frondosa almáciga de epígonos que, nietos o descendientes del autor de *Palmeras salvajes,* han implantado o tratado de implantar el mundo alucinante de Yoknapatawpha –visto a través de la linterna multicolor de Macondo con sus levitaciones, brujas, abuelas sabias, niñas prodigiosas, lluvias de sangre, galeones varados en un bosque de ceibas–, no sólo en los espacios selváticos o antillanos sino también en tierras tan cicateras y reacias a esa clase de maravillas y portentos como la leonesa o gallega. Nada más fácil y tentador que transplantar a un idioma a menudo opaco como el castellano la frase larga y morosa de Faulkner despojada de toda prosodia, ritmo, maleabilidad: si a ello añadimos un área tan bien delimitada, con planos topográficos y todo, como la de su condado del bajo Mississippi y un trasfondo de absurda guerra civil, trasunto de la reinventada en Macondo, podemos captar con la perspectiva del tiempo el alcance grandioso de su influencia y *nolens, volens,* los estragos de su contaminación. Pero Coindreau no podía adivinar entonces que las primeras golondrinas del faulknerismo anunciaban un largo y agobiador verano cuyo final todavía no se percibe. Con su finísimo olfato literario, había vislumbrado antes que nadie el valor seminal de una obra que a través de él iba a modificar el rumbo de nuestra novelística. Aquel primer encuentro nuestro en el hotel du Pont Royal sería por otra parte el comienzo de una estrecha y fructuosa colaboración entre ambos que se extendería desde sus versiones de *Juegos de manos* y *Duelo en el paraíso* hasta *Señas de identidad.* Según averigüé entonces, Coindreau se había iniciado en el arte de la traducción con *Divinas palabras* de Valle-Inclán y sólo los azares de su carrera universitaria en Estados Unidos le habían desviado de nuestra lengua y hecho descubrir en sus fuentes la obra de la «generación perdida». El retorno, al cabo de más de treinta años, a su amor de juventud no se limitó a la traslación de cinco de mis novelas sino que se extendió a las de autores que, como Sánchez Ferlosio y Marsé, se abrieron camino en el mundo literario francés merced a su influencia y prestigio.

A mi llegada a París a primeros de octubre, me dirigí a la editorial Gallimard en donde Coindreau me había dado cita. Al entrar en el vestíbulo pregunté por él a la recepcionista: ésta me informó de que acababa de salir y me esperaba en su hotel por la tarde, pero que la secretaria del servicio de traducción deseaba verme. Aguardé excitado y, al poco, por la pequeña escalera con suelo de

linóleo, apareció una mujer joven, tostada por el sol y
con el cabello muy corto, de la que recuerdo con gran
precisión la sonrisa. Monique Lange me dijo en un castellano aproximativo que su jefe Dionys Mascolo quería
conversar conmigo y me preguntó si hablaba francés. *Je
le baragouine un peu,* le repliqué con falsa modestia. La
seguí por un dédalo de escaleras y corredores al espacioso despacho, abierto a un hermoso jardín interior en el
que me esperaba su jefe. Mascolo me recibió con sencillez y afectuosidad: Coindreau le había escrito recomen-
dando vivamente mis libros y aprovechaba mi visita,
dijo, para notificarme las cláusulas habituales de los contratos. No obstante, el diálogo derivó en seguida hacia
España, en donde mi interlocutor acababa de pasar las
vacaciones en compañía de Marguerite Duras, Vittorini y
una pequeña banda de amigos. La evolución del país,
aun bajo un sistema tan coercitivo como el de Franco, les
había llamado la atención; pero, desdichadamente, su
desconocimiento del castellano y falta de contacto con
los intelectuales de dentro no les permitió calar en el
meollo de las cosas tal y como hubieran querido. ¿Qué
pensaba yo de la situación? ¿Veía, como ellos, alguna
esperanza de cambio? Durante una buena hora expuse a
Mascolo mis violentos sentimientos antifranquistas: con
mi optimismo ingenuo de aquellos tiempos, le expliqué
que la nueva generación de intelectuales y universitarios
se oponía a la dictadura y adoptaba posiciones políticas
cada vez más claras y radicales. Pese a nuestro aislamiento y al temor provocado por la durísima represión de la
posguerra, los jóvenes empezaban a abrir los ojos y planeaban acciones reivindicativas de acuerdo con la oposición sindical clandestina. Otorgando a la experiencia de
nuestro minúsculo grupo un alcance del que carecía,

vaticiné que el país entraría muy pronto en una fase de agitación revolucionaria. Mascolo sorbía mis palabras con expresión enfervorizada y, al concluir nuestra charla, expresó deseos de verme de nuevo. Monique, que había permanecido hasta entonces en un discreto segundo término, me preguntó si estaría libre para cenar con ella el día siguiente: he invitado también a Jean Genet, añadió en seguida para convencerme. Le dije que sí y anoté sus señas, las de ese 33 Rue Poissonnière que se convertiría pronto en mi refugio y querencia: el domicilio «permanente» que figura desde hace casi treinta años en mis documentos oficiales.

Según me reveló Monique después, Mascolo exclamó a mi salida de su despacho: «Éste es el español que esperábamos desde hacía tiempo» y, enamoriscada de él e influida por sus ideas y opiniones, ella interpretó el comentario como una orden. Con esa falta de confianza en sí misma que la caracteriza, había adelantado el nombre de Genet y su poder persuasorio para prevenirse contra un posible rechazo. Mi vehemencia política y aspecto belmontiano le habían impresionado: después de mi partida, preguntó a la recepcionista si, a su entender, me interesaba por las mujeres. Geneviève le dijo que sí. Monique no estaba tan segura: mi mirada no traslucía emoción personal alguna fuera de mi aversión al sistema y persona de Franco. En cualquier caso, decidió, mi próxima conversación con Genet la sacaría de dudas.

La noche de la cena, el ocho de octubre, salgo del metro de Bonne Nouvelle, localizo en seguida el cine Rex situado frente a las antiguas oficinas de *L'Observateur* en donde me reunía con Elena de la Souchère meses antes, busco el edificio contiguo, no en el bulevar sino en la calle, subo en ascensor al tercer piso, llego a la segunda puerta a la izquierda, toco el timbre. Monique acude a recibirme y me presenta a sus huéspedes: un joven inglés rubio y barbudo llamado Peter y, calvo, menudo, lampiño, con una cazadora y pantalones de pana, Genet. Yo estoy intimidado por su presencia y mi intrusión entre desconocidos pero, por suerte, Genet parece preocuparse tan sólo por Peter, con quien Monique, entonces recién divorciada, mantiene una relación pasajera. Le pregunta por sus gustos y preferencias, bromea maliciosamente con él, trata de hacerle confesar que ha sentido alguna vez una atracción reprimida o secreta por un compañero o amigo. Él niega, lo cual divierte y excita a Genet, recostado en el diván junto a Monique. Bruscamente, se vuelve hacia mí y pregunta a quemarropa:

–Y usted, ¿es maricón?

Confundido, contesto que he tenido experiencias homosexuales –algo que hasta entonces no había manifestado en público y me ayuda a aclarar las cosas ante Monique, con quien simpatizo ya de modo instintivo–, pero mi audacia –supongo que debí de enrojecer al responderle– no le impresiona en absoluto.

–¡Experiencias! ¡Todo el mundo ha tenido experiencias! ¡Habla usted como los pederastas anglosajones! Yo me refería a sueños, deseos, fantasmas.

Genet no volverá a dirigirme la palabra durante la noche y, con una mezcla de desencanto y alivio, comprendo que no he aprobado el examen. Le dejo pues cortejar irónicamente a Peter mientras, en el curso de la cena y sobremesa, me consagro del todo a Monique.

Cuando intento rememorar mis primeras imágenes de ella éstas convergen siempre, nítidamente, al aura tan peculiar e insólita de su sonrisa: una sonrisa abierta, cálida, generosa, teñida de una leve melancolía, que le pertenece en exclusiva y una vez aprehendida e interiorizada resulta imposible olvidar. A lo largo de mi vida no he tropezado con ninguna otra dotada de tal intensidad expresiva: lenitiva, cordial, dulce, conmovedora y embebida no obstante de una misteriosa fragilidad. Aun en los momentos más duros de nuestra accidentada y a veces dolorosa convivencia, la simple evocación de la misma ha bastado para barrer de golpe mezquinas reservas, desbaratar propósitos de alejamiento o ruptura, reproducir la turbadora emoción que se adueñó de mí el día en que de verdad la descubrí y supe que era el afortunado destinatario, haciéndome descabalgar y enderezarme, aturdido y borracho de pura felicidad.

Desde aquella noche, pese a la interferencia de Genet y su personalidad abrumadora, se establecerá entre los dos una inclinación recíproca, de una índole difícil de precisar. Monique ha roto de algún modo la barrera cautelosa, erizada de defensas que se interpone entre las mujeres y yo, con excepción de cierto tipo de prostitutas. Si mi afección no es todavía física, su cuerpo no me deja insensible ni me inspira temor. Aunque la informulada pero evidente relación con Peter no favorece nuestro acercamiento, me hará comprender con todo que mi irrupción ha introducido un pequeño cambio en su vida y escala de prioridades: llegado el momento de irme, en un signo de connivencia dirigido a mí, lo despedirá también de forma un tanto abrupta, como dándome a entender que el terreno está libre. Cuando me doy cuenta de lo ocurrido, estoy en la calle con Peter, sin metro, autobús ni medios que autoricen el lujo de un taxi. No tenemos más remedio que regresar juntos a pie a la Rive Gauche y recorremos el largo trayecto en silencio, yo agitado aún por el recuerdo y novedades de la velada mientras él, a mi

lado, parece absorto en las reflexiones amargas, sombrías
de un suplantado galán.

En los días siguientes, resuelvo con Coindreau algunos de los problemas y dificultades que plantea la traducción y firmo los contratos redactados por Mascolo,
que Monique ha pasado a máquina. Mi antiguo, tenaz
objetivo de afincarme en París está ya casi al alcance de la
mano, pero debo volver a España a cumplir varios meses
de servicio militar so pena de ser declarado prófugo, cortar todos los vínculos que me unen a mis hermanos y
amigos y renunciar a aquélla si no definitivamente cuando menos por espacio de muchos años. Convencido de
mi utilidad de enlace de nuestro grupo con los intelectuales europeos que tomamos de modelo, sin ánimos
para desertar egoístamente de la lucha emprendida con
él, prefiero sacrificarme por un tiempo y retornar libre de
obligaciones y cargas. Monique, a quien he expuesto mis
problemas de conciencia, aprueba la decisión y, aunque
nuestros lazos son aún vacilantes, promete ir a verme a
España. La veo a diario, a solas o con algunos de sus amigos: Mascolo, Marguerite Duras, Florence Malraux,
Odette Laigle. En su febrilidad inicial por darse a conocer y seducirme ha desplegado como un abanico sus
radiantes, vistosas tarjetas de visita: no sólo es íntima de
Genet sino que alguien de acceso tan difícil como
Faulkner le escribe cariñosamente y ha apadrinado a su
hija. La lista de sus amistades cercanas abarca de hecho
una serie de escritores que he leído y admiro. Pero, junto
a ese primer impulso suyo a impresionarme, Monique,
como me confesó más tarde, me está poniendo a prueba:
desea saber si *je suis ambitieux* –yo he entendido *un
vicieux* y, cómicamente, me apresuro a tranquilizarla–, si
más que la escritura en sí me preocupa, como a muchos

de los colegas con quienes se codea, el afán de hacer carrera. Su vigilancia moral en un asunto juzgado por ella fundamental –desde su puesto de observación privilegiado ha podido verificar *ad nauseam* las vanidades, zancadillas, envidias, miserias de la siempre grotesca tribu literaria–, contribuyó de manera decisiva, en nuestros primeros años de vida en común, a curarme de mi propensión inicial al arribismo y obsceno cosquilleo de la notoriedad: larga y porfiada batalla contra mí mismo en la que su rigor y el ejemplo simultáneo de Genet me impidieron convertirme en uno de esos botijos orondos, hidrópicos de autosuficiencia que, con ubicuidad telegénica, se exhiben a diario en el parnasillo peninsular.

Poco a poco, conforme se afianza una relación ya tierna, pero delicada e incierta, me revelará entresijos y detalles de su biografía: sus orígenes judíos, infancia en Indochina, conversión al catolicismo y pérdida inmediata de la fe, descubrimiento de la miseria hindú, regreso a París, amistad con Genet, matrimonio, divorcio, impacto de sus viajes a España, adhesión al partido comunista. Su humor, llaneza, emotividad a flor de piel arramblan con mis prevenciones y me sitúan en una inmediatez calurosa, propicia a la reciprocidad. Acostumbrado al trato estrecho, cursi, estreñido de las burguesas españolas de la época, su lenguaje directo y ausencia total de pudor y miedo al ridículo me sorprenden y atraen. Al terminar sus horas de oficina salimos de paseo y yo le muestro mis rincones preferidos de la Mouff', los canales y cafetines de Aubervilliers descubiertos por Guy Debord. Animado por su franqueza y espontaneidad, le confío a mi vez mis impedimentos y trabas con las mujeres. Hasta ahora sólo he podido joder con las putas, le digo. Todas las mujeres soñamos en ser las putas del hombre que nos interesa, me responde ella.

Para no forzar las cosas, Monique prolonga con tacto la ambigüedad de nuestro vínculo. Si bien nos besamos y conducimos de puertas afuera como dos amantes, no lo somos aún y se las arregla para concluir el día y despedirse de mí en un lugar público. De modo tácito, hemos acordado aplazar la experiencia unas pocas semanas, cuando vaya a visitarme durante sus vacaciones de fin de año. Como me dirá más tarde, este salto a lo desconocido, desaconsejado con fuerza por alguna de sus amigas, le parecía realmente una locura; pero, resuelta a ganar la apuesta, se presentó a verme en la fecha fijada, aun a riesgo de fracasar y dar con los huesos en tierra. Cuando el día veintitrés nos despedimos en la Gare d'Austerlitz, nos sentimos los dos confusos y emocionados: nuestra relación es precaria y lábil; cualquier circunstancia desdichada o imponderable pueden todavía quebrarla, hacerla desaparecer.

En las semanas posteriores a mi partida, transcurridas en gran parte en Torrentbó, corrijo el manuscrito de *Fiestas,* leo los libros de Genet, Leiris, Violette Leduc, Elio Vittorini que me ha enviado, pongo una y otra vez los discos que escuchamos juntos en París. Mis cartas contienen graves reflexiones sartrianas sobre la actitud comprometida de Genet con la rebelión del FLN argelino en contraposición al silencio e indiferencia cómplices de los «mandarines». Mi condición social de «señorito» –puesta de relieve en mi frecuentación de Alfredo y los payeses– me avergüenza y preocupa: soy objetivamente *une ordure,* le escribo; pertenezco sin quererlo al bando *des ordures.* ¿Qué puedo hacer para evitarlo? Aun en el caso de que me inscribiera en el PC como ella, mi posición no variaría en la medida en que las estructuras económicas del país continuarían siendo las mismas y sólo un hipotético triunfo de la revolución podría abolir las injustas diferencias de clase. Mostrarme interesado y atento a la suerte de aquéllos, ¿no implicaba acaso el riesgo de adormecerlos con mi paternalismo y contribuir así a una aceptación, aun provisional, de su estado?

Cuando, tras mes y medio de cartas y llamadas telefónicas, desembarca en Barcelona la aguardo al final del andén de la antigua estación de Francia: Monique viene hacia mí cargada de maletas, con la sonrisa y expresión receptiva y sensible que ansiosamente espero de ella. He reservado una habitación doble en el hotel Cosmos, cuya situación en el centro de Escudillers y aspecto vago, sugerente de *meublé* me convienen: Gil de Biedma me ha aconsejado con insistencia la «cámara nupcial» en la que ha pasado en una ocasión una noche gloriosa; pero está ocupada y nos instalamos en otra más modesta. Luis, María Antonia y varios amigos acuden a conocerla y saludarnos. Almorzamos en el Amaya, bebemos, damos una vuelta por el puerto: al regresar al Cosmos de anochecida estamos ligeramente achispados. Desnudos los dos nos exploramos con tiento: su piel es firme, acogedora, suave y mi temida frigidez funde a su contacto. Excitado, dichoso penetro en ella una y otra vez, me pierdo entre sus pechos, su vientre, regazo. Acoplado a su cuerpo, encuentro sin prisas los gestos y ademanes necesarios, comparto con ella tan demorada y hermosa intimidad. Suena el teléfono y no lo descolgamos: vivimos aislados en nuestra burbuja ígnea, desconectados del mundo exterior.

Por espacio de cinco o seis años, la relación comenzada en el decorado chillón, de casa de citas del Cosmos, conocerá sus altibajos y remansos, pero no remitirá: Monique será, también en el plano sexual, el centro

omnívoro de mi vida. Nos amaremos, reñiremos, enga-
ñaremos, reconciliaremos como cualquier pareja en
París, Italia, Barcelona, Andalucía: probaremos por
turno los cuatro lechos de un solemne, anacrónico hotel
de Cartagena; follaremos desnudos en las dunas ardien-
tes de la playa de Guardamar, espiados por un mozalbe-
te. Las estampas suntuosas, barrocas de virilidad, devoración, violencia, sin desaparecer del todo de mis sueños,
permanecerán entonces en sordina, vegetando en una
especie de trastienda, pero prestas, según comprobaré
acongojado más tarde, a reaparecer y avasallarme cuando la ocasión se presente.

Agotados, pero felices salimos a cenar muy tarde, con
angulas y vino tinto, en una de las tascas de Escudillers.
Para justificar mi ausencia de casa, he explicado a mi
padre que voy unos días a Calafell y, a partir de esta
fecha, el término *calafell* adquiere para Monique y para
mí el proustiano matiz de *faire catleya*. Durante el día, le
muestro el Varadero y tabernas de la Barceloneta que
había recorrido con Raimundo; de noche, vamos al baile
negro del Cádiz y bebemos manzanilla en la Venta
Andaluza. María Antonia y Luis suelen acompañarnos y,
una de las veladas, coincidimos en la última con Gil de
Biedma y un desconocido, Jaime Salinas, que, exiliado
desde la guerra, pisa por primera vez el suelo español.
Monique profesa entonces una irresistible pasión por las
locas y mariconas: las que conoce en Barcelona, con su
maquillaje, agitación histérica, contoneos, risitas le confirman la vieja opinión de Genet de que las españolas son
sin duda las más cómicas, tristes, descaradas y atroces
del mundo. En aquella y sus siguientes estancias, el puerto, las Ramblas, el Barrio Chino y el tálamo acolchado y
pomposo del Cosmos serán nuestra querencia absorben-

te, exclusiva: las únicas incursiones a los barrios burgueses y acomodados de la zona alta, las haremos a Pablo Alcover y piso de los Barral, en uno de cuyos martes literarios Castellet nos ha dado cita.

Mi padre acoge con desconcierto a la francesa que se cruza inopinadamente en su camino, por más que luzca en su honor el limitadísimo y a veces equivocado repertorio de cortesías en su idioma memorizado en sus tiempos remotos de colegial. Eulalia, desmintiendo mis temores, simpatiza en seguida con ella y la atiende durante y después del almuerzo con sorprendente efusividad. El abuelo permanece en su rincón hojeando el periódico o rascándose el cuero cabelludo. El escenario fantasmal, vetusto y decrépito de la torre impresiona a Monique: tras haber pasado en él unas horas, me dice, se ha sentido tan oprimida como yo y con los mismos deseos de huir de allí.

La reunión en el apartamento de recién casados de los Barral, aun animada por la presencia irradiante de Ferrater, adolece de ese prurito literario mundano *d'être à la page* ilustrativo para una parisiense habituada a Genet de nuestro irremediable complejo de provincias, si bien servirá más tarde al editor no sólo para divulgar en España algunos nombres que Monique le revela sino también para sentar, gracias a ella, las bases de un productivo y estimulante acercamiento a Gallimard, que cuajará en las futuras Conversaciones de Formentor y la creación del efímero, pero innovador Prix International de Littérature.

Cuando Monique se despide de mí, nuestra vida se ha modificado. Yo debo presentarme días después en el cuartel de Mataró a cumplir mis prácticas de sargento de la llamada Milicia Universitaria pero concertamos que, al término de aquéllas, nos reuniremos en París y pasaremos juntos unos meses para determinar en el trato diario si la experiencia nos conviene. En el intervalo, nuestra correspondencia, sus llamadas telefónicas y visitas mantendrán vivo, esperamos, el calor de una relación que, sin sospecharlo entonces ni ella ni yo, va a influir sin embargo en nuestro destino, carácter e ideas de forma perdurable y definitiva.

El historial de los meses posteriores a vuestro primer encuentro barcelonés se halla minuciosamente consignado en la correspondencia que mantuvisteis y su reconstrucción no plantea ninguna dificultad. La mayoría de tus cartas proceden de Mataró, de enero a julio del año cincuenta y seis y su continuidad se interrumpe tan sólo durante las breves y espaciadas visitas de ella. La relectura de aquéllas, casi treinta años más tarde, revela junto a una franqueza y receptividad a menudo estimables algunos rasgos de tu carácter con los que después contenderías duramente: la propensión adolescente a embellecer o magnificar inconscientemente cuanto te acaece que, de no haber atajado pronto, te habría arrastrado a una incurable mitomanía; la vanidad del señorito de izquierdas de la que de modo paradójico te desprenderías gracias a un desmesurado pero saludable orgullo creador: al hecho comprobado día a día, conforme se acendraba tu adicción a la escritura, de que no eras lo bastante modesto como para sentirte halagado por la fama y honores que sustentan aquélla; de que la aventura y vértigo de escribir descubiertos en *Don Julián* constituían a fin de cuentas algo ajeno y aun opuesto a la gloria mundana: una nueva expresión o territorio inexplorado de tu sexualidad.

Vuestro diálogo a distancia muestra el goce y cautela de quienes caminan a una cita amorosa entre dunas y arenas movedizas. Los planes que forjáis para el futuro son transitorios y frágiles: a tu vuelta a París te acomodarás a solas en el pequeño hotel de la Rue de Verneuil y pasaréis juntos los fines de semana. Cada uno de vosotros conservará su libertad y no aspirará a la posesión exclusiva del otro. En tanto permanecéis separados debéis permitiros «alegremente» pequeñas infidelidades. Cuando Monique te refiere en detalle sus aventuras de antes y después de casarse en el curso de unos viajes, le escribirás que nunca la has querido tanto ni te has sentido tan orgulloso como entonces de sus cualidades de arrojo e independencia. Tú le enumeras tus mediocres *calafells* ambidextros y la alientas a que a su vez te relate los suyos. Su historia paralela con un amigo común y el problema inesperado y doloroso que acarrea te inducen a profundizar la reflexión en el tema: la palabra puta, empleada con una connotación moral, te repugna. Todo el mundo, mujeres y hombres, tiene fantasías y deseos mudables respecto al otro sexo independientemente de sus vínculos afectivos. La noción de engaño, le dices, es reaccionaria y confusa: no te sientes traicionado por el hecho de que ella haya ido con otro; la verdadera traición radicaría en que, como una esposa burguesa, hubiera intentado ocultarlo. Ello no evita, como es lógico, la comezón de los celos; pero es un malestar soportable e incluso dulcemente melancólico. Teniendo en cuenta tu aversión a la tradicional pasividad y frigidez femeninas, te impresionan y excitan sus cualidades de don Juan.

A veces le expones sueños de jodienda con ella sin omitir de los mismos, en una ocasión, la presencia de unos argelinos con quienes habíais bebido en la Mouff' y su brusca, turbadora promiscuidad. Desde primeros de año te has incorporado al cuartel de Mataró y la descripción del tedio, enbrutecimiento y absurdidad de tu vida en él ocupa gran parte de las misivas:

> Esta mañana, misa. Ceremonia apasionante: el cura mariposea frente al altar al son de los tambores y cornetas con aires de *prima donna*. Al otro lado del patio, rodeados de guardias armados, los presos asisten al acto con la cabeza descubierta y se postran de hinojos durante la Consagración. El cura, angélico e infantil como una muñeca, predica el sacrificio y resignación propios de la Cuaresma. Algo conmovedor. Yo miraba a los presos –algunos llevan años encerrados–, al cura, la hostia, la banda militar estrepitosa, la espada refulgente del oficial. Todo bello, ordenado: moral, religión, Dios, etc. ¡Cómo me acordaba, quería y echaba de menos a Genet!

> ¡Hermosa procesión la del jueves! Casco, metralleta, botas, uno, dos, marcando lentamente el paso tras el Niño Dios a los acordes de la banda. Delante de nosotros, las niñas de Primera Comunión con sus velas y alitas blancas y curas, curas, todavía curas mientras sudamos cegados por el sol y su

---

* Ninguna de las dos cartas citadas, y que traduzco del francés, llevan fecha si bien ésta se deduce del texto: la procesión mencionada en la segunda es la de la festividad del Corpus.

reflujo en las bayonetas, uno, dos, uno, dos, y yo
entontecido, reventado, ausente, con la penosa
impresión de ser un simio*.

Si va a decir verdad, tu vida no es siempre tan dura y
deprimente como se la pintas. Aun en un sistema rígido
y jerarquizado como el Ejército y bajo la difusa pero real
opresión de la dictadura, una incongruencia, arbitrarie-
dad y desorden típicamente hispanos palian lo que en
otras latitudes podría haber sido una reglamentación
inflexible y prusiana, abriendo huecos y espacios de respiro, amables ojos de queso, en una vida a primera vista
espesa, compacta, amazacotada. El horario y disciplina
cotidianos de un cuartel franquista –imaginados con
angustia y horror por los amigos franceses con quienes te
carteas– contienen una serie de imponderables de capricho, improvisación y fantasía que únicamente los cono-
cedores del carácter español y sus puntos flacos pueden
asimilar sin sorpresa. Desde tu llegada al Regimiento de
Infantería Badajoz N.º 26, Monique te llama regularmente y estas comunicaciones telefónicas por parte de una
francesa no sólo te forjan un envidiable *status* de merito-
rio y bragado conquistador hispano sino que crean una
palpable atmósfera de expectación y rijosidad entre los
oficiales: mientras un teniente procura granjearse tu estima con miras a un eventual viaje de tu «prometida» con
alguna amiga francesa, seguido de un alegre y despreo-
cupado escalo de los cuatro a toda clase de picos pardos,
otro te insinúa la posibilidad de obtener a través de ella
una de esas revistas parisienses que, si hoy caerían de
puro sosas de las manos de un niño de ocho años, despiertan entonces en militares reprimidos y frustrados

una excitación difícil de imaginar. Discretamente cortejado por tus superiores, te aprovechas de la situación
para zafarte de las obligaciones más penosas de tu vida
de sargento –desfiles, revistas, marchas– invocando la
peregrina necesidad de permanecer junto al teléfono en
caso de llamada de París. El franquismo era igualmente
esto y no tenía nada que ver con el régimen férreo, mono-
lítico y totalitario que exiliados y simpatizantes de la
República solían describir y pintar fuera: pese a tu agnosticismo religioso y conocida desafección al Régimen, las
conferencias telefónicas de una invisible, pero evocadora
y sugerente novia francesa te conferían en el interior del
regimiento un nimbo privilegiado y especial.

La experiencia de aquellos meses en Mataró no sería
por otra parte puramente negativa: el contacto con soldados y presos te permitiría atisbar unas zonas y escondrijos de la realidad española en los que de otro modo no
hubieras logrado introducirte. En alguno de los relatos
de *Para vivir aquí* recoges tu fugitiva visión del injusto e
irracional universo carcelario: la colección de casos patéticos o estrafalarios reunidos en los calabozos del cuartel
por un azar del destino. Recuerdas al pobre campesino
que desertó al recibir una carta paterna requiriendo su
participación en las faenas de la siega; al prófugo de
aspecto lombrosiano, cuyas escapadas concluían siempre
en los prostíbulos de la calle Robadors; al marica detenido allí por el único crimen de serlo y al que los oficiales,
en sus juergas, mandaban buscar a la celda, para que can-
tara y bailara ante ellos pintado y vestido de mujer; al
mozo que te dictó un mensaje dirigido sin otras señas «A
Pepe el de los Melones Allá a la Vera de la Carretera» y a
quien no lograste convencer de que, a falta de datos más
precisos, jamás llegaría al destinatario; el día en fin en

que un recluso pequeño y achaparrado, luego de envolverse en la sábana limpia y suave de un compañero, se masturbó y eyaculó sobre ella provocando la cólera de los otros y una ruidosa tentativa de linchamiento.

La indignación moral por las tropelías y abusos del sistema, refrenada dentro del cuartel, se vierte a cada paso en las páginas de tu correspondencia. Pero los acontecimientos de febrero de 1956 –primera crisis política abierta en el interior del Régimen– y medidas policiales subsiguientes –detención de Ridruejo, Pradera, Múgica, Miguel Sánchez Mazas– te obligan a extremar las precauciones. Gracias al viaje de algunos amigos que, como Jaime Salinas, se avienen a servir de emisarios, informas puntualmente a Monique de cuanto sucede: en Barcelona, le dices, circulan listas negras de opositores a quienes se debe neutralizar en caso de necesidad y tu nombre figura en ellas en cuanto «enlace intelectual del PC con el exterior». Aunque se trata sólo de rumores alarmistas, tus compañeros y tú los tomáis en serio y durante unos días interrumpís todo tipo de reuniones y contactos. «En tales circunstancias, escribes, no sé honestamente lo que me espera; no puedo siquiera hacer proyectos: ¿terminaré el servicio militar sin problemas?, ¿me concederán el visado?» Por fortuna, las cosas no pasan de ahí y, tras la destitución de Ruiz Giménez, las aguas vuelven a su cauce. Con todo, previendo futuros obstáculos, estableceréis un método de comunicación alternativa a través de intermediarios aguardando la fecha de su nuevo viaje.

Las llamadas frecuentes y visitas de Monique a Barcelona repercuten en las relaciones hipócritas y evasivas pero irritantes que mantienes con tu padre. Las presuntas excursiones a Calafell y prolongadas ausencias del cuartel y de casa le descubren la naturaleza de un vínculo que vulnera sus principios católicos. Mientras los orígenes familiares y educación religiosa de María Antonia la ponen por encima de toda sospecha no obstante la asiduidad de su trato con Luis –hasta el punto de que años más tarde comentará contigo que se necesita una gran fuerza de carácter por parte de ambos para «no caer en la tentación»–, tu concubinato con una francesa no ofrece ninguna duda. Pero, como advertirás en seguida, si Monique es «la judía divorciada» con quien vives en pecado, tu cohabitación con ella parece haberle descargado de un peso y no suscita la misma reprobación que habría provocado en el caso de tus hermanos: la inconfesada, secreta aprensión a tu eventual homosexualidad, incubada y latente desde el episodio del abuelo, le ha robado posiblemente muchas horas de sueño y aun con su separación matrimonial y «sangre judía», Monique aparecerá a sus ojos como un menor mal. Sus consideraciones acomodaticias sobre ella y confidencias a Luis y José Agustín traslucen la ambigüedad en que fluctúa. Cuando su hermana menor conozca casualmente a la madre de Monique en Puerto Alcudia, su opinión muy favorable de ella y su posición burguesa alivian sus temores de verte en las manos de una aventura y le conducen a aceptar el hecho consumado: aunque no bendecida por la Iglesia, vuestra pareja es «normal». Su muerte, ocho años más tarde, le preservará de enfrentarse a una verdad mucho más dura de encajar que su descubrimiento brutal de vuestras simpatías comunistas: el desarrollo y florecimiento en uno de sus hijos de esa monstruosa semilla de desorden, aberración y desvío de la rama materna que fuera la obsesión de su vida, a pesar de las precauciones y defensas con las que vana, irrisoriamente la había intentado conjurar.

Una casualidad sumamente feliz y de consecuencias perdurables para ti determinó que la compañía a la que fuiste destinado de sargento estuviera compuesta en gran parte de murcianos y andaluces. Hasta entonces, las circunstancias te habían impuesto un alejamiento involuntario de ellos: huyendo de la injusticia y avariciosidad de su suelo, acudían a las zonas industriales del norte de España con la esperanza de hallar trabajo y techo para tropezar de ordinario con una explotación bastante similar a aquella de la que huían. Hacinados junto a los gitanos en el cinturón de chabolas que rodeaba a Barcelona, vivían marginados y discriminados por los autóctonos, marcados con la etiqueta despectiva de xarnegos. Las condiciones miserables en las que acampaban y la persistencia no obstante de su corriente migratoria te habían llevado a interrogarte a menudo sobre su situación en las provincias de origen; con todo, fuera de algunos encuentros fortuitos en tus correrías barriobajeras, nunca tuviste oportunidad de mezclarte con ellos ni considerar sus problemas. La visión negativa de tu medio social, incluidos los sectores nacionalistas, se

centraba en su ignorancia, dejadez y natalidad excesiva
cuando no en su supuesta afición a ingresar en la Guardia
Civil y demás cuerpos represivos del ejército y la policía.
Como había dicho en la universidad un amigo de Albert
Manent, sense aquests guàrdies andalusos que ens envien
de Madrid, Catalunya seria lliure.

Los soldados de tu compañía procedían de las comar-
cas más olvidadas de la España esteparia. Su desamparo
cultural y social, las burlas de que eran a veces objeto por
parte de los demás te predisponían muy naturalmente en
su favor : te acuerdas como si fuera hoy del día en que dos
de ellos salieron a pasear, como era antes costumbre en sus
pueblos y lo es aún en todo el Magreb, cogidos del dedo
pequeño y de las risas y comentarios socarrones que su
inocente ademán ocasionó. Trasplantados directamente a
la urbe desde sus cortijos y aldeas, algunos parecían asus-
tados por el tráfico y bullicio de aquélla, cruzaban torpe-
mente la calle, contemplaban asombrados las maneras
mucho más desenvueltas y libres de los chicos y muchachas
de la localidad. Cataluña era su Eldorado y la mayoría
forjaba planes de instalarse en ella. Casi todos tenían un
pariente o amigo en Somorrostro, Pueblo Seco, Casa Antú-
nez o La Verneda; pero el conocimiento de la situación con
la que bregaban a diario sus paisanos no les desanimaba.
Como te revelarían poco a poco en las conversaciones que
sostuvisteis, la pobreza de las barracas barcelonesas impli-
caba una evasión de otra pobreza aún más dura e inhu-
mana, aparentemente sin trazas de remisión.

Este descubrimiento te había inspirado el deseo de viajar
a su tierra. Los reclutas con quienes a veces, infringiendo el
reglamento, salías a beber unos chatos en las horas de asue-
to, te hablaban con tosquedad y emoción de sus pueblos :
Mazarrón, Águilas, Totana, Pulpí, Huercal Overa, Garru-

cha, Lubrín, Níjar; Carboneras... El relato de su vida en ellos,
de su belleza y atraso te conmovió. Aunque tu obsesión al
ahorcar el uniforme era alejarte lo más pronto posible de
España, Monique quería pasar sus vacaciones al sol : impresionado por el testimonio de tus amigos, le propusiste recorrer en autocar los pueblos costeros de Murcia y Almería; ella
aceptó la idea encantada. Cuando, libre al fin de tus obligaciones castrenses, la acogiste como las otras veces en el andén
de la estación vuestro espacio de bienandanza no sería ya el
Barrio Chino ni las Ramblas ni el lecho muelle y satinado del
Cosmos. Impacientes, dichosos, con ganas de beber, bañaros,
hacer el amor en nuevos escenarios, tomasteis el tren para
Valencia, camino de Guardamar, Cartagena y las playas
remotas del presentido, luminoso Sur.

Baño lustral, deslumbramiento epifánico : imbricación
de imágenes fugaces, vorágine visual, beatitud expansiva :
prolija operación de enhebrar, en orden velado, el flujo
torrencial de fotos fijas : dislocación violenta de estratos,
alberos desnudos y mondos, sutilizadora erosión de pie-
dras ocres, sujetas a lenta, milenaria tortura : ramblas
sedientas, parvedad de adelfas, vegetación mezquina, ubicuidad solar : luz que parece vibrar y adensarse mientras
el autocar penosamente se aferra al plomizo alquitrán de
la carretera : chozas alastradas, firmamento terso, reprimidos, efímeros conatos de verdor : impregnadora sensación de belleza y miseria, existencia cruel, descalza y harapienta, ruin esplendor mineral : exhausta quietud de
montañas de grupas escurridas, dorso abrupto y quebra-
do, testuz aderezado por la paleta antojadiza de un pintor :
erupciones cutáneas, llagas rosadas, chirlos sinuosos, cicatrices blancuzcas : desolación, adustez, magnificencia,
dolor corrosivo, plenitud diáfana : afecto instintivo, espontáneo a un paisaje huérfano y suntuoso, nítida asunción

*del goce identificatorio, fulgurante anagnórisis de tu
encuadre espacial : afinidad, inmediatez, concomitancia
con una tierra casi africana que confiere al viaje el aura
iniciática de una segunda, demorada natividad.*

*Amarga como la tuera : así define su patria chica el mozo
que, tendido con vosotros sobre la arena, abarca con un
vago ademán del brazo el país áspero y calcinado, la playa
desdibujada por la calina, el pueblo blanco y escueto,
sumido en el letargo abisal de la siesta : tierra expoliada y
exangüe, minas abandonadas, chimeneas en ruina,
negruzca profusión de escoriales : testimonios de una euforia pasada que agravan por contraste la inhóspita impresión de indigencia : vidas horizontales, bostezo de cuevas,
desolación calcárea, pertinacia ancestral : mujeres de luto,
prematuramente gastadas, cargadas de cántaros junto al
aguaducho : campesinos sonámbulos, reatas de mulas,
hombres callados y tristes acogidos a la paz de un sombra-
jo : ninguna mudanza ni expectativa de cambio : soledad,
reiteración, monotonía, deseos de huida, de sacudir el
polvo adherido a la suela de los zapatos : emigrar a
Madrid, Barcelona, Francia, adonde sea : el precio de un
billete de autocar y una maleta con su única herencia : su
condena brutal y también su esperanza.*

*Una ciudad colonial somnolienta y decrépita : guardias
vestidos de dril, tocados de salacot blanco : cabeceo in-
dolente de coches de caballos : promiscuidad y ajetreo de
zoco : hotel Simón, de habitaciones vetustas.*
     *Descubrimiento de ritmos, olores, voces, dulce apren-
dizaje de la ociosidad : exploración cauta del ámbito urba-*

no, fascinación y horror entremezclados, íntima guerra civil, contradicción insoluble : pluralidad, alternancia, corriente bifásica : chispazo creador, espermático, producto de un choque simultáneo : ejercicio contemplador, arrobado de un mundo que hiere de otro lado tu inerme sensibilidad moral.

Acento ronco, gutural o cantarino del Sur, a través del cual se infiltrará quizá misteriosamente el amor a tu lengua : territorio conquistado palmo a palmo, a la escucha de voces transidas de resignación y pobreza : doble aprehensión gradual de una posible pertenencia y de la índole aleatoria e incierta de tu otorgada, dudosa identidad.

El desamor a España –esa entidad ajena, fragmentaria, incompleta, a veces obtusa y terca, otras brutal y tiránica– en cuyo seno negligente has crecido sufrirá el impacto de la breve y enjundiosa cala por tierras de Almería : a tu cansancio juvenil del *pobre, brut, trist, dissortat rincón nativo* hermosamente evocado por Espriu, a los sueños de evasión a *algún lugar del Norte en donde la gente sea* neta i noble, culta, rica, lliure, desvetllada i feliç *se contrapondrá desde entonces la imagen de un paisaje cautivo y radiante cuyo poder de atracción desvía tu brújula y la imanta a la atormentada configuración de sus ramblas, estepas y montes : las primeras vacaciones con Monique, en vísperas del viaje a París, serán así la causa de una conjunción imprevista y feraz : sujeto y motivo de nostalgia, proyección compensatoria de una patria frustrada, atisbo, vislumbre, presentimiento de un mundo todavía quimérico pero presente ya en tu espíritu en su muda, acechante proximidad.*

Índice